1999

DAVID A. GEMMELL

«The King Beyond the Gate»

Дэвид Геммел

Царь каменных врат

Москва

ББК 84(7США)
Г33

Серия основана в 1996 году

Серийное оформление С.Н. Герцевой, А.А. Кудрявцева

Перевод с английского Н.И. Виленской

Художник Анатолий Дубовик

Геммел Д.

Г33 Царь Каменных Врат: Роман/Пер. с англ. Н.И. Виленской. – М.: ООО "Фирма "Издательство АСТ", 1999. – 480 с. – (Век Дракона).

ISBN 5-237-02460-2

Народ дренаев умел сражаться, умел вставать против вражьей силы. Но теперь Зло воцарилось в сердце империи, и имя ему — Цеска, безумный венценосец. Он заключил договор с самою Тьмой, ему служат кровавые оборотни — полулюды и могучие Черные Храмовники. Он взошел на престол по колено в крови и уверен в своей непобедимости — ибо кто рискнет сразиться с тем, кто правит силами Хаоса? Кто? Один-единственный человек, чужак, отверженный — могучий Тенака-хан, полунадир-полудренай, воин, не знающий страха, ибо уже не знает и надежды...

Эта книга посвящается с любовью моим детям Кэтрин и Люку в виде малой благодарности за их драгоценное общество.

Без помощи друзей не было бы никакого удовольствия писать книги. Благодарю Тома Тэйлора, помогавшего мне с сюжетом, Стеллу Грэхем, читавшую гранки, и Джин Маунд, корректора. Благодарю также Гэри, Расса, Барбару, Филипа, Джорджа, Джона Ди, Джимми, Энджелу, Джо, Ли, Иону и весь штат «Гастингс обсервер», где нам так хорошо жилось.

И Росса Лемприера, штурмовавшего лестницы.

ПРОЛОГ

Снег покрыл деревья, и лес ждал внизу словно холодная, неприступная невеста. Человек стоял среди скал и камней, оглядывая склон. Снег осыпал подбитый мехом плащ и широкие поля его шляпы, но человек не обращал внимания ни на снег, ни на пробирающий до костей холод. Казалось, будто он — последний оставшийся в живых на умирающей планете.

Он почти хотел, чтобы так оно и было.

В конце концов, убедившись, что караулов поблизости нет, он двинулся вниз, осторожно ступая по неверному склону. Он уже порядком окоченел и знал, что долго на таком холоде не протянет. Он нуждался в пристанище и в огне.

Позади него вставал до самых туч Дельнохский хребет. Впереди лежал Скултикский лес — приют темных преданий, несбывшейся мечты и воспоминаний детства.

Лес молчал — лишь порой потрескивало скованное льдом дерево или тихо осыпался снег с отягощенных ветвей.

Тенака оглянулся на свои следы. Края уже стерлись — скоро их заметет совсем. Он зашагал дальше, одолеваемый печальными мыслями и отрывочными воспоминаниями.

Укрывшись от ветра в мелкой пещерке, он развел костер. Огонь разгорелся, и красные тени заплясали по стенам. Тенака снял вязаные перчатки и растер над огнем руки, а потом принялся за лицо, разгоняя застывшую кровь. Ему хотелось спать, но пещера еще недостаточно нагрелась.

«Дракона» больше нет. Тенака покачал головой и закрыл глаза. Ананаис, Декадо, Элиас, Бельцер — все они погибли из-за того, что свято верили в долг и честь. Из-за того, что верили: «Дракон» непобедим и добро в конечном счете должно восторжествовать.

Тенака стряхнул с себя дремоту и подложил веток в огонь.

— «Дракона» больше нет, — произнес он вслух, и голос его отозвался эхом в пещере. Не странно ли? — это чистая правда, а между тем он не верит ей.

Он смотрел на пляшущие тени, но видел перед собой мраморные залы своего дворца в Вентрии. Там не было огня — напротив, во внутренних покоях стояла прохлада: холодный камень стойко отражал изнуряющий зной пустыни. Среди мягкой мебели и ковров сновали слуги с кувшинами ледяного вина и ведрами драгоценной воды для полива розового сада и цветущих деревьев.

К нему прислали Бельцера. Верного Бельцера, лучшего из всех баров крыла, которым командовал Тенака.

— Нас зовут на родину, командир, — сказал он, переминаясь с ноги на ногу в просторной библиотеке, весь в песке, грязный с дороги. — Мятежники разбили один из полков Цески на севере, и сам Барис зовет нас.

— Почем ты знаешь, что Барис?

— Печать, командир, — она принадлежит ему. И в письме сказано: «Дракон зовет».

— Бариса никто не видел уже пятнадцать лет.

— Я знаю, командир, — но печать...

— Восковая нашлепка ничего еще не значит.

— Для меня она значит многое.

— И ты вернешься в Дренай?

— Да, командир. А вы?

— Куда тебя несет, Бельцер? От былого остались одни руины. Полулюдов победить нельзя. И кто знает, какое еще злое волшебство пустят в ход против мятежников? Опомнись! «Дракон» уже пятнадцать лет как распущен, и мы с тех пор не стали моложе. Я тогда был одним из самых юных офицеров, а теперь мне сорок. Тебе же должно быть под пятьдесят — если бы «Дракон» все еще существовал, тебя отправили бы в отставку, назначив почетное содержание.

— Я знаю. — Барис вытянулся по стойке «смирно». — Но честь зовет. Я всю жизнь служил Дренаю и не могу не откликнуться на зов.

— Ну а я могу. Дело наше проиграно. Если дать Цеске время, он сам себя погубит. Он безумен, и вся его держава того и гляди развалится на куски.

— Я не мастак говорить, командир. Я проехал двести миль, чтобы передать вам эту весть. Я прибыл к человеку, под которым служил, но его здесь нет. Простите великодушно, что потревожил вас. — И он повернулся к выходу.

— Погоди, Бельцер! — окликнул его Тенака. — Будь у нас хоть малейшая надежда на победу, я охотно пошел бы с тобой. Но я чую здесь какой-то большой подвох.

— Думаете, я не чую? Думаете, все мы не чуем? — спросил Бельцер и ушел.

Ветер переменился и задувал в пещеру, швыряя снег в огонь. Тенака, тихо выругавшись, вышел наружу, срубил мечом два куста и загородил ими вход.

Шли месяцы, и он позабыл о «Драконе», управляя своими поместьями и занимаясь прочими неотложными делами.

Потом заболела Иллэ. Он был тогда на севере и хлопотал об охране перевозящих специи караванов, но, получив известие о ее болезни, заторопился домой. Лекари сказали, что у нее лихорадка, что это скоро пройдет и беспокоиться не о чем. Но ей становилось все хуже и хуже — тогда лекари определили легочную горячку. Иллэ вся истаяла, она лежала на их широком ложе, прерывисто дыша, и в прекрасных прежде глазах горел огонь смерти. Тенака проводил с ней все дни напролет — он говорил с ней, молился за нее, просил ее не умирать.

Ей как будто полегчало, и он возрадовался. Она стала говорить о празднике, который хотела устроить, и задумалась над тем, кого пригласить.

— Ну-ну, продолжай, — попросил он и увидел, что она уже отошла. Вот так, в один миг. Десять лет совместных воспоминаний, надежд и радостей ушли, как вода в песок пустыни.

Он поднял ее на руки, завернул в теплую белую шаль и вынес в розовый сад.

— Я люблю тебя, — повторял он, целуя ее волосы и баюкая ее, как ребенка. Слуги молча стояли вокруг — лишь через пару часов Тенаку разлучили с женой и отвели, плачущего, в его покои. Там лежал запечатанный свиток с отчетом о текущих делах и письмо от Эстаса, его управителя, где содержались советы о помещении средств и упоминались новости, могущие повлиять на деловую жизнь.

Тенака пробежал глазами перечень вагрийских нововведений, лентрийских возможностей и дренайских сумасбродств, пока не дошел до заключительных строк:

Цеска расправился с мятежниками на юге Сентранской равнины. Он похваляется тем, как хорошо удалась его очередная хитрость. Подложным письмом он заманил старых воинов на родину — видимо, он боялся «Дракона» с тех самых пор, как рас-

пустил его пятнадцать лет назад. Теперь ему больше нечего бояться — бойцы «Дракона» истреблены все до единого. Мощь полулюдов внушает ужас. В каком страшном мире мы живем!

— Живем? — сказал Тенака. — Мы-то, может, и живем — а они мертвы.

Он подошел к западной стене, где стояло овальное зеркало, и посмотрел на развалины самого себя.

Отражение тоже смотрело на него — раскосые лиловые глаза обвиняли, рот сжался горестно и гневно.

— Отправляйся домой, — сказало оно, — и убей Цеску.

1

Казармы стояли, занесенные снегом, и выбитые окна зияли, как старые, незажившие раны. Плац, некогда утоптанный десятью тысячами ног, теперь утратил свою гладкость — из-под снега на нем пробивалась трава.

С самим Драконом тоже обошлись круто: отбили каменные крылья, выломали клыки, морду вымазали красной краской. Тенаке, стоящему перед ним в молчаливом почтении, казалось, будто Дракон плачет кровавыми слезами.

При взгляде на плац перед Тенакой замелькали яркие картины. Вот Ананаис гоняет своих солдат, выкрикивая противоречивые команды, от которых люди натыкаются друг на друга и падают.

«Жалкие крысы! — ревет белокурый гигант. — И вы еще называете себя солдатами?»

Но призрачная белизна действительности поглотила краски прошлого, и Тенака вздрогнул. Он подошел к колодцу, где валялось старое ведро, все еще привязанное к полусгнившей веревке. Он бросил ведро в колодец, проломив лед, вытянул наверх и отнес к изваянию.

Краска поддавалась с трудом, и Тенака старался битый час, дочиста отскабливая камень своим кинжалом.

Наконец он соскочил на землю и полюбовался делом своих рук.

Даже Дракон без краски казался жалким, утратившим былую гордость. Тенака снова вспомнил Ананаиса.

— Может, оно и к лучшему, что ты умер и не дожил до этого, — сказал он.

Зарядил дождь — его ледяные иглы кололи лицо. Вскинув котомку на плечо, Тенака побежал к заброшенным казармам. Дверь стояла открытая, и он вошел в бывшие офицерские помещения. Крыса шмыгнула из-под ног, но Тенака, даже не взглянув на нее, двинулся дальше по коридору. Он закинул котомку в свою старую комнату и хмыкнул, увидев, что в очаге лежат дрова.

В последний день перед уходом кто-то пришел сюда и сложил поленья в очаге.

Декадо, его адъютант?

Нет. Он не был способен на столь возвышенный жест. Декадо был злобным убийцей, которого держали в рамках только железная дисциплина «Дракона» и его собственная неколебимая преданность полку.

Кто же тогда?

Вскоре Тенака бросил перебирать в памяти лица. Все равно он никогда этого не узнает.

За пятнадцать лет дерево, надо думать, высохло так, что будет гореть без дыма. Тенака добавил растопки, и огонь занялся быстро.

Повинуясь внезапному порыву, он подошел к стенной панели, за которой был тайник. Дверца, когда-то тихо открывавшаяся при нажатии на нужное место, теперь заскрипела на ржавой пружине. За ней, на месте давным-давно вынутого камня, имелась ниша. На задней стенке было написано по-надирски:

Мы надиры,
Вечно юные,
Кровью писаны,
Сталью пытаны,
Победители.

Тенака улыбнулся — впервые за много месяцев, и бремя у него на душе стало чуть полегче. Минувших лет как не бывало — он снова увидел себя молодым, прибывшим в «Дракон» прямо из степей, снова почувствовал на себе взоры своих новых товарищей-офицеров и ощутил их едва прикрытую враждебность.

Надирский княжич в «Драконе»? Это было неслыханно — даже кощунственно, по мнению многих. Но Тенака представлял собой совершенно особый случай.

«Дракон» был основан Магнусом Хитроплетом век назад, после Первой Надирской войны. Тогда могущественный надирский военачальник Ульрик привел свое войско под стены Дрос-Дельноха, самой неприступной крепости мира, но Бронзовый Князь со своими воинами дал ему отпор.

«Дракон» предназначался для защиты дренаев от будущих надирских вторжений.

И вот, когда сбылись худшие опасения и свежа еще память о Второй Надирской войне, в его ряды принимают кочевника. Хуже того — прямого потомка самого Ульрика. И офицерам ничего не остается, как только вручить ему саблю.

Ибо надир он только по материнской линии.

По отцу он правнук Регнака Скитальца, Бронзового Князя.

Вот и разберись тут, ненавидеть его следует или почитать.

Как можно питать ненависть к потомку величайшего дренайского героя? Да, молодым офицерам пришлось нелегко, но они старались.

Тенаке мазали подушку козьей кровью, совали скорпионов в сапоги, резали подпруги, а под конец спрятали в его постели гадюку.

Он лег в постель и чуть не распростился с жизнью — змея впилась зубами ему в бедро. Схватив со стола кинжал, он убил ее и сделал крестообразный надрез на месте укуса, надеясь, что яд вытечет вместе с кровью. Тенака лежал очень тихо, зная, что иначе яд разойдется по телу. В коридоре послышались шаги — Тенака знал, что это идет к себе Ананаис, сменившийся с караула.

Тенака не хотел окликать его, зная, что Ананаис его не любит, — но и умирать тоже не хотел. Он позвал Ананаиса — дверь отворилась, и белокурый великан возник на пороге.

— Меня укусила гадюка, — сказал Тенака.

Ананаис пригнулся и вошел, отшвырнув сапогом дохлую змею. Потом взглянул на рану:

— Как давно?

— Пару минут назад.

Ананаис кивнул.

— Твой надрез недостаточно глубок. — Тенака протянул ему кинжал. — Нет. Если сделать глубже, повредишь мышцу.

Нагнувшись, Ананаис прижался ртом к ране и высосал яд. Потом наложил жгут и отправился за лекарем.

Несмотря на все принятые меры, молодой надир чуть не умер тогда. Он впал в беспамятство, длившееся четыре дня, — а когда очнулся, рядом сидел Ананаис.

— Ну, как ты?

— Хорошо.

— Что-то непохоже. Однако я рад, что ты остался жив.

— Спасибо, что спас меня, — сказал Тенака, когда Ананаис встал, собираясь уйти.

— Не за что. Я по-прежнему не хотел бы, чтобы ты женился на моей сестре, — усмехнулся он. — Кстати, вчера уволили со службы трех молодых офицеров — мне думается, теперь ты можешь спать спокойно.

— Ну уж нет. Для надира спокойный сон — верный путь к гибели.

— Неудивительно, что глаза у вас косые.

***

Рения помогла старику подняться и закидала снегом маленький костер. Мороз крепчал, на небе собирались снеговые тучи, темные и грозные. Девушку пугало, что старик перестал трястись и тихо стоял у разбитого дерева, глядя себе под ноги.

— Пойдем, Олен, — позвала она, обняв его рукой за пояс. — До старых казарм уже недалеко.

— Нет! — Он отпрянул. — Они найдут меня там. Я знаю, что найдут.

— А здесь ты замерзнешь, — прошипела она. — Пошли.

Он подчинился, и она повела его по снегу. Она была высокой и сильной, но ходьба утомила ее, и она тяжело дышала, когда они наконец выбрались из кустов перед плацем «Дракона».

— Еще несколько минут, — сказала девушка, — и ты отдохнешь.

Старик, казалось, при виде пристанища обрел силу и ковылял куда быстрее. Дважды он чуть не упал, но девушка подхватывала его.

Открыв ногой дверь ближайшего здания, она ввела старика внутрь, скинула с себя белый шерстяной бурнус и провела рукой по мокрым от пота, коротко остриженным черным волосам.

Здесь, где не было режущего ветра, ее сразу точно опахнуло огнем — тело приспосабливалось к новым условиям. Она расстегнула пояс своей овчинной накидки и отбросила ее за широкие плечи, открыв синий шерстяной камзол и тугие черные штаны. Подбитые овчиной сапоги доходили до бедер. На боку висел тонкий кинжал.

Старик, сотрясаемый неудержимой дрожью, прислонился к стене.

— Они найдут меня. Найдут! — хныкал он.

Рения, не слушая его, двинулась вперед по коридору.

В дальнем его конце показался человек — Рения вздрогнула и схватилась за кинжал. Человек был высок, смугл и одет в черное. У пояса висел длинный меч. Он шел медленно, но уверенность его походки пугала Рению. Решительно глядя ему в лицо, она приготовилась к бою.

Его глаза, очень красивого лилового цвета, были раскосыми, как у северных кочевников-надиров. Квадратное лицо могло бы показаться привлекательным, если б не угрюмо сжатые губы.

Рения хотела сказать ему, чтобы не подходил ближе, иначе она его убьет, — и не смогла. В нем чувствовалась власть, невольно побуждавшая подчиниться.

Он прошел мимо нее и склонился над Оленом.

— Не трогай его! — вскричала девушка.

Тенака обернулся к ней.

— В моей комнате горит огонь — это там, направо, — спокойно сказал он. — Я отнесу его туда.

Он легко поднял старика, унес к себе и уложил на узкую койку. Потом снял с Олена плащ и сапоги и стал осторожно растирать его посиневшие икры. Девушке Тенака бросил одеяло, велев:

— Согрей его у огня.

Вскоре старик начал дышать глубоко и ровно.

— Он уснул? — спросила Рения.

— Да.

— Он не умрет?

— Кто его знает... — Тенака встал и распрямил спину.

— Спасибо, что помог ему.

— Спасибо, что меня не убила.

— Что ты делаешь здесь?

— Сижу у огня и жду, когда утихнет дождь. Есть хочешь?

Они сели рядом у очага, и Тенака поделился с ней вяленым мясом и сухарями. Они почти не разговаривали. Тенака не отличался любопытством, а Рения чувствовала, что ему не хочется говорить. Но молчание не вызывало в ней никакой неловкости. Впервые за много недель она испытывала мир и покой, и даже угроза смерти отошла куда-то, словно эту казарму ограждала некая магия — невидимая, но оттого не менее могущественная.

Тенака откинулся назад, рассматривая глядящую в огонь девушку — ее овальное лицо с высокими скулами и большими глазами, такими темными, что зрачок сливался с радужкой. Ее внешность создавала впечатление силы и в то же время уязвимости — словно девушку терзал какой-то тайный страх или в ней скрывалась какая-то слабость. В другое время он счел бы ее привлекательной — но теперь не мог найти в себе ни малейшего чувства или желания. «Да во мне и жизни-то нет», — с удивлением понял он.

— За нами гонятся, — сказала наконец она.

— Я знаю.

— Откуда ты можешь знать?

Он пожал плечами и подбросил дров в огонь.

— Здесь нет никакой дороги, а у вас при себе ни лошадей, ни провизии — однако одежда на вас дорогая, и видно, что ты получила хорошее воспитание. Стало быть, вы бежите от чего-то или от кого-то — отсюда следует, что за вами должна быть погоня.

— И тебя это не смущает?

— С чего бы?

— Тебя могут убить заодно с нами.

— Пусть сначала поймают.

— Ты не хочешь знать, почему нас преследуют?

— Нет. Это твоя жизнь. Наши пути пересеклись ненадолго, но скоро они разойдутся. Нам нет нужды узнавать что-то друг о друге.

— Почему? Потому что тогда тебе труднее будет уйти?

Он поразмыслил над ее вопросом, и от него не укрылся гнев в ее глазах.

— Возможно. Но главным образом потому, что сочувствие рождает слабость. У меня есть своя цель, и чужие беды мне ни к чему. Вернее сказать, я просто не хочу забивать себе голову чужими бедами.

— Не слишком ли велико твое себялюбие?

— Да, зато оно помогает мне выжить.

— Это столь важно для тебя? — бросила она.

— Как и для тебя — иначе ты не пустилась бы в бега.

— Это для него важно, — кивнула она на лежащего старика. — Не для меня.

— От смерти он все равно не убежит, — тихо сказал Тенака. — Притом мистики утверждают, что за порогом смерти нас ждет рай.

— Он тоже в это верит, — улыбнулась она. — Потому и боится.

Тенака медленно покачал головой и потер глаза.

— Это чересчур сложно для меня, — сказал он с деланной улыбкой. — Посплю-ка я лучше. — Он разостлал на полу одеяло и улегся, подложив под голову котомку.

— Ты ведь служил в «Драконе», правда? — спросила Рения.

— С чего ты взяла? — приподнялся он на локте.

— Ты сказал «в моей комнате».

— Ты очень проницательна. — Он снова лег и закрыл глаза.

— Меня зовут Рения.

— Спокойной ночи, Рения.

— А своего имени ты не хочешь назвать?

Он поразмыслил немного, перебирая причины для отказа.

— Тенака-хан, — сказал он наконец и заснул.

«Жизнь — это фарс», — думал Муха, вися на кончиках пальцев в сорока футах над мощеным двором. Внизу здоровенный полулюд нюхал воздух, мотая косматой башкой из стороны в сторону и держась когтистыми пальцами за рукоять зубчатого меча. Снег порхал ледяными крупинками, жаля Мухе глаза.

— Ну, спасибо, удружили, — прошептал он, переводя взор к темным снеговым тучам на небе. Муха исповедовал собственную религию — по его мнению, боги были дряхлыми старцами шутниками, так и норовящими подстроить людям какую-нибудь пакость.

Полулюд сунул меч в ножны и ушел во мрак. Муха перевел дух, подтянулся, влез на подоконник и раздвинул тяжелые бархатные занавески. Он оказался в маленьком кабинете, где стоял письменный стол, три дубовых стула, несколько сундуков и полки для книг и свитков. Здесь царил омерзительный, на взгляд Мухи, порядок — даже три гусиных пера лежали посередине стола ровно-ровно. Впрочем, чего же еще и ждать от Силиуса-магистра?

На дальней стене напротив стола висело большое посеребренное зеркало в раме красного дерева. Муха подошел к нему, выпрямился и расправил плечи. Одетый в темное, с черной маской на лице, он выглядел весьма грозно. Он выхватил кинжал и пригнулся — так было еще страшнее.

— Превосходно, — сказал он своему отражению. — Не хотел бы я встретиться с тобой в темном переулке! — Он вернул кинжал на место, осторожно приподнял железную щеколду и приоткрыл дверь кабинета.

За ней был узкий каменный коридор с четырьмя дверьми — две справа, две слева. Муха прошел к дальней левой и повернул ручку. Дверь открылась беззвучно, и он проник внутрь, прижимаясь к стене. В комнате было тепло, хотя огонь в очаге догорал, и тусклые красные блики падали на занавески большой кровати. Муха подошел к ней, бросив взгляд на толстого Силиуса и его не менее толстую любовницу. Он лежал на животе, она на спине, и оба храпели вовсю.

«И чего я так крадусь? — спросил он себя. — Я мог бы войти сюда с барабанным боем». Сдержав смешок, он отыскал в тайнике под окном шкатулку с драгоценностями, открыл ее и высыпал содержимое в черный полотняный кошель у себя на поясе. Проданные за полную цену, они обеспечили бы ему пять лет безбедной жизни. Но он продаст их скупщику в южном квартале и протянет на вырученное от силы три месяца. Ну, полгода, если не будет играть, — только ведь это дело несбыточное. Три месяца, и точка.

Муха завязал кошель, выбрался в коридор... и столкнулся нос к носу со слугой, высоким, тощим и облаченным в теплую ночную рубаху.

Слуга завопил и бросился бежать.

Муха тоже завопил и бросился бежать — вниз по винтовой лестнице, где налетел на двух часовых. Они с криком повалились на пол. Муха перекувырккнулся, вскочил на ноги и помчался влево. Часовые — за ним. Справа возникла еще одна лестница, и он понесся по ней, прыгая через три ступеньки, — длинные ноги несли его с устрашающей быстротой.

На пути вниз он дважды чуть не упал. Наконец он увидел перед собой железную дверь — она была заперта, но ключ висел рядом на колышке. Смрад, шедший из-под двери, мигом привел Муху в чувство, и страх пересилил панику.

Яма полулюдов!

Сзади топотали по ступенькам караульщики. Муха взял ключ, отпер дверь, вошел и запер ее за собой. Он двинулся во мрак, моля Старцев, чтобы они дали ему дожить до их следующей каверзы.

Привыкнув немного к темноте коридора, он увидел по обе стороны несколько проемов — там спали на соломе полулюды Силиуса.

Муха шел к воротам на дальнем конце. По дороге он снял с себя маску.

Он почти уже добрался до цели, когда в дверь позади замолотили и послышались приглушенные крики часовых. Один полулюд вылез из своего логова и уставился кроваво-красными глазами на Муху. Росту в нем было футов семь, плечи широченные, а бугристые от мускулов ручищи поросли черным мехом. Морда выдавалась вперед, и острые клыки торчали из пасти. Стук стал громче. Муха набрал в грудь воздуха.

— Пойди-ка посмотри, что там за шум, — сказал он зверю.

— Ты кто? — прогнусавил тот в ответ, с трудом ворочая толстым языком.

— Давай, давай — пойди посмотри, чего им надо! — рявкнул Муха.

Полулюд подчинился, а его собратья тоже вылезли в коридор и потащились за ним, не глядя на Муху. А Муха, бросившись к воротам, сунул ключ в замок.

Как только ворота открылись, в глубинах коридора раздался рев. Муха обернулся и увидел бегущих к нему полулюдов. Трясущимися пальцами он выдернул ключ, выскочил за ворота, захлопнул их за собой и быстро запер.

Ночной холод охватил его. Он взбежал по короткой лестнице в западный двор, взобрался на ограду и скатился вниз на мощеную улицу.

Время тушить огни давно уже пробило, и тьма сопутствовала ему всю дорогу до постоялого двора. Муха влез по шпалерной решетке к своему окну и постучал в ставню.

Белдер, открыв окошко, помог ему забраться внутрь.

— Ну что? — спросил старый солдат.

— Я достал их.

— Меня просто отчаяние берет. Я потратил на тебя столько лет, и кем же ты стал в итоге? Вором!

— Это у меня в крови, — ухмыльнулся Муха. — Вспомни Бронзового Князя!

— Это только легенда. А даже если и правда, все его потомки были вполне порядочными людьми. Даже это надирское отродье — Тенака!

— Не говори о нем плохо, Белдер, — тихо отозвался Муха. — Он был мне другом.

2

Тенака спал, и его преследовали привычные сны. Степь расстилалась перед ним до самого края земли застывшим зеленым океаном. Он натянул сыромятные поводья, и низкорослый конек, осадив, повернул на юг, стуча копытами по твердой глине.

Сухой ветер хлестнул в лицо, и он рассмеялся.

Здесь, только здесь он был самим собой.

Полунадир, полудренай, весь — ничто, плод войны, воплощенный символ нелегкого мира. В племенах его принимали с холодной учтивостью — ведь в его жилах текла кровь самого Ульрика. Но дружеских чувств к нему не питали. Дренаи дважды давали отпор кочевникам. Сначала, в старину, легендарный Бронзовый Князь отстоял перед ордами Ульрика Дрос-Дельнох. Двадцать лет назад «Дракон» наголову разбил войско Джонгира.

И теперь Тенака служил живым напоминанием об этом поражении.

Он скакал по степи один и совершенствовался в воинских искусствах. Меч, лук, копье, секира — в этом во всем он превзошел своих сверстников. Когда они отрывались от учения, чтобы поиграть, он продолжал занятия. Он прислушивался к словам мудрых, видевших войны и битвы по-своему, и его острый ум впитывал их уроки.

Когда-нибудь его примут как своего — надо только набраться терпения.

Но однажды он вернулся в родной стан и увидел свою мать рядом с Джонгиром. Она плакала.

И он понял. Он соскочил с седла и склонился перед ханом, даже не взглянув на мать, — таков был обычай.

— Тебе пришла пора вернуться домой, — сказал Джонгир.

Тенака не ответил, только кивнул.

— В «Драконе» тебе приготовлено место — это твое право, ты сын князя. — Хану, казалось, было не по себе, и он избегал пристального взгляда Тенаки. — Ну, ответь же что-нибудь, — отрывисто бросил он.

— Как ты пожелаешь, повелитель, так и будет.

— И ты не просишь, чтобы я позволил тебе остаться?

— Если ты так хочешь.

— Я ничего от тебя не хочу.

— Когда мне ехать?

— Завтра. Тебя будут сопровождать двадцать всадников, как подобает моему внуку.

— Ты оказываешь мне честь, повелитель.

Хан кивнул, покосился на Шиллат и пошел прочь. Шиллат подняла полог шатра, и Тенака вошел в свой дом. Она последовала за ним, и там он обнял ее и сжал ей руки.

— О, Тани, — прошептала она сквозь слезы. — Чего ему еще от тебя надо?

— Может быть, Дрос-Дельнох станет мне настоящим домом, — ответил он. Но надежды в его голосе не было — Тенака был не дурак.

Проснувшись, он услышал, как бушует за окном метель. Он потянулся и взглянул на огонь — остались только тлеющие угли. Девушка спала на стуле, дыхание ее было ровным. Тенака подложил дров и осторожно раздул пламя. Потом посмотрел на старика — тот лежал мертвенно-бледный. Пожав плечами, Тенака вышел из комнаты. В коридоре стоял ледяной холод, и половицы потрескивали под сапогами. Он прошел на кухню, к колодцу, и стал качать насос, радуясь случаю размять мышцы. Скоро вода, вознаградив его усилия, полилась в деревянное ведро. Тенака скинул куртку, серую шерстяную рубаху и обмылся до пояса, наслаждаясь почти мучительным прикосновением ледяной воды к разогретому после сна телу.

Сняв остальную одежду, он отправился в гимнастический зал. Он крутнулся, подпрыгнул и легко опустился на пол, рубанув воздух сперва правой рукой, потом левой. Покатился по полу, выгнул спину и вскочил на ноги.

Рения наблюдала за ним с порога, укрывшись в темном коридоре. Это зрелище зачаровало ее. Он двигался, как танцор, однако было в нем и нечто варварское — какое-то первобытное начало, смертоносное и в то же время прекрасное. Его руки и ноги мелькали, круша и убивая незримых противников, а лицо оставалось безмятежным, свободным от всех страстей.

Рения содрогнулась. Ей хотелось назад, в тепло и уют комнаты, но она не смогла пошевельнуться. Его золотистая кожа казалась теплой и мягкой, но под ней вздувались и напрягались мускулы, твердые, как сталь-серебрянка. Рения закрыла глаза и попятилась. Лучше бы она этого на видела.

Тенака смыл с себя пот и быстро оделся, одолеваемый голодом. Вернувшись в комнату, он почувствовал какую-то перемену. Рения, избегая его взгляда, сидела подле старика и гладила его седые волосы.

— Буря утихает, — сказал Тенака.

— Да.

— Что случилось?

— Ничего... только Олен как-то нехорошо дышит. Как ты думаешь, ему не хуже?

Тенака взял хрупкое запястье старика и нащупал пульс — сердце билось слабо и неровно.

— Когда он ел в последний раз?

— Два дня назад.

Тенака достал из котомки вяленое мясо и мешочек с овсом.

— Жаль, сахару нет — придется обойтись так. Пойди принеси воды и какой-нибудь горшок.

Рения молча вышла. Тенака улыбнулся. Вот, значит, в чем дело — она видела, как он упражняется, и это почему-то смутило ее. Он покачал головой.

Девушка вернулась с полным воды чугунком.

— Отлей половину, — велел он.

Она выплеснула воду в коридор, а Тенака нарезал кинжалом мясо и осторожно поставил горшок на огонь.

— Почему ты не заговорила со мной? — спросил он не оборачиваясь.

— О чем ты?

— Там, в гимнастическом зале.

— Меня не было там.

— Откуда ты тогда знаешь, где взять горшок и воду? Ночью ты не вставала.

— Да кто ты такой, чтобы меня допрашивать? — взвилась она.

— Чужак. — Он повернулся. — Тебе незачем лгать или притворяться. Маски нужны только с друзьями.

Она села у очага, протянув к огню свои стройные ноги.

— Как грустно, — тихо проговорила она. — Ведь только с друзьями можно чувствовать себя спокойно.

— С чужими легче: они входят в твою жизнь лишь на мгновение. Их нельзя разочаровать — ты им ничем не обязан, и они ничего не ждут от тебя. А друзья ждут — вот почему их так легко ранить.

— Странные, видно, у тебя друзья.

Тенака помешал похлебку кинжалом. Ему вдруг стало как-то неуютно — почему-то он утратил власть над разговором.

— Откуда вы? — спросил он.

— Я думала, тебе это все равно.

— Почему ты не заговорила со мной? — сощурился он.

Она отвернулась.

— Не хотела тебе мешать.

Это была неправда, и оба они это знали, но атмосфера разрядилась, и молчание уже не разъединяло их. Снаружи старела и умирала буря — вой сменился жалобными стонами.

Похлебка загустела. Тенака добавил овса и посолил.

— Пахнет вкусно, — сказала Рения, склонившись над огнем. — Что это за мясо?

— Большей частью мул.

Тенака пошел на кухню за деревянными мисками. Когда он вернулся, Рения уже разбудила старика и помогла ему сесть.

— Как самочувствие? — поинтересовался Тенака.

— Ты воин? — спросил вместо ответа Олен. В его глазах был страх.

— Да. Но ты можешь меня не бояться.

— Надир?

— Наемник. Я тебе похлебку сварил.

— Я не голоден.

— Все равно поешь.

От приказного тона старик весь сжался. Он отвел глаза и вместо ответа кивнул. Рения стала кормить его, а Тенака сел у огня. Только еду зря переводить — этот старик не жилец. Но, сам не зная почему, Тенака не жалел о попусту потраченной провизии.

— Дедушка хочет поговорить с тобой. — Рения собрала миски, горшок и вышла.

Тенака подсел к умирающему. Серые глаза Олена горели лихорадочным огнем.

— Я не силен. Никогда не был сильным. И всегда подводил тех, кто мне доверялся. Кроме Рении. Ее я не подвел. Ты мне веришь?

— Да. — «И почему это слабых людей всегда тянет исповедоваться?»

— Ты защитишь ее?

— Нет.

Олен схватил Тенаку за руку.

— Я заплачу тебе. Только проводи ее в Сузу. До города всего пять-шесть дней пути.

— Вы для меня — никто. Я вам ничем не обязан. А заплатить мне у тебя денег не хватит.

— Рения говорит, ты из «Дракона». Где твоя честь?

— Упокоилась в песках пустыни, растворилась в туманах времени. Я не хочу говорить с тобой, старик. Тебе нечего мне сказать.

— Пожалуйста, выслушай меня, — взмолился Олен. — Когда я был помоложе, я состоял в Совете. Я поддерживал Цеску, боролся за его победу. Я верил в него. Потому и на мне лежит ответственность за тот кошмар, в который он вверг страну. Когда-то я был служителем Истока и жил в гармонии. Теперь — умираю и чувствую, что ничего не знаю о жизни. Но я не могу умереть, оставив Рению на растерзание полулюдам. Не могу. Разве ты не понимаешь? Вся моя жизнь была напрасной — пусть хоть будет не напрасной смерть.

Тенака высвободил руку и встал.

— Теперь выслушай ты меня. Я пришел убить Цеску. Я не надеюсь после этого остаться в живых, и нет у меня ни времени, ни охоты брать на себя твои обязанности. Если хочешь, чтобы девушка благополучно добралась до Сузы, встань. Заставь себя встать.

Старик внезапно улыбнулся. Страх и тревога сошли с его лица.

— Ты хочешь убить Цеску? — прошептал он. — Я могу подсказать тебе лучший способ.

— Лучший? Какой?

— Ты можешь низложить его. Положить конец его царствованию.

— Я положу этому конец, убив его.

— Да — но тогда власть захватит какой-нибудь его военачальник. Я открою тебе тайну, которая разрушит его империю и освободит дренаев.

— Если это очередная история о волшебных мечах и чарах, не утруждай себя. Все это я уже слышал.

— Нет, не то. Но обещай, что проводишь Рению до Сузы.

— Я подумаю.

Огонь снова начал угасать, и Тенака, положив в очаг последние дрова, отправился поискать девушку. Она сидела в холодной кухне.

— Я не нуждаюсь в твоей помощи, — сказала она, не глядя на него.

— А я тебе еще ничего не предлагал.

— Пусть берут меня — мне все равно.

— Ты слишком молода, чтобы тебе было все равно. — Он стал перед ней на колени и приподнял ее за подбородок. — Я позабочусь о том, чтобы ты дошла до Сузы.

— Ты уверен, что он сумеет заплатить тебе сколько нужно?

— Судя по его словам, да.

— Ты не слишком нравишься мне, Тенака-хан.

— В этом ты не одинока.

Тенака вернулся к старику, взглянул на него, рассмеялся и распахнул окно, впустив холод.

Перед ним в белом оцепенении простирался лес.

Позади лежал мертвец.

Услышав его смех, Рения вошла в комнату. Рука Олена свесилась с постели, костлявые пальцы указывали в пол. Глаза его закрылись, и лицо было спокойным и умиротворенным.

Рения дотронулась до его щеки.

— Вот и конец твоему бегству, Олен. Конец страху. Да примет тебя твой Исток! — Рения покрыла его лицо одеялом. — Ты свободен от своего обещания, — обернулась она к Тенаке.

— Еще нет. — Он закрыл окно. — Олен сказал мне, что знает, как свергнуть Цеску. Известно ли тебе, в чем тут дело?

— Нет.

Она взяла свой плащ и внезапно почувствовала острую пустоту в сердце. Плащ выпал у нее из рук, и она уставилась на догорающий огонь, качая головой. Все стало каким-то нереальным. Зачем жить?

Незачем.

О чем беспокоиться?

Не о чем.

Она опустилась у огня на колени: пустота сменилась острой болью. Вся жизнь Олена — простая повесть о доброте, нежности и заботе. Он не был жестоким и злым, не был скуп. И вот он умер в заброшенной казарме — гонимый врагами, преданный друзьями, позабытый богом.

Тенака молча смотрел на нее, и в его лиловых глазах не было никакого проблеска чувств. Он привык к смерти. Уложив свой полотняный мешок, он помог ей подняться, застегнул на ней плащ и легонько подтолкнул к выходу.

— Подожди здесь. — Тенака вернулся к старику и снял с него одеяло. Глаза Олена открылись, он слепо смотрел в потолок. — Спи спокойно, — шепнул Тенака. — Я позабочусь о ней. — Он закрыл старику глаза и сложил одеяло.

Снаружи было свежо. Ветер улегся, и солнце неярко светило на ясном небе. Тенака медленно втянул в себя воздух.

— Ну, вот и все, — прошептала Риния, и он оглянулся.

Четверо воинов вышли из-за деревьев и шагали к ним с мечами наголо.

— Уходи, — сказала она.

— Помолчи-ка.

Он опустил котомку на снег и сбросил плащ, открыв висящие у пояса меч и охотничий нож. Пройдя десять шагов, он остановился и стал ждать, внимательно разглядывая каждого из четверых.

На них были красные с бронзой дельнохские латы.

— Что вам нужно? — спросил Тенака, когда они подошли поближе.

Они не ответили — опытные бойцы! — и быстро рассредоточились, приготовясь к любым неожиданным действиям с его стороны.

— Отвечайте, не то император обезглавит вас! — сказал Тенака.

Они остановились, но воин, шедший слева, выступил вперед, холодно и злобно глядя на него голубыми глазами.

— С каких это пор северный дикарь высказывается от имени императора? — процедил он.

Тенака улыбнулся. Ему удалось задержать их и сбить с ноги.

— Сейчас объясню. — Он подошел к голубоглазому. — Дело вот в чем... — Тенака вскинул руку и вытянутыми пальцами ударил воина по носу. Хрящ врезался в мозг, и противник упал, даже не вскрикнув. Тенака подскочил и сапогом ударил второго солдата по горлу. В прыжке он выхватил нож, встав на ноги, отразил удар третьего и тем же движением перерезал ему глотку.

Четвертый, размахивая мечом, бросился к Рении. Она стояла неподвижно, глядя на него с полнейшим безразличием.

Тенака метнул нож — рукоять ударилась о шлем солдата. Потеряв равновесие, воин свалился в снег и выронил меч. Одним прыжком Тенака вскочил ему на спину и пригнул к земле. Шлем свалился с головы противника, и тогда Тенака сгреб его за волосы, откинул голову назад, ухватил за подбородок и крутанул влево. Шея хрустнула, словно сухая ветка.

Тенака подобрал свой нож, вытер и сунул в ножны. Он оглядел поляну — все было спокойно.

— Мы надиры, — прошептал он, прикрыв глаза.

— Ну что, пойдем? — позвала Рения.

Он, недоумевая, взял ее за руку и заглянул ей в глаза.

— Что с тобой такое? Ты что, хочешь умереть?

— Нет, — рассеянно ответила она.

— Почему ты тогда стояла как вкопанная?

— Сама не знаю. Пойдем?

Слезы наполнили ее темные как ночь глаза и покатились по щекам, но бледное лицо осталось неподвижным. Тенака вытер ей слезы.

— Пожалуйста, не трогай меня, — прошептала она.

— Послушай, что я скажу. Старик хотел, чтобы ты жила. Он за тебя тревожился.

— Мне все равно.

— Ему было не все равно!

— А тебе? — Вопрос, точно нежданный удар, застал его врасплох.

Тенака задумался.

— Мне тоже. — Ложь далась ему легко — и только произнеся ее, Тенака понял, что это не ложь.

Она пристально посмотрела ему в глаза и кивнула.

— Я пойду с тобой. Но знай: я приношу несчастье всем, кто меня любит. Смерть идет за мной по пятам, ибо мне неведом вкус жизни.

— Смерть идет по пятам за каждым — и каждого настигает. Рано или поздно.

Они повернули к югу и остановились у каменного дракона. Его бока, омытые ночным дождем, сверкали, как алмазные. Тенака ахнул — вода застыла на выбитых клыках и сотворила дракону новые зубы из блестящего льда, вернув ему былое величие.

Тенака кивнул, словно услышав что-то, предназначенное только ему.

— Как он красив, — восхищенно прошептала Рения.

— Более того, — тихо ответил Тенака, — он живой.

— Живой?

— Здесь. — Тенака прижал руку к груди. — Он приветствует мое возвращение.

Весь долгий день они шли на юг. Тенака помалкивал, отыскивая под снегом тропы и высматривая караулы. Кто знает — быть может, те четверо только часть розыскной партии и девушку ищут еще и другие отряды.

Как ни странно, его это не тревожило. Он прокладывал путь, лишь изредка оглядываясь на Рению. Порой он останавливался, всматриваясь вдаль или быстро оглядывая открытое поле, и каждый раз она останавливалась рядом с ним.

Рения тоже молчала, не сводя глаз с высокого воина и отмечая про себя уверенность его движений и предусмотрительность, с которой он выбирал дорогу. Две сцены вновь и вновь прокручивались перед ее мысленным взором: танец обнаженного воина в заброшенном гимнастическом зале и танец смерти с солдатами на снегу. Сцены накладывались одна на другую, переплетались, сливались. Совершенно одинаковые танцы. Плавные, почти неуловимые движения, легкие повороты и прыжки. Солдаты по сравнению с Тенакой казались нескладными, неуклюжими, словно лентрийские куклы, которых водят за бечевку.

И вот теперь они мертвы. Были ли у них семьи? Возможно. Любили ли они своих детей? Возможно. Как уверенно они вышли на ту поляну — а через несколько мгновений расстались с жизнью.

Почему?

Потому, что надумали потанцевать с Тенакой-ханом.

Она содрогнулась.

День угасал, и от деревьев ложились длинные тени.

Тенака выбрал место для ночлега за большим камнем, куда не задувал ветер. Камень стоял в лощине, окруженной корявыми дубами, и костер был хорошо огражден. Рения набрала хворосту. Ей казалось, что все это происходит не с ней.

Хорошо бы весь мир был такой: чистый, покрытый льдом, живущий золотыми грезами о весне. Зло увядает под очистительным льдом.

И Цеска со своими дьявольскими легионами исчез, как детские ночные кошмары, и радость вернулась бы к дренаям, как дар утренней зари.

Тенака достал из котомки котелок, набил его снегом и поставил на огонь. В талую воду он щедрой рукой насыпал овса и добавил соли. Рения молча смотрела на него, задержавшись взглядом на его раскосых лиловых глазах. Сидя с ним у огня, она снова обрела мир и покой.

— Зачем ты пришел сюда? — спросила она.

— Убить Цеску, — ответил он, помешивая овсянку деревянной ложкой.

— Зачем? — повторила она.

Он молчал, но Рения знала: он непременно ответит, и ждала, наслаждаясь теплом и его близостью.

— Мне некуда больше идти. Мои друзья погибли. Моя жена... ничего у меня нет. В сущности, у меня никогда ничего не было.

— Но у тебя были друзья... была жена.

— Да. Это не так просто объяснить. В Вентрии, неподалеку от места, где я жил, был один мудрец. Я часто беседовал с ним о жизни, о любви, о дружбе. Он дразнил меня и злил. Говорил об алмазах в глине. — Тенака покачал головой и умолк.

— Что за алмазы в глине?

— Не важно. Расскажи мне лучше про Олена.

— Я не знаю, что он хотел тебе открыть.

— С этим я уже смирился. Просто расскажи мне, что это был за человек. — Двумя палочками Тенака снял котелок с огня и поставил стыть. Рения подбросила дров в костер.

— Он был мирным человеком, служителем Истока. Но еще он был знатоком тайной науки и все свое время посвящал поискам реликвий, оставшихся от Древних. Он снискал себе имя трудами в этой области. Олен рассказывал мне, что сначала поддерживал Цеску, помог ему прийти к власти, поверив его словам о светлом будущем. А потом начался весь этот ужас. И полулюды...

— Цеска всегда ценил колдовство.

— Ты знал его?

— Да. Продолжай.

— Олен одним из первых взялся исследовать Гравенский лес. Он нашел там потайной люк, а внизу были машины. Он сказал мне, что его исследования подтвердили: эти машины служили Древним для излечения болезней. Приспешники Цески использовали их по-своему и создали полулюдов. Сначала полулюды встречались только на аренах, где терзали друг друга на потеху толпе, но вскоре они стали попадаться на улицах Дренана как личная армия Цески — в доспехах и со знаками отличия. Олен, виня во всем себя, отправился в Дельнох — будто бы для того, чтобы осмотреть Палату Света под замком. Там он подкупил часового и пытался бежать из страны через земли сатулов. Но за нами снарядили погоню и оттеснили нас к югу.

— А ты как вместе с ним оказалась?

— Об этом ты не спрашивал — ты просил рассказать об Олене.

— Ну а теперь спрашиваю.

— Можно я поем овсянки?

Тенака кивнул, пощупал котелок и подал ей. Она молча поела и передала остаток Тенаке. Опорожнив котелок, он прислонился к холодному камню.

— Ты скрываешь какую-то тайну — и я не стану допытываться какую. Свет был бы печален, не будь в нем тайн.

— Он и без того печален — в нем царят смерть и ужас. Почему зло настолько сильнее любви?

— Кто тебе сказал, что сильнее?

— Пожил бы ты в Дренае. Здесь таких, как Олен, преследуют, словно злодеев; крестьян убивают за то, что они не могут вырастить немыслимо высоких урожаев; чернь в цирках улюлюкает, глядя, как звери терзают женщин и детей. Здесь правит зло.

— Это пройдет, — мягко сказал Тенака. — А теперь пора спать. — Он протянул ей руку, но она отпрянула с внезапным страхом в темных глазах. — Я не сделаю тебе ничего дурного, но костер придется погасить. Мы поделимся теплом — и только. Доверься мне.

— Я и одна не замерзну.

— Хорошо. — Он развязал одеяло и отдал ей, а сам, завернувшись в плащ, привалился к камню и закрыл глаза.

Рения улеглась на холодной земле, положив голову на руку.

Костер погас, и ночной холод стал проникать в ее тело. Вся дрожа, она проснулась, села и принялась растирать застывшие ноги.

Тенака открыл глаза и опять протянул ей руку.

— Иди сюда.

Он запахнул ее в свой плащ, прижал к груди и укрыл их обоих сверху одеялом. Она притулилась к нему, все еще дрожа.

— Рас-с-кажи об-б алмазах в глине.

Тенака улыбнулся.

— Того мудреца звали Киас. Он говорил, что слишком многие люди проходят по жизни, не умея насладиться тем, что имеют. Он рассказал мне о человеке, которому друг подарил глиняный горшок и сказал: «Загляни в него, когда будет время». Человек убрал простой глиняный горшок с глаз долой и стал жить, как жил, все стараясь разбогатеть. Как-то, состарившись, он заглянул в горшок — там лежал большущий алмаз.

— Не понимаю.

— Киас утверждал, что жизнь подобна глиняному горшку. Пока мы не заглянем в нее поглубже и не поймем ее, нам не удастся насладиться ею.

— Иногда понимание лишает радости, — прошептала она.

Он не ответил, глядя на далекие звезды. Рения заснула, и капюшон бурнуса съехал с ее стриженой головы. Тенака хотел его поправить и замер, коснувшись ее волос. Они вовсе не были острижены — они просто не могли отрасти длиннее. Это были даже и не волосы, а темный мех, мягкий, как у норки. Тенака осторожно натянул на нее капюшон и закрыл глаза.

Эта девушка полулюдица — получеловек, полузверь.

Неудивительно, что ей не хочется жить.

Есть ли в глине алмазы для таких, как она? Этого Тенака не знал.

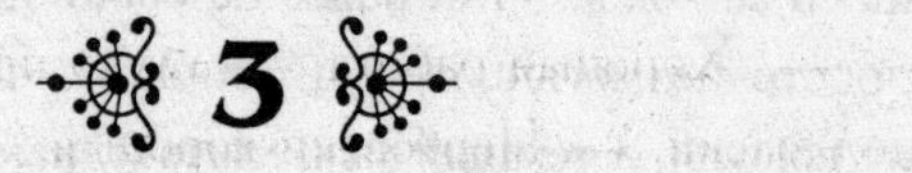

3

Человек вышел из кустов перед плацем «Дракона». Высокий, широкоплечий, узкобедрый и длинноногий, он был одет в черное и опирался на посох черного дерева, подкованный железом. Голову покрывал капюшон, лицо закрывала плотно прилегающая маска из черной кожи. Двигался он легко и плавно, как заправский атлет, но настороженно, всматриваясь ярко-голубыми глазами в каждый куст и каждую тень.

Увидев трупы, он медленно обошел их, читая следы на снегу.

Один человек дрался здесь против четверых.

Первые трое погибли почти мгновенно — это говорило о незаурядной быстроте их противника. Четвертый же побежал куда-то в сторону. Человек в черном прошел по его следу и кивнул.

Так и есть, тут какая-то тайна. Одинокий воин был не один — у него имелся спутник, не принимавший участия в битве. Следы у этого другого небольшие, но промежутки между ними длинные. Женщина?

Да. Высокая женщина.

Человек в черном оглянулся на убитых.

— Хорошая работа, — глухо проговорил он из-под маски. — Чертовски хорошая. — Один против четверых. Немногие способны уцелеть в такой схватке — этот же не только уцелел, но и выиграл себе день без особых усилий.

Ринья? Он, бывало, убивал молниеносно — дух захватывало от такой быстроты. Но он редко целил в шею, предпочитая вспарывать живот.

Аргонин? Нет, этот умер. Надо же, как легко все забывается.

Кто же тогда? Кто-то неизвестный? Ну нет. В мире, где искусство владеть оружием имеет первостепенное значение, столь талантливых воинов можно пересчитать по пальцам.

Человек в черном еще раз изучил следы, восстанавливая картину боя, и наконец углядел в середине смазанный отпечаток. Воин-одиночка подпрыгнул и перевернулся в воздухе, словно танцор, прежде чем нанести смертельный удар.

Тенака-хан!

Это откровение, казалось, поразило человека в черном в самое сердце. В его глазах появился странный блеск, дыхание сделалось прерывистым.

Среди всех ненавистных ему людей Тенака держал первое место.

Но по-прежнему ли это так? Человек в черном слегка успокоился и стал вспоминать — воспоминания ложились точно соль на воспаленную рану.

— Мне следовало убить тебя тогда, — сказал он. — Убей я тебя тогда, ничего этого со мной не случилось бы.

Он представил себе, как Тенака умирает, как его кровь струится на снег. Зрелище не принесло ему радости, но жажда увидеть это воочию не утихла.

— Я заставлю тебя заплатить за все!

И человек в черном зашагал на юг.

На второй день Тенака с Ренией продвинулись далеко вперед — никто не повстречался им на пути, на снегу не было даже следов. Ветер стих, и в чистом воздухе звенело предчувствие весны. Тенака почти все время молчал, Рения не докучала ему разговорами.

Ближе к сумеркам, когда они взбирались по крутому склону, она оступилась, упала, скатилась вниз и ударилась головой об узловатый корень. Тенака, подбежав, снял с нее бурнус и осмотрел рассеченный висок. Ее глаза раскрылись, и она свирепо рявкнула:

— Не трогай меня!

Тенака отодвинулся и протянул ей бурнус.

— Я не люблю, когда меня трогают, — примирительно сказала она.

— Хорошо, больше не буду. Но рану нужно перевязать.

Она попыталась встать. Перед глазами все поплыло, и она вновь повалилась в снег. Тенака не стал помогать ей. Осмотревшись, он приглядел шагах в тридцати подходящее место для лагеря: деревья с развесистыми ветвями служили защитой от ветра и вьюги. Тенака решительно зашагал вперед, собирая на ходу хворост. Рения, посмотрев ему вслед, снова попробовала встать, но почувствовала дурноту, и ее охватила дрожь. Голова раскалывалась — боль накатывала волнами, насылая тошноту. И тогда она поползла по снегу.

— Обойдусь и без тебя, — прошептала она.

Тенака развел костер, подбросил веток, вернулся к бесчувственной Рении и поднял ее на руки. Он уложил девушку у огня, нарубил коротким мечом зеленых еловых лап, сделал из них постель, переложил туда Рению и укрыл одеялом. Потом осмотрел рану — трещины, насколько он понимал, не было, но на виске вспухла шишка величиной с яйцо, окруженная страшенным кровоподтеком.

Тенака погладил девушку по щеке, восхищаясь мягкостью ее кожи и стройностью шеи.

— Я не причиню тебе зла, Рения, — прошептал он. — Каким бы я ни был и каких бы подлостей ни совершал, женщин я не обижал никогда. Ни женщин, ни детей. Со мной тебе ничего не грозит... и твоей тайне тоже. Я-то знаю, что это такое. Я сам ни в тех, ни в сех — полунадир, полудренай. А тебе приходится еще хуже. Но я с тобой, и ты мне верь.

Он сел у огня. Хотел бы он сказать ей все это, когда она будет в сознании, — но знал, что не скажет.

За всю свою жизнь он открыл сердце лишь одной женщине — Иллэ.

Прекрасной Иллэ, невесте, которую он купил на вентрийском рынке. Он улыбнулся своим воспоминаниям. Он уплатил за Иллэ две тысячи серебром и привел ее домой, но она наотрез отказалась лечь с ним в постель.

— Ну, довольно! — вспылил он. — Ты моя телом и душой! Я купил тебя!

— Ты купил бездыханный труп, — заявила она в ответ. — Тронь меня только — и я убью себя. А заодно и тебя.

— Вряд ли в такой последовательности у тебя что-то получится.

— Не смей насмехаться надо мной, варвар!

— Хорошо, чего же ты хочешь? Чтобы я перепродал тебя какому-нибудь вентрийцу?

— Женись на мне.

— И тогда, надо думать, ты воспылаешь ко мне любовью?

— Нет. Но я буду спать с тобой и постараюсь, чтобы тебе не было скучно со мной.

— Вот предложение, на которое трудно ответить отказом. Рабыня предлагает хозяину меньше того, за что он заплатил, за куда более высокую цену. С какой стати мне жениться на тебе?

— А почему бы и нет?

Они поженились две недели спустя и прожили десять хороших лет. Он знал, что Иллэ не любит его, но не придавал этому значения. Он не нуждался в том, чтобы его любили, — ему нужно было любить самому. Иллэ сразу это в нем разглядела и беззастенчиво пользовалась. А он ни разу не дал ей понять, что разгадал ее игру, — просто принимал все как должное и радовался жизни. Мудрец Киас остерегал его:

— Ты слишком много вкладываешь в нее, мой друг. Ты делишь с ней свою мечту, свою надежду, свою душу. Если она бросит тебя или предаст, что у тебя останется?

— Ничего, — чистосердечно ответил Тенака.

— Экий ты глупец, Тенака. Хотел бы я надеяться, что она все-таки останется с тобой.

— Она останется.

Он был так уверен в этом! Он не предусмотрел одного — смерти.

Тенака вздрогнул и запахнулся в плащ от поднявшегося ветра.

Он проводит девушку до Сузы, а сам пойдет в Дренан. Найти и убить Цеску — проще простого. Никакая охрана не в силах обеспечить человеку полную безопасность — если его убийца готов умереть. А Тенака более чем готов.

Он жаждет смерти, жаждет пустоты, где не бывает боли.

Цеска уже должен знать, что Тенака на пути к нему. Минул месяц, и письмо, отправленное морем в Машрапур, должно уже дойти до Дренана.

— Надеюсь, ты видишь меня во сне, Цеска, — и просыпаешься в холодном поту.

— Не знаю, как ему, — глухо прозвучал чей-то голос, — но мне ты снишься постоянно.

Тенака вскочил на ноги, и его меч сверкнул в воздухе.

Перед ним стоял гигант в черной маске.

— Я пришел убить тебя, — произнес нежданный гость и обнажил длинный меч.

Тенака попятился от костра, не сводя глаз с противника. В голове у него прояснилось, тело вновь обрело уверенную плавность движений.

Гигант взмахнул мечом и широко раскинул руки, чтобы удержать равновесие. Тенака моргнул — он узнал этого человека.

— Ананаис?

Меч просвистел в воздухе, целя ему в шею, но Тенака отбил удар и отскочил назад.

— Ананаис, это ты?

Человек в черном молча замер на месте.

— Да, — сказал он наконец. — Это я. А теперь защищайся!

Вложив меч в ножны, Тенака шагнул к нему.

— Я не стану драться с тобой. И мне непонятно, почему ты хочешь моей смерти.

Ананаис прыгнул к Тенаке, огрел его кулаком по голове и повалил в снег.

— Непонятно тебе? Почему, спрашиваешь? Ну так посмотри на меня!

Он сорвал с себя маску, и в мерцающем свете костра Тенака увидел перед собой оживший кошмар.

Вместо лица под маской было бесформенное месиво. Ни носа, ни верхней губы — сплошные красно-белые рубцы. От прежнего Ананаиса остались только голубые глаза да густые светлые кудри.

— Благие боги света! — прошептал Тенака. — Но ведь это не я... я даже не знал об этом.

Ананаис медленно подошел и приставил острие меча к шее Тенаки.

— Ты — тот камушек, который вызвал лавину, — сказал он. — И не притворяйся, будто не понимаешь меня.

Тенака отвел от себя меч.

— Придется тебе рассказать все с самого начала, друг мой, — сказал он, садясь.

— Будь ты проклят! — Бросив меч, гигант рывком поднял Тенаку на ноги и притянул к себе, лицом к лицу. — Смотри на меня — смотри!

Тенака посмотрел в голубые льдистые глаза и увидел мерцающее там безумие. Его жизнь висела на волоске.

— Расскажи мне, что с тобой случилось, — попросил он. — Я никуда не убегу. Хочешь убить меня — убей. Только сначала расскажи.

Ананаис отпустил его и, повернувшись спиной, стал искать свою маску.

— А я вот не могу убить тебя, — с горечью проговорил Тенака.

Гигант обернулся, в глазах его стояли слезы.

— Ох, Тани, — надломившимся голосом сказал он, — видишь, что со мной сделали?

Он упал на колени, закрыв изувеченное лицо руками, а Тенака опустился на снег с ним рядом и обнял его. Ананаис плакал навзрыд, грудь его тяжело вздымалась. Тенака гладил его по спине, как ребенка, и чувствовал боль друга, как свою.

Ананаис пришел не убить его. Он пришел умереть от его руки. И Тенака знал, за что друг винит его. В тот день, когда был получен приказ о роспуске «Дракона», Ананаис собрал охотников, чтобы идти на Дренан и свергнуть Цеску. Тенака и ган «Дракона» Барис уняли страсти, напомнив воинам, что армия всегда боролась за право народа выбирать себе вождей — и мятеж закончился, не успев начаться.

Ну что ж... теперь «Дракон» истреблен, в стране разруха, и дренаи живут под властью ужаса.

Ананаис был прав.

Рения молча ждала, пока не стихли рыдания, а потом она подбросила в догорающий костер хвороста и подошла к мужчинам. Ананаис судорожно схватился за маску.

Рения стала рядом с ним на колени, взяла за руки, прижавшие маску к лицу, и отвела их, глядя не на лицо, а только в глаза.

Ананаис закрыл глаза и склонил голову. И тогда Рения нагнулась и поцеловала его в лоб, в изрытую шрамами щеку.

Он открыл глаза и прошептал:

— Что ты!

— Мы все ходим в рубцах, — сказала она. — И еще хорошо, когда они снаружи. — Она встала и вернулась на свою еловую постель.

— Кто она? — спросил Ананаис.

— Беглянка, преследуемая Цеской.

— Как и все мы. — Гигант снова надел маску.

— Ничего, скоро мы его удивим.

— Хорошо бы.

— Доверься мне — я хочу его сместить.

— Один?

— Разве я по-прежнему один? — усмехнулся Тенака.

— Нет! У тебя есть какой-то план?

— Пока нет.

— Ясно. Как видно, мы с тобой возьмем в клещи Дренан?

— Может статься, что и возьмем. Сколько наших еще осталось в живых?

— Очень мало. Большинство откликнулись на призыв. Я тоже откликнулся бы, если бы весть дошла до меня вовремя. Декадо жив.

— Это хорошая новость.

— Не совсем. Он стал монахом.

— Декадо? Монахом? Он же жил ради того, чтобы убивать.

— Теперь он нашел иной смысл жизни. Ты что, хочешь собрать армию?

— Нет — против полулюдов армия все равно не устоит. Они слишком сильны, слишком скоры — куда нам с ними тягаться.

— А все-таки их можно побить.

— Людям это не под силу.

— Я побил одного.

— Ты?

— Да. После роспуска я попробовал крестьянствовать, но не преуспел и влез в долги — а тут Цеска начал устраивать бои на аренах, вот я и пошел в гладиаторы. Думал, проведу три боя и заработаю на покрытие своих долгов. А потом увлекся. Я дрался под чужим именем, но Цеска узнал, кто я. Так я по крайней мере думаю. Я должен был сразиться с человеком по имени Треус, а против меня выпустили полулюда. Боги, в нем было футов восемь росту! И все-таки я побил его. Клянусь всеми демонами ада — побил!

— Но как?

— Подпустил совсем близко — он уже думал, что победил. А я вспорол ему брюхо своим ножом.

— Ты сильно рисковал.

— Верно.

— И все окончилось благополучно?

— Не совсем. Он сорвал с меня лицо.

— А ведь я всерьез намеревался убить тебя, — сказал Ананаис, когда они сидели вместе у огня. — Я верил, что смогу это сделать. Я ненавидел тебя. Видя страдания народа, я каждый раз вспоминал о тебе. Я чувствовал себя обманутым — точно разом рухнуло все, ради чего я жил. А потом, когда тот полулюд меня изувечил, я и вовсе лишился всего — и мужества, и рассудка.

Тенака слушал его молча, с тяжелым сердцем. Ананаис в свое время был тщеславен, но умел и посмеяться над собой — это сглаживало его тщеславие. Притом он был красавец, и женщины обожали его. Тенака не прерывал друга — ему казалось, что Ананаис уже давным-давно ни с кем не разговаривал. Речь его текла без перерыва, и снова и снова он вспоминал о ненависти, которую питал к надирскому княжичу.

— Я знал, что это безрассудство, но не мог противиться — а когда увидел трупы у казарм и понял, что это твоя работа, ярость ослепила меня. Потом я увидел, как ты сидишь здесь, и тогда... тогда...

— Тогда ты решил, что дашь мне убить себя, — мягко подсказал Тенака.

— Да. Мне показалось... что так будет лучше.

— Я рад, что мы нашли друг друга. Вот бы еще и других отыскать.

Настало ясное, свежее утро, и близкая весна коснулась поцелуем леса, согрев сердца путников.

Рения смотрела на Тенаку новыми глазами, и дело тут было не только в той любви и понимании, которые он проявлял к своему несчастному другу, но и в тех словах, что он сказал ей перед приходом Ананаиса: «Верь мне».

И она верила.

Более того. Его слова проникли ей в сердце и облегчили душевную боль.

Он разгадал ее тайну — и не покинул ее. Рения не знала, что такое любовь, — в жизни ее любил только Олен, старый книжник. Но с Тенакой все иначе — он вовсе не стар.

Совсем не стар!

Она не останется без него в Сузе. Она нигде без него не останется. Куда пойдет Тенака-хан, туда пойдет и она. Он еще не знает об этом, но скоро узнает.

Днем Тенака выследил молодого оленя и убил его, метнув кинжал с двадцати шагов. Путники наелись досыта и легли спать пораньше — ведь прошлую ночь они почти не спали. На следующее утро на юго-востоке показались шпили Сузы.

— Тебе лучше остаться здесь, — сказал Тенаке Ананаис. — Мне думается, твои приметы уже разосланы по всему Дренаю. Какого черта ты отправил это свое письмо? Где это слыхано — оповещать жертву о намерениях убийцы?

— То-то и оно, друг мой. Страх будет глодать Цеску, и он не сможет мыслить ясно. И с каждым днем, пока Цеска не получает обо мне никаких известий, его страх растет. А вместе со страхом растет и растерянность императора.

— Это ты так думаешь. Как бы там ни было, Рению в город провожу я.

— Хорошо. Я подожду тебя здесь.

— А мнения самой Рении никто так и не спросит? — вкрадчиво осведомилась девушка.

— Не вижу, почему ты можешь быть против, — невозмутимо ответил Тенака.

— Ну а я против! — вспылила она. — Я не твоя собственность и иду, куда сама захочу. — Она уселась на поваленном дереве и, скрестив руки на груди, устремила взгляд в гущу леса.

— Я думал, ты хочешь в Сузу.

— Не хочу. Это Олен хотел, а не я.

— Куда же, в таком случае?

— Пока не знаю. Придет время — скажу.

Тенака покачал головой и развел руками. Ананаис пожал плечами:

— Так или иначе, я все равно схожу в город. Нам нужна пища, да и обстановку поразведать не мешает.

— Смотри, поосторожнее там.

— Не беспокойся, я не стану лезть на глаза. Найду сборище высоких детин в черных масках и буду держаться при них.

— Ты ведь понимаешь, о чем я.

— Конечно. Не беспокойся! Я не собираюсь ради разведочной вылазки рисковать половиной нашей армии.

Тенака проводил его взглядом и, смахнув снег со ствола, сел рядом с девушкой.

— Почему ты не пошла с ним?

— А тебе хотелось бы? — спросила она, заглянув в его лиловые глаза.

— Мне? О чем это ты?

Она прижалась к нему. Он уловил мускусный запах ее кожи и снова заметил, как стройна ее шея и как красивы темные глаза.

— Я хочу остаться с тобой, — прошептала она.

Он закрыл глаза, спасаясь от ее красоты, — но от ее запаха он отгородиться не мог.

— Это безумие, — проговорил он, поднявшись на ноги.

— Почему?

— Да потому, что я долго не проживу. Разве ты не понимаешь? Убийство Цески — дело нешуточное. Один шанс из тысячи, что я после этого останусь жив.

— То, что ты задумал, — глупая игра. Только мужчины на такое способны. Зачем тебе убивать Цеску и брать на себя бремя дренаев?

— Все так — но у меня с ним свои счеты. Я доведу дело до конца, и Ананаис тоже.

— Тогда и я с вами. У меня не меньше причин ненавидеть Цеску, чем у вас обоих. Он затравил Олена.

— Но ты женщина, — беспомощно сказал Тенака.

Она рассмеялась веселым переливчатым смехом.

— Ох, Тенака, как же я ждала, когда ты наконец скажешь глупость. Ты у нас такой умный и всегда прав. Женщина, скажите на милость! Ну да, я женщина. Но не только. Если б я захотела, то сама убила бы тех четырех солдат. Я не слабее тебя, а то и сильнее, и двигаюсь так же быстро. Ты же знаешь — я полулюдица! Олен увидел меня в Дренане — я была горбуньей и хромоножкой. Он сжалился надо мной, отвез меня в Гравен и использовал тамошние машины по их истинному назначению. Он исцелил меня, соединив с одним из ручных зверей Цески, — знаешь, с кем?

— Нет, — шепотом ответил Тенака.

Она взвилась со ствола, вскинула руки, и Тенака повалился в снег, не в силах дохнуть. Она пригвоздила его к земле, и он, как ни старался, не мог шевельнуться. Крепко держа его за руки, она навалилась на него всей тяжестью, почти касаясь лицом его лица.

— С пантерой, вот с кем.

— Я бы и так тебе поверил — не обязательно было показывать.

— Для кого как. Ведь теперь ты полностью в моей власти.

Он усмехнулся и выгнул спину. Рения, изумленно вскрикнув, отлетела влево. Тенака извернулся и упал на нее, придавив ее руки.

— Мной не так-то просто овладеть, девушка.

— Ну и что же дальше? — спросила она, выгнув бровь.

Он покраснел и ничего не ответил — но и не отпустил ее. Он чувствовал ее тепло, ее запах.

— Я люблю тебя, — сказала она. — Люблю по-настоящему.

— Нет, нельзя. У меня нет будущего.

— У меня тоже. Что может быть впереди у полулюдицы? Поцелуй меня.

— Нет.

— Пожалуйста!

Он ничего не ответил, да и не смог бы, ибо губы их слились.

4

Муха стоял в толпе и смотрел на девушку, которую привязывали к столбу. Она не сопротивлялась, не кричала, и в глазах ее светилось презрение. Высокая и светловолосая, она притягивала к себе взгляды, хотя и не была красавицей. Стражники, укладывавшие хворост вокруг ее ног, старались не смотреть на нее, и Муха чувствовал, что им стыдно.

Так же, как и ему.

Офицер, взобравшись на деревянный помост рядом с девушкой, оглядел толпу. Он ощущал молчаливый гнев собравшихся и наслаждался им — ведь гнев этот был бессилен.

Офицера звали Малиф. Он оправил свой багряный плащ, снял шлем и пристроил его на согнутую в локте руку. Солнце светило ярко, и день обещал быть хорошим — просто превосходным.

Малиф прочистил горло.

— Эта женщина, обвиненная в колдовстве, подстрекательстве к мятежу, отравительстве и воровстве, приговорена по всем перечисленным статьям к справедливой казни. Но если кто-то хочет сказать слово в ее защиту, пусть сделает это сейчас.

Его взгляд устремился влево, где в толпе возникло какое-то движение. Старик хотел выйти вперед, но молодой его удерживал. Нет, тут ничего не светит.

Малиф указал рукой направо, на полулюда, одетого в красную с бронзой ливрею Силиуса-магистра.

— Сему служителю закона поручено защищать решение суда. Если кто-то желает сразиться за женщину, именуемую Валтайя, пусть посмотрит сперва на своего противника.

Муха вцепился в руку Белдера.

— Не будь дураком! Тебя убьют. Я не допущу этого.

— Лучше уж умереть, чем смотреть на это, — проворчал старый солдат, однако перестал вырываться, вздохнул и пошел прочь, расталкивая толпу.

Муха глянул на девушку. Она смотрела прямо на него своими серыми глазами и улыбалась без тени насмешки.

— Прости, — одними губами произнес Муха, но она уже отвернулась.

— Можно мне сказать? — сильным и звонким голосом спросила она.

— Закон дает тебе это право, — ответил Малиф, — однако помни, что в твоих словах не должно содержаться никакого подстрекательства, иначе я прикажу заткнуть тебе рот.

— Друзья, — заговорила она, — мне жаль видеть вас здесь сегодня. Смерть — ничто по сравнению с безрадостной жизнью. Большинство из вас я знаю. И всех вас люблю. Пожалуйста, уходите и вспоминайте меня такой, какой знали. Подумайте о чем-нибудь веселом и забудьте об этом печальном событии.

— Им не о чем будет забывать, госпожа! — крикнул кто-то.

Толпа раздалась, и высокий человек в черном вышел на открытое место около костра.

Валтайя взглянула сверху в его ярко-голубые глаза. Его лицо скрывала маска из блестящей черной кожи. Неужто человек с такими красивыми глазами может быть палачом?

— Кто ты? — спросил Малиф.

Человек скинул с себя кожаный плащ и небрежно швырнул в толпу.

— Ты вызывал бойца, так или нет?

Малиф улыбнулся. Незнакомец был крепко сложен, но рядом с полулюдом даже он казался недомерком.

Нет, день определенно хорош!

— Сними маску, чтобы мы могли видеть тебя! — потребовал Малиф.

— В этом нет нужды, да и закон этого не предусматривает.

— Что ж, хорошо. Спор решит рукопашная схватка без применения оружия.

— Нет! — крикнула Валтайя. — Опомнитесь, сударь, это безумие. Если мне суждено умереть, пусть я умру одна. Я уже смирилась со своей участью, а из-за вас мне будет еще тяжелее.

Не слушая, неизвестный достал из-за широкого черного пояса пару кожаных перчаток.

— Дозволено ли мне надеть их? — спросил он.

Малиф кивнул, и полулюд вышел вперед. Семи футов росту, с длинной лисьей мордой, с кривыми когтями на руках. Он глухо зарычал и вздернул губу, обнажив блестящие клыки.

— Существуют ли правила для такого боя? — спросил незнакомец.

— Нет, не существуют, — ответил Малиф.

— Прекрасно! — И человек в маске со всего размаху треснул зверя в челюсть.

Один клык сломался, из пасти хлынула кровь. Прыгнув вперед, человек в маске обрушил град ударов на голову полулюда.

Но противник был не из слабых — оправившись от замешательства, он взревел и кинулся на обидчика. Один взмах когтистой лапы — и человек отскочил назад. Камзол его был разодран, на груди проступила кровь. Противники начали описывать круги.

Полулюд атаковал — человек взвился в воздух и ударил сапогами ему в морду. Полулюд упал, и человек подбежал к нему, намереваясь его пнуть. Еще один взмах когтистой лапы — и человек повалился навзничь. Полулюд встал в полный рост и вдруг пошатнулся — глаза закатились, язык вывалился из пасти. И тогда человек бросился на него и что было сил принялся молотить по голове. Еще немного — и полулюд рухнул в грязь посреди рыночной площади. Человек постоял над ним, тяжело дыша, и обернулся к ошеломленному Малифу.

— Освободите девушку! Бой окончен.

— Это колдовство! — вскричал Малиф. — Ты колдун. Тебя сожгут вместе с нею. Взять его!

Толпа гневно взревела и подалась вперед.

Ананаис с усмешкой вскочил на помост, Малиф попятился, схватившись за меч. Удар — и Малиф слетел с эшафота. Стража бросилась бежать, а Муха, взобравшись к столбу, перерезал кинжалом веревки.

— Бежим! — прокричал он, схватив Валтайю за руку. — Надо убираться отсюда. Они сейчас вернутся.

— Где мой плащ? — проревел Ананаис.

— У меня, генерал, — крикнул бородач, старый солдат по виду.

Ананаис накинул плащ на плечи, застегнул и вскинул руки, призывая к молчанию.

— Когда вас спросят, кто освободил девушку, отвечайте: бойцы Тенаки-хана. Скажите им, что «Дракон» вернулся.

— Сюда, скорее! — завопил Муха, увлекая Валтайю в узкий переулок.

Ананаис легко спрыгнул с помоста и последовал за ними, оглянувшись еще раз на безжизненное тело Малифа с ненатурально свернутой шеей. Должно быть, упал неудачно. Но если б он не убился, его бы прикончил яд. Ананаис осторожно снял перчатки, нажал на потайную пружину, и отравленные шипы на костяшках ушли внутрь. Он сунул перчатки за пояс и устремился за двумя беглецами.

С булыжной мостовой они нырнули в боковую дверь какого-то дома и оказались в полутемной харчевне; ставни были закрыты, стулья поставлены на столы. Муха с девушкой подошли к стойке, и трактирщик, низенький, лысеющий толстяк, налил им вина в глиняные кружки. Тут из мрака выступил Ананаис, и кувшин выпал из дрожащих пальцев хозяина. Муха испуганно обернулся.

— А, это ты! Для человека твоего роста ты ходишь очень тихо. Все в порядке, Ларкас, — это он спас Валтайю.

— Рад познакомиться с вами, — кивнул трактирщик. — Выпьете вина?

— Охотно.

— Мир сошел с ума, — сказал Ларкас. — Вы знаете, в те первые пять лет, что я держал эту гостиницу, здесь не случилось ни одного убийства. У всех было хоть немного денег, и жить было весело. Мир сошел с ума! — Он налил Ананаису, подлил себе и выпил единым духом. — Все обезумели! Ненавижу насилие. Я приехал сюда, чтобы пожить спокойно. Тихий городок близ Сентранской равнины — чего, казалось бы, лучшего желать? А посмотрите, что творится здесь теперь. Звери разгуливают на двух ногах. Законов никто не понимает, не говоря уж о том, чтобы исполнять их. Кругом доносчики, воры, убийцы. Стоит пустить ветер во время исполнения гимна — и тебя объявят изменником.

Ананаис снял со стола стул, сел ко всем спиной, приподнял маску и выпил. Валтайя подошла к нему — он отвернулся, допил вино и поправил маску. Ладонь девушки легла на его руку.

— Спасибо, что подарил мне жизнь.

— Для меня это было удовольствием.

— У тебя на лице шрамы?

— Еще какие.

— Но они зажили?

— В основном да. Тот, что под правым глазом, то и дело открывается, но ничего, жить с этим можно.

— Я тебя полечу.

— Не стуит.

— Но мне хочется хоть что-то для тебя сделать. Не бойся — мне и раньше доводилось видеть шрамы.

— Не такие. Под этой маской нет лица. А ведь когда-то я слыл красавцем.

— Ты и теперь красив.

Его голубые глаза сверкнули, и он подался вперед, сжав кулак.

— Не делай из меня дурака, женщина!

— Я хотела только...

— Я знаю, чего ты хотела — показать, какая ты добрая. Так вот, я ни в чьей доброте не нуждаюсь. Ни в доброте, ни в понимании. Я был красивым, и мне это нравилось. Теперь я урод и научился жить с этим.

— А теперь послушай меня, — спокойно сказала Валтайя, опершись локтями о стол. — Я хотела сказать, что внешность для меня ничего не значит. Человека красят его дела, а не кожа, которую он носит поверх жил и костей. Твой сегодняшний подвиг был прекрасен.

Ананаис откинулся назад, сложив руки на широкой груди.

— Я сожалею о том, что сказал. Прости меня.

Она усмехнулась и крепко сжала ему руку.

— Мне нечего прощать. Просто мы узнали друг друга чуть получше, только и всего.

— За что тебя хотели сжечь? — спросил он, кладя руку поверх ее руки и наслаждаясь теплом ее пальцев.

Она пожала плечами.

— Я травница и знахарка — а еще я всегда говорю правду.

— С подстрекательством и колдовством мне все ясно. А как же насчет воровства?

— Однажды я позаимствовала лошадь. Расскажи лучше о себе.

— Нечего рассказывать. Я воин, который ищет войны.

— Ты из-за этого вернулся в Дренай?

— Трудно сказать.

— И у вас правда целая армия?

— Как же — целых два человека. Но это только начало.

— Что ж, в бодрости духа тебе не откажешь. Твой друг дерется так же хорошо, как и ты?

— Лучше. Это Тенака-хан.

— Надирский князь? Хан Теней?

— Я вижу, ты знаешь нашу историю.

— Я выросла в Дрос-Дельнохе, — сказала она, пригубив вино. — Я думала, он погиб вместе со всем «Драконом».

— Такие, как Тенака, так просто не погибают.

— Тогда ты, должно быть, Ананаис? Золотой Воин?

— Имел когда-то честь так называться.

— О вас обоих ходят легенды. Вдвоем вы истребили двадцать вагрийских всадников в сотне миль к западу от Сузы. А потом окружили и уничтожили большой отряд работорговцев близ Пурдола на востоке.

— Всадников было не двадцать, а всего лишь семеро — и одного трясла лихорадка. А работорговцев было вдвое меньше, чем нас.

— А разве вы не освободили лентрийскую принцессу из рук надирских кочевников, проехав ради этого сотни лиг на север?

— Нет — и я в толк не возьму, откуда взялась эта легенда. Притом все это случилось еще до твоего рождения — откуда ты так хорошо об этом знаешь?

— От Мухи — он замечательный рассказчик. Почему ты меня спас?

— Что за вопрос? Разве я не проехал сотни лиг, чтобы спасти лентрийскую принцессу?

— Но я-то не принцесса.

— Да и я не герой.

— Ты схватился с полулюдом...

— Да — но он был обречен после первого же моего удара. У меня на перчатках отравленные шипы.

— Все равно, немногие отважились бы на такое.

— Тенака убил бы его и без перчаток. Быстротой он уступает только одному из всех известных мне воинов.

— Кому же это?

— Ты что, никогда не слышала о Декадо?

***

Тенака развел костер и опустился на колени около спящей Рении. Ее дыхание было ровным. Он нежно провел пальцем по ее щеке, потом взошел на пригорок и посмотрел через холмы и долины на юг, туда, где только что взошедшее солнце осветило Скельнские горы.

Леса, реки и широкие луга таяли в голубой дымке, и небо словно стремилось слиться с землей. На юго-западе вонзались в облака Скодийские горы, горделивые и красные, как кровь.

Тенака вздрогнул и запахнулся в плащ. Как прекрасна земля, не знающая присутствия человека.

Его мысли блуждали бесцельно, но образ Рении то и дело вставал перед его умственным взором.

Любит ли он ее? Может ли любовь зародиться столь быстро — или это только влечение одинокого мужчины к несчастному ребенку?

Он нужен ей — но нужна ли ему она?

Особенно теперь, когда предстоит такое.

«Дурак, — сказал он себе, попытавшись представить жизнь с Ренией в своем вентрийском дворце. — Слишком поздно. Ты сжег за собой все мосты».

Он сел на плоский камень и потер глаза.

«И зачем я все это затеял?» — с горечью подумал он. Он не сомневался в том, что способен убить Цеску. Но чего он этим достигнет? Разве мир изменится со смертью одного деспота?

Может, да, а может, и нет — отступать в любом случае поздно.

— О чем ты думаешь? — спросила Рения, присаживаясь рядом с ним и обняв его за пояс. Он прикрыл ее своим плащом.

— Так, грежу наяву. И любуюсь пейзажем.

— Здесь красиво.

— Да — особенно теперь.

— Когда вернется твой друг?

— Скоро.

— Ты тревожишься о нем?

— С чего ты взяла?

— Я ведь слышала, как ты просил его быть осторожным.

— Я всегда волнуюсь за Ананаиса. Он любит порисоваться и слишком полагается на свою силу. Он способен выйти против целой армии, твердо веря, что победит. А глядишь, и победит — если армия не слишком большая.

— Он очень дорог тебе, да?

— Я люблю его.

— Мужчины, говоря это, обычно добавляют «как брата». А ты — нет. И это хорошо. Давно ты его знаешь?

— С семнадцати лет. Я поступил в «Дракон» кадетом, и вскоре мы подружились.

— Зачем он хотел сразиться с тобой?

— На самом деле он этого не хотел. Но жизнь обошлась с ним сурово, и он винил в этом меня — по крайней мере отчасти. Когда-то давно он хотел свергнуть Цеску. И мог бы добиться успеха — но я ему помешал.

— Такое нелегко простить.

— Да, пожалуй, — оглядываясь назад, я это понимаю.

— Ты по-прежнему намерен убить Цеску?

— Да.

— Даже если этим обречешь себя на смерть?

— Даже тогда.

— И куда же мы теперь отправимся? В Дренан?

Он взял ее за подбородок:

— Ты еще не раздумала идти со мной?

— Нет, конечно.

— Пусть это себялюбиво, но я все-таки рад.

Человеческий крик пронзил тишину раннего утра, и стаи птиц, заголосив, снялись с деревьев. Тенака вскочил на ноги.

— Это там! — крикнула Рения, указывая на северо-восток.

Тенака обнажил меч, сверкнувший на солнце, и бросился бежать, а Рения за ним.

Крики сопровождались теперь звериным рычанием, и Тенака замедлил бег.

— Это полулюд, — сказал он, когда Рения его догнала.

— Что же делать?

— О черт! Подожди здесь.

Преодолев легкий подъем, Тенака выбежал на небольшую поляну, окруженную заснеженными дубами. Посреди поляны под деревом скорчился человек, окровавленный, с разодранной ногой. Над ним высился громадный полулюд.

Мгновение — и зверь набросился на свою жертву. Тенака закричал, полулюд устремил на него взгляд кроваво-красных глаз. Тенака знал: сейчас он смотрит в лицо смерти, — ни один человек не смог бы выйти живым из схватки с этим чудищем. Рения встала рядом, в руке ее сверкал кинжал.

— Назад! — рявкнул Тенака.

— Что теперь? — как ни в чем не бывало спросила она.

Зверь выпрямился во весь свой девятифутовый рост и растопырил когтистые лапы. На какую-то долю он, видимо, был медведем.

— Бегите! — закричал раненый. — Прошу вас, бегите!

— Хороший совет, — сказала Рения.

Тенака промолчал, и тогда зверь с леденящим душу ревом кинулся на них. По всему лесу разнеслось эхо. Тенака пригнулся, не сводя с чудища глаз.

Тень зверя упала на него, и он бросился вперед с надирским боевым кличем.

Зверь исчез.

Тенака рухнул в сугроб, выронил меч, перекатился, вскочил на ноги и очутился перед раненым, который теперь стоял с улыбкой на лице. На теле его не было ран, а на одежде — крови.

— Что за чертовщина?! — воскликнул Тенака.

Человек замерцал и исчез. Тенака обернулся к Рении — она смотрела прямо перед собой, широко раскрыв глаза.

— Кто-то сыграл с нами шутку, — сказал Тенака, отряхивая снег с камзола.

— Но зачем?

— Не знаю. Пошли отсюда — лес лишился своих чар.

— Они были совсем как настоящие. Я уж подумала, что нам конец. Что это, призраки?

— Кто их разберет? Так или иначе, следов они не оставили, и мне недосуг разгадывать загадки.

— Но ведь должна быть причина. Неужели все это устроили только ради нас?

Он пожал плечами, подал ей руку на крутом склоне, и они вернулись в лагерь.

В сорока милях от них в тесной комнате сидели четверо мужчин, закрыв глаза и соединив умы. Один за другим они открыли глаза, откинулись на спинки стульев и потянулись, словно очнувшись от глубокого сна.

Их глава — тот, который явился Тенаке на поляне, — встал, подошел к стрельчатому окну и посмотрел вниз, на луг.

— Ну, что скажете? — не оглядываясь, спросил он.

Трое переглянулись, и один из них, коренастый, с густой желтой бородой, ответил:

— По меньшей мере он достоин. Он без колебаний бросился тебе на помощь.

— Так уж ли это важно? — спросил главный, по-прежнему глядя в окно.

— По-моему, да.

— Объясни почему, Аквас.

— Стремясь к своей цели, он не утратил человеколюбия. Он готов скорее рискнуть своей жизнью — даже лишиться ее, — нежели бросить человека в беде. Свет коснулся его.

— Что скажешь ты, Балан?

— Судить о нем слишком рано. Быть может, он действовал под влиянием минуты, — ответил другой, выше и стройнее Акваса, с гривой курчавых темных волос.

— Катан?

Последний из четверых, худощавый, с узким лицом аскета и большими грустными глазами, улыбнулся.

— Будь моя воля, я сказал бы «да». Он достоин. Он человек Истока, хотя и не знает об этом.

— Значит, в главном мы согласны. Думаю, пришло время поговорить с Декадо.

— Не следует ли сначала убедиться окончательное, отец настоятель? — спросил Балан.

— Жизнь ни в чем не убеждает нас окончательно — кроме того, что все мы смертны.

5

Уже час как прозвучал сигнал к тушению огней — улицы Дренана опустели, затих огромный белый город. Луна в своей третьей четверти висела в ясном небе, и ее отражение осколками дробилось в омытых дождем булыжниках Столбовой улицы.

Из тени высокого здания вышли шестеро. На них были надеты черные доспехи, и черные шлемы скрывали их лица. Быстро и целеустремленно зашагали они ко дворцу, не глядя ни вправо, ни влево.

Двое полулюдов с тяжелыми секирами преградили им путь, и шестеро остановились. Шесть пар глаз воззрились на полулюдов — и полулюды, взвыв от боли, бросились бежать.

Множество взглядов следило за шестерыми из-за ставен и плотно задернутых занавесок — они ощущали эти взгляды и чувствовали, как по мере узнавания любопытство сменяется страхом.

Они шли молча и наконец остановились у ворот. Заскрежетал засов, распахнулись тяжелые створки, часовые склонили головы, и шестеро в черных доспехах прошли во двор, а оттуда — в освещенный чадящими факелами коридор с многочисленной стражей. Завидев шестерых, все отступали в сторону и отводили глаза. В торце коридора открылись двойные двери из дуба и бронзы. Предводитель вскинул руку — пятеро повернулись кругом и застыли у дверей, опустив руки в черных перчатках на выточенные из черного дерева эфесы мечей.

Предводитель вошел, подняв забрало.

Как он и полагал, первый министр ЦескиЭэртик ждал его один за письменным столом. Министр поднял темные глаза с тяжелыми веками.

— Добро пожаловать, Падакс, — сухо, с отзвуком металла произнес он.

— Приветствую вас, советник, — улыбнулся Падакс — высокий, с квадратным лицом и глазами серыми, как зимнее небо. Несмотря на полные чувственные губы, лицо его нельзя было назвать привлекательным. Что-то странное таилось в его чертах, какой-то неуловимый изъян.

— Император нуждается в ваших услугах. —Ээртик встал из-за дубового стола, прошелестев темным бархатным одеянием. Этот звук напомнил Падаксу шелест змеи в сухой траве, и он снова улыбнулся.

— Я всегда готов служить императору.

— Он знает, Падакс, — и знает, что вы цените его щедрость. Некий человек замыслил против императора зло. Нам сообщили, что сейчас он где-то на севере. Император желает взять в плен или убить его.

— Тенака-хан.

— Так вы знаете? — изумленно раскрыл глаза Ээртик.

— Как видите.

— Можно спросить, откуда?

— Нельзя.

— Этот человек — угроза для империи, — скрывая раздражение, сказал Ээртик.

— Можете считать его покойником, как только я отсюда выйду. Известно вам, что его сопровождает Ананаис?

— Нет, неизвестно, но теперь, когда вы сказали об этом, тайна прояснилась. Считалось, что Ананаис умер от ран. То, что они вместе, представляет какое-то затруднение для вашего ордена?

— Нет. Один, двое, десяток, сотня... какая разница? Против моих храмовников им не устоять. Утром мы отправимся в путь.

— Требуется ли от меня какая-либо помощь?

— Да. Через два часа пришлите в Храм ребенка. Девочку моложе десяти лет. Необходимо совершить определенные религиозные обряды. Я должен приобщиться к силе, что держит Вселенную.

— Будет сделано.

— Храмовые постройки обветшали. Я подумываю о том, чтобы присмотреть другой храм — побольше.

— Император придерживается того же мнения. К вашему возвращению я разработаю кое-какие планы.

— Передайте мою благодарность властелину Цеске.

— Непременно. Да будет ваш путь легок, а возвращение радостно.

— На все воля Духа. — Падакс опустил забрало черного шлема.

Настоятель стоял у стрельчатого окна и смотрел на висячий сад. Двадцать восемь братьев преклонили колена перед розовыми кустами. Несмотря на раннюю пору года, розы пышно цвели, и аромат их наполнял воздух.

Настоятель закрыл глаза, воспарил над телом, слетел в сад и опустился около стройного Катана.

Разум Катана раскрылся ему навстречу, и они вместе проникли в хрупкие стебли и сосуды растения.

Роза — красная роза — приветливо приняла их.

Оставив Катана, он подключился к следующему брату. И так — ко всем двадцати восьми.

Только роза Балана еще не расцвела — но бутоны уже набухли, и она ненамного отставала от остальных.

Он вернулся на башню, открыл глаза и глубоко вздохнул. Провел рукой по вискам и перешел к южному окну — на той стороне располагался огород.

Там, стоя на коленях в рыхлой земле, работал монах в грязном буром облачении. Настоятель спустился по винтовой лестнице, ступил на отмытые дочиста плиты дорожки и сошел по каменным ступеням в огород.

— Привет тебе, брат, — сказал он.

Монах поднял глаза и поклонился.

— Привет тебе, отец настоятель.

Настоятель опустился на каменную скамью.

— Продолжай. Я не хочу прерывать твои труды.

Монах вернулся к очистке земли от сорняков — руки у него почернели, и ногти растрескались.

Настоятель огляделся. Огород был ухожен, орудия хорошо наточены, дорожки прополоты и подметены.

Он перевел любовный взгляд на садовника. Как же он изменился с того дня, пять лет назад, когда явился сюда и сказал, что хочет стать монахом. Тогда на нем были блестящие доспехи, на поясе — два коротких меча, а на перевязи, пересекающей грудь, — три кинжала.

— Почему ты хочешь служить Истоку? — спросил его в тот день настоятель.

— Я устал от смерти.

— Ты живешь, чтобы убивать, — сказал настоятель, пристально глядя в настороженные глаза воина.

— Я хочу стать другим.

— Ты ищешь убежища?

— Нет.

— Почему ты выбрал наш монастырь?

— Я... я молился...

— И получил ответ?

— Нет. Но я шел на запад, а после молитвы передумал и повернул на север. И пришел к вам.

— Ты думаешь, это и есть ответ?

— Я не знаю, — ответил воин. — А ты?

— Ты знаешь, что это за орден?

— Нет.

— Наши братья наделены особым даром и обладают властью, тебе недоступной. Вся жизнь их посвящена Истоку. А что можешь предложить ты?

— Только себя. Свою жизнь.

— Хорошо. Я приму тебя. Но выслушай меня и запомни: ты не должен общаться с другими братьями. Не должен появляться наверху. Ты будешь жить внизу, в хижине работника. Ты снимешь с себя оружие и никогда больше не коснешься его. Ты будешь исполнять черную работу и проявлять полное послушание. Тебе запрещается заговаривать с кем-либо — дозволено только отвечать на мои вопросы.

— Я согласен, — без колебаний ответил воин.

— Я буду беседовать с тобой каждый день и следить за тем, насколько ты продвинулся. Если ты хоть в чем-то нарушишь правила, я выгоню тебя из монастыря.

— Согласен.

Пять лет воин нес свое послушание, и настороженность постепенно исчезала из его темных глаз. Он прилежно учился, но так и не достиг умения освобождать свой дух — во всем же остальном настоятель был им доволен.

— Ты счастлив, Декадо? — спросил теперь настоятель.

Монах распрямился и обернулся к нему.

— Да, отец.

— Ты ни о чем не жалеешь?

— Нет.

— У меня есть новости о «Драконе». — Настоятель внимательно следил за выражением его лица. — Хочешь послушать?

Монах на мгновение задумался.

— Да, хочу. Это плохо?

— Нет, Декадо, ничего плохого тут нет. Ведь речь пойдет о твоих друзьях.

Монах молча ожидал продолжения.

— «Дракон» пал в страшной битве с полулюдами Цески. Люди бились отважно, но не смогли выстоять против наделенных разумом зверей.

Декадо кивнул и вернулся к своей работе.

— Что ты чувствуешь? — спросил настоятель.

— Великую печаль, отец.

— Но не все твои друзья погибли. Тенака-хан и Ананаис вернулись в Дренай — они хотят убить Цеску и покончить с этим кошмаром.

— Да поможет им Исток.

— А ты не хочешь сразиться вместе с ними?

— Нет, отец настоятель.

Настоятель кивнул.

— Покажи мне свое хозяйство. — Они прошлись вдоль грядок и остановились у крошечной хижины, где жил Декадо. Настоятель обошел ее. — Тебе здесь хорошо?

— Да, отец.

На задах хижины настоятель заметил маленький кустик с единственным цветком.

— А это что такое?

— Это мой цветок, отец. Я сделал что-то не так?

— Где ты его взял?

— Кто-то уронил черенок сверху, и я посадил его здесь три года тому назад. Это прекрасный цветок; обычно он расцветает много позже.

— Ты проводишь с ним много времени?

— Сколько могу, отец настоятель. Он вселяет в меня спокойствие.

— У нас наверху много роз, Декадо, но таких там нет.

Роза была белая.

Через два часа после восхода солнца Ананаис вернулся в лагерь с Валтайей, Мухой и Белдером. Тенака издали заметил их. Он сразу понял, что старик прежде был солдатом: тот ступал осторожно, держа руку на рукояти меча. Женщина, высокая и статная, держалась рядом с одетым в черное Ананаисом. Тенака усмехнулся и покачал головой. Золотой Воин верен себе. А вот молодой человек его заинтересовал. Что-то в его облике было знакомое, хоть Тенака знал: прежде они никогда не встречались. Высокий, атлетически сложенный, ясноглазый. Волосы длинные, темные. На голове — обруч из темного металла с опалом. Одет в лиственно-зеленый плащ, камзол из мягкой кожи, на ногах — бурые сапоги до колен. В руке — короткий меч. Тенака чувствовал, что он боится.

Когда Тенака вышел им навстречу из-за деревьев, Мухе захотелось подбежать и обнять его, но он сдержал свой порыв. Тенака его, конечно же, не узнал. А сам надирский княжич почти не изменился — только редкая седина сверкает на солнце в его волосах. Все так же остры лиловые глаза, и осанка все так же неосознанно горделива.

— Без сюрпризов ты не можешь, мой друг, — сказал Тенака.

— Это верно, — ответил Ананаис. — Зато я принес с собой завтрак, и с объяснениями можно подождать, пока я не поем.

— Представь по крайней мере своих гостей.

— Муха, Валтайя и Белдер, — небрежно махнул рукой Ананаис и прошел мимо Тенаки к костру.

— Добро пожаловать! — улыбнулся Тенака.

— Наше вторжение долго не продлится, — заявил Муха. — Твой друг помог Валтайе, и нам необходимо было покинуть город. Теперь, когда она в безопасности, мы с Белдером можем вернуться.

— Понятно — но сначала откушайте с нами.

У костра царило неловкое молчание, но Ананаис этого не замечал — он отошел и сел спиной к остальным, чтобы снять маску и поесть спокойно.

— Я много слышала о вас, Тенака, — сказала Валтайя.

— Во всех этих слухах очень мало правды.

— В любой сказке есть крупица истины.

— Возможно. Но где вы слышали эти сказки?

— От Мухи.

Тенака кивнул и обернулся к молодому человеку, покрасневшему до ушей.

— А ты откуда их знаешь, приятель?

— От разных людей.

— Я был солдатом, только и всего. Меня прославили мои предки. Я мог бы назвать многих, кто превосходил меня в фехтовании, в верховой езде, да и как люди они были лучше. Но у них не было имени, которое служило бы знаменем.

— Ты слишком скромен, — сказал Муха.

— Дело не в скромности. Я наполовину надир, потомок Ульрика, наполовину дренай, правнук Регнака, Бронзового Князя. На деле же не князь и не хан.

— Ты Хан Теней, — возразил Муха.

— Но как такое могло случиться? — спросила Валтайя.

Тенака усмехнулся.

— Во время Второй Надирской войны сын Регнака, Оррин, заключил договор с надирами. Одним из условий был брак его сына Хогуна с дочерью хана, Шиллат. Этот союз был заключен не по любви. Свадьба, по рассказам, была пышной, и праздновали ее близ священной гробницы Друсса, на равнине к северу от Дельноха. Хогун привел молодую жену в крепость, где она прожила три несчастливых года. Там я и родился. Хогун погиб, свалившись с лошади, когда мне было два года, а его отец отослал Шиллат домой. В брачном соглашении было оговорено, что дети от этого союза не могут унаследовать Дрос-Дельнох. Надиры же никогда не допустили бы, чтобы их вождем стал полукровка.

— Вы, должно быть, были очень несчастливы, — сказала Валтайя.

— В моей жизни была и радость. Не надо меня жалеть.

— Как же вы стали офицером «Дракона»?

— Мне было шестнадцать лет, когда хан, мой дед, отправил меня в Дельнох. Это опять-таки входило в брачный договор. Дед с отцовской стороны принял меня и устроил мне назначение в «Дракон». Вот и все.

Муха уставился в огонь, думая о былом.

Вот и все! Как может Тенака столь спокойно вспоминать о той ужасной минуте?

Шел дождь, когда дозорный на башне Эльдибара протрубил в трубу. Дед Мухи, Оррин, в ту пору был в замке и играл с гостем в военную игру. Муха сидел на высоком стульчике и смотрел, как они мечут кости и передвигают солдатиков, — но тут буйный ветер донес до них звук трубы.

— Приехало надирское отродье, — сказал Оррин. — Подходящий денек он выбрал, нечего сказать.

На Муху надели плащ из промасленной кожи, широкополую кожаную шляпу и двинулись в долгий путь к первой стене.

Оррин посмотрел сверху на двадцать всадников, среди которых на белом лохматом коньке сидел темноволосый юноша.

— Кто тут просится войти в Дрос-Дельнох? — крикнул Оррин.

— Сын Шиллат, — отозвался командир отряда.

— Войти дозволяется только ему одному.

Ворота крепости заскрипели, отворяясь, а надиры повернули коней и поскакали обратно на север.

Тенака не оглянулся и ни словом с ними не перемолвился. Он послал вперед своего конька и въехал в ворота на зеленый луг между первыми двумя стенами. Там он соскочил с седла и стал ждать, когда Оррин подойдет к нему.

— Ты здесь нежеланный гость, — сказал Оррин, — однако я верен своему слову. Я договорился, что тебе дадут должность в «Драконе», и через три месяца ты отправишься туда. А тем временем ты поучишься дренайским обычаям. Я не желаю, чтобы мой родственник ел пальцами из общего блюда.

— Спасибо, дедушка.

— Не называй меня так, — отрезал Оррин. — Никогда не называй! Обращайся ко мне «мой господин» — и наедине, и на людях. Понял?

— Кажется, да, дедушка, — и буду делать так, как вы говорите. — И Тенака перевел взгляд на ребенка.

— Вот мой настоящий внук, — сказал Оррин. — Все мои дети умерли — и только этот малыш продолжит мой род. Его зовут Арван.

Тенака кивнул и повернулся к чернобородому человеку, стоящему слева от Оррина.

— А это друг дома Регнака — единственный советник в этой стране, стоящий соли, которую ест. Его имя — Цеска.

— Счастлив познакомиться. — Цеска протянул руку, и Тенака крепко пожал ее, глядя в его темные глаза.

— Уйдем наконец из-под этого проклятого дождя, — буркнул Оррин. Седобородый князь поднял ребенка на свои широкие плечи и зашагал к далекому замку. Тенака, взяв под уздцы своего конька, двинулся следом. Цеска шел рядом с ним.

— Пусть такой прием не огорчает вас, княжич, — сказал Цеска. — Он стар, и его уже не переделать. Но по-своему он замечательный человек. Надеюсь, вам будет хорошо у дренаев. Если я смогу быть чем-нибудь вам полезен, непременно скажите мне об этом.

— Почему? — спросил Тенака.

— Вы мне нравитесь. — Цеска хлопнул его по плечу. — Да и кто знает — быть может, однажды князем станете вы.

— Навряд ли.

— Это верно, мой друг. Однако удача в последнее время изменила Бронзовому Дому. Как уже сказал Оррин, все его дети умерли. Остался один Арван.

— Но он, похоже, крепкий парнишка.

— Это так. Только внешность порой бывает обманчива.

Тенака не был уверен, насколько правильно он понял Цеску, — но почувствовал за его словами какой-то темный смысл и промолчал.

Тенака молча выслушал рассказ Валтайи о том, как Ананаис спас ее и как они подкупили ночного стражника, чтобы он выпустил их через северные городские ворота. Ананаис притащил с собой целую гору еды, а еще два лука и восемьдесят стрел в колчанах оленьей кожи. Валтайя несла одеяла и небольшую туго свернутую палатку.

Когда все поели, Тенака увел Ананаиса в лес. Они нашли укромное место и опустились на камни, смахнув с них снег.

— В Скодии бунт, — сказал Ананаис. — Легионеры Цески разграбили там две деревни, а местный житель по имени Райван собрал людей и перебил конников. Говорят, недовольные так и валят к нему, но не думаю, чтобы он долго продержался. Он простой крестьянин.

— Не голубых, значит, кровей? — сухо осведомился Тенака.

— Я ничего не имею против простолюдинов — просто недостаток выучки помешает ему провести кампанию как следует.

— Что еще ты слышал?

— Два восстания на западе беспощадно подавлены. Все мужчины распяты, поля засыпаны солью. Ты ведь знаешь, каков закон.

— А что на юге?

—Трудно сказать. Сведения очень скудны. Но Цеска пребывает там, и не думаю, что восстание возможно. Говорят, что есть тайное общество, действующее против Цески, но это скорее всего только разговоры.

— Ну и что ты предлагаешь?

— Пойдем в Дренан, убьем Цеску и на этом успокоимся.

— Вот так просто?

— Самые лучшие планы всегда просты, Тани.

— А как быть с женщинами?

— Что с ними поделаешь? — пожал плечами Ананаис. — Ты говорил, что Рения хочет идти с тобой, — так пусть идет. Мы можем оставить ее у друзей в Дренане. Я еще знаю там пару человек, на которых можно положиться.

— Ну а Валтайя?

— Она с нами не пойдет — ей это ни к чему. Оставим ее в ближайшем городе.

— Ни к чему, говоришь? — поднял бровь Тенака.

— Да, теперь ни к чему, — отвел взгляд Ананаис. — Случись это раньше — кто знает.

— Ладно. Отправимся в Дренан, но сделаем крюк к западу. Скодия, должно быть, прекрасна в это время года.

Они вернулись в лагерь, где их уже ждали трое незнакомцев.

— Сходи на разведку, Ани, — тихо сказал Тенака. — Глянь, нет ли поблизости еще каких неожиданностей. — Сам он вышел навстречу гостям. Двое из них оказались воинами такого же примерно возраста, как и Тенака. Третий — слепой старец в синем рубище провидца.

Воины, чернобородые, с суровыми лицами, походили друг на друга как две капли воды, только один был чуть повыше другого. Первым заговорил тот, что пониже:

— Я Галанд, а это мой брат Парсаль. Мы пришли к вам, генерал.

— Для чего?

— Чтобы свергнуть Цеску, для чего же еще?

— Мне не нужны помощники, Галанд.

— Не знаю, что за игру вы ведете, генерал, — но Золотой Воин побывал в Сузе и сказал людям, что «Дракон» вернулся. Если это так, то и я возвращаюсь. Вы не узнаете меня?

— Признаться, нет.

— Тогда у меня еще не было бороды. Я бар Галанд — служил в третьем крыле под началом у Элиаса. Я был мастером фехтования и однажды побил вас на турнире.

— Теперь вспомнил. Прием полумесяца! В настоящем бою ты бы перерезал мне горло — и наградил-таки меня здоровенным синяком.

— Мой брат дерется не хуже меня. Мы хотим поступить к вам на службу.

— Какая там служба, приятель. Я собираюсь прикончить Цеску — это дело для наемного убийцы, а не для армии.

— Тогда мы будем рядом, пока вы не исполните задуманного. Я лежал в лихорадке, когда «Дракон» был созван вновь, и с тех пор не могу оправиться от горя. Сколько славных ребят попалось в ловушку! Несправедливо это.

— Как ты нас нашел?

— Слепец показал нам дорогу. Странно, правда?

Тенака подошел к костру и сел напротив провидца. Тот поднял голову.

— Я ищу Факелоносца, — еле слышно прошелестел он.

— Кто он? — спросил Тенака.

— Темный Дух укрыл эту землю своей тенью. Я ищу Факелоносца, который рассеет мрак.

— Но кто он — тот, кого ты ищешь? — настаивал Тенака.

— Не знаю. Может, и ты.

— Сомневаюсь. Хочешь поесть с нами?

— Сны говорили мне, что Факелоносец накормит меня. Это ты?

— Нет.

— Их трое. Золото, Лед и Тень. Один из них — Факелоносец. Но который? Я должен ему кое-что передать.

Муха присел рядом со слепцом и сказал:

— Я ищу истину.

— Я скажу тебе истину. — Пророк протянул руку, и Муха положил в его ладонь серебряную монетку. — Ты родился от Бронзы — гонимый страхом и людьми, ты выходишь на тропу своих отцов. Сродни Тени, ты никогда не знаешь покоя и никогда не умолкаешь. Темные копья занесены над тобой, темные крылья осеняют тебя. Ты устоишь, когда другие побегут. Это у тебя в крови.

— Что это значит? — спросил Тенака.

Муха пожал плечами и отвел глаза.

— Смерть зовет меня, и я должен откликнуться, — прошептал провидец. — А Факелоносца здесь нет.

— Скажи мне, что должен сказать, старик. Я обещаю передать это ему.

— Черные Храмовники выступили против Князя Теней. Ему не укрыться от них, ибо факел ярко светит в ночи. Но мысль быстрее стрел, и истина острее клинка. Зверей можно победить, но лишь Царю Каменных Врат это под силу.

— Это все? — спросил Тенака.

— Факелоносец — ты. Теперь я вижу это ясно. Ты избран Истоком.

— Я — Князь Теней, но я не поклоняюсь ни Истоку, ни иным богам. Я в них не верю.

— Зато Исток в тебя верит. А теперь мне пора. Пришло время отдохнуть.

Старик заковылял прочь, ступая по снегу посиневшими босыми ногами.

— Что он тебе сказал? — спросил Муха.

— Я не понял.

— Повтори мне его слова, — сказал Муха. Тенака повторил, и Муха кивнул. — Кое-что нетрудно разгадать. Например, про Черных Храмовников. Слышал ты о Тридцати?

— Да. Это монахи-воители, которые после безупречно прожитой жизни отправлялись на войну, чтобы погибнуть там. Но их Орден давно уже не существует.

— Черные Храмовники — кощунственное подобие Тридцати. Они поклоняются Духу Хаоса, и Тьма дает им великую силу. Они предаются всем мыслимым порокам и при этом превосходные воины.

— И Цеска натравил их на меня?

— Похоже на то. Их возглавляет человек по имени Падакс. В каждом их храме по шестьдесят шесть воинов, а всего храмов десять. Их сила превосходит возможности обыкновенного человека.

— Она им понадобится, — угрюмо молвил Тенака. — Но как понять остальные слова пророка?

— Мысль быстрее стрел? Это означает, что ты должен перехитрить своих врагов. Царь Каменных Врат пока остается загадкой — но ты разрешишь ее.

— Каким образом?

— Слова предназначались тебе — стало быть, ты должен знать.

— А что означали слова, предназначенные тебе?

— Они означали, что я должен пойти с тобой, хотя и не желаю этого.

— Не понимаю. Ты волен идти, куда захочешь.

— Наверное, — улыбнулся Муха. — Но мне приспело время избрать свой путь. Помнишь, что сказал старец? «Ты родился от Бронзы». Регнак Скиталец — и мой предок. «Сродни Тени» — значит сродни тебе. «Темные копья» — это Храмовники. Моя кровь? Кровь Бронзового Князя. Слишком долго я был в бегах.

— Арван?

— Он самый.

Тенака положил руки ему на плечи.

— Я часто думал о том, что же с тобой сталось.

— Цеска приказал убить меня, но я бежал. И с тех пор все бегу и бегу. Чертовски долго! Ты ведь знаешь — воин из меня неважный.

— Это ничего. Я рад, что мы снова встретились.

— И я рад. Я следил за тобой, вел летопись твоим подвигам. Быть может, она еще сохранилась там, в

Дельнохе. Однако старец в самом начале сказал еще кое-что. Он сказал, что вас трое — Золото, Лед и Тень. Ананаис — Золотой Воин, ты — Хан Теней, а кто же Лед?

Тенака отвернулся, глядя в лес.

— Был такой человек. Его звали Ледяным Убийцей, ибо он жил лишь ради того, чтобы лишать жизни других. Это Декадо.

Три дня шли они вдоль леса, направляясь на юго-запад, к Скодийским горам. Становилось теплее, и снег отступал перед весенним солнцем. На второй день они нашли тело слепого пророка — он стоял на коленях у кривого дуба. Земля была слишком твердой, чтобы рыть могилу, и они оставили его там.

Галанд и его брат постояли немного над мертвым.

— Вид у него довольно счастливый, — сказал Парсаль, почесав бороду.

— Кто знает, улыбка это или предсмертная гримаса? Через месяц у него уже не будет такого счастливого лица.

— А у нас? — шепнул Парсаль.

Галанд пожал плечами, и братья отправились вслед за остальными.

Галанд оказался хитрее многих солдат «Дракона» — к тому же ему повезло. Когда пришел приказ о роспуске, он тихо ушел на юг и купил себе усадьбу близ Дельвингского леса, к юго-западу от столицы. Тяжелые времена застали его в одиночестве. Он женился на деревенской девушке, но в один ясный осенний день шесть лет тому назад она исчезла. Говорили, будто полулюды похищают женщин, только Галанд знал, что жена его не любила... и с ней вместе из деревни пропал один парень по имени Гаркас.

До Дельвинга дошли слухи о разгроме бывшего «Дракона» и о том, что сам Барис взят в плен. Галанда это не удивило — он предчувствовал, что Цеска окажется тираном.

Человек из народа! Слыхано ли когда, чтобы тот, кто выбился из грязи в князи, заботился о народе?

Хозяйство Галанда процветало, и он прикупил у вдовца-соседа еще один клочок земли. Тот собрался в Вагрию — брат, живущий в Дренане, предупредил его о грядущих переменах, — и Галанд выкупил у него все имущество за смехотворную цену.

А потом пришли солдаты.

Новый закон гласил, что обыватели незнатного рода могут владеть только четырьмя акрами земли. Излишки государство скупало за цену, рядом с которой смехотворные деньги Галанда казались королевскими. Налоги увеличились, и была назначена величина урожая.

В первый год истощенная земля не дотянула до нужной метки — все поля, бывшие под паром, засеяли, и урожайность упала.

Галанд принимал все без жалоб.

До того дня, как умерла его дочь. Она выбежала поглядеть на всадников, и жеребец ударил ее копытом. Галанд бросился к ней, подхватил ее на руки. Всадник спешился.

— Мертвая? — спросил он.

Галанд, утратив дар речи, только кивнул.

— Не повезло тебе. Теперь твой налог увеличится.

Тогда кинжал Галанда вонзился всаднику в сердце. А потом он выхватил из ножен меч убитого и бросился на второго наездника. Конь шарахнулся, всадник свалился наземь, и Галанд убил его ударом в горло. Еще четверо развернули коней и помчались к нему. Галанд вышел навстречу вороному жеребцу, убившему его дочь, и обеими руками рубанул его по шее. Потом сшиб другого солдата с коня, вскочил в седло и ускакал на север.

Он отыскал в Вагрии своего брата, который работал там каменщиком.

...Голос Парсаля вторгся в его мысли, вернув к настоящему.

— Что ты говоришь?

— Говорю, что никогда еще не подчинялся надиру.

— Я тебя понимаю. Кровь стынет, как подумаешь. Но ведь он хочет того же, что и мы.

— Того ли? — прошептал Парсаль.

— Что ты хочешь сказать?

— Все они, генералы, одним миром мазаны. Война для них что игра — плевать они хотели на остальное.

— Я люблю их не больше, чем ты. Но наши-то из «Дракона», а это посильней благородной крови. Я не могу этого объяснить. Нас разделяет бездна, но они умрут за меня, и я за них.

— Надеюсь, что ты прав.

— В жизни мало вещей, в которых я уверен, — и это одна из них.

Его слова не убедили Парсаля, но он промолчал, глядя на двух воинов, шагающих впереди.

— А что будет, когда мы убьем Цеску? — спросил он вдруг.

— А ты как думаешь?

— Сам не знаю. Я хотел сказать — что мы будем делать тогда?

Галанд пожал плечами.

— Спроси меня об этом, когда он ляжет мертвым у моих ног.

— Сдается мне, что ничего мы этим не изменим.

— Может, и так, но я хоть получу, что мне причитается.

— А ты не думал о том, что и сам можешь умереть?

— Нет. А ты думал?

— Еще как!

— Тебя никто не неволит идти с нами.

— Скажешь тоже! Я всегда подражал тебе. Не могу же я бросить тебя одного с надиром. А почему тот, другой, носит маску?

— Наверное, лицо попорчено. Он сражался на арене.

— Ну и что тут такого? Экое тщеславие!

— Ты сейчас всеми недоволен, как я погляжу, — усмехнулся Галанд.

— Я просто высказываю свои мысли. Вон те двое тоже странная парочка. — Парсаль кивнул на Муху и Белдера.

— А эти-то тебе чем не угодили? Ты их совсем не знаешь.

— Старик, похоже, хват.

— Ну а молодой?

— Он, сдается мне, и через туман дорогу не пробьет.

— Ну уж женщин-то ты, полагаю, судить не станешь?

— Нет, — улыбнулся Парсаль. — Их не за что судить. Тебе которая больше глянется?

Галанд потряс головой и хмыкнул:

— Уволь, братец.

— А мне черненькая, — не смутился Парсаль.

На ночлег они остановились в неглубокой пещере. Рения ела мало, а потом ушла одна поглядеть на звезды. Тенака пошел за ней, и они сели рядом, завернувшись в его плащ.

Он рассказывал ей об Иллэ, о Вентрии и о том, как красива пустыня. Говоря, он гладил ей руки и спину и целовал ее волосы.

— Не могу сказать, люблю я тебя или нет, — сказал он вдруг.

— Тогда не говори, — улыбнулась она.

— Тебя это не обидит?

Она покачала головой и поцеловала его, обняв за шею.

«Экий ты дурень, Тенака-хан, — подумала она. — Милый влюбленный дурачок!»

Чернокожий дрался азартно. Двух разбойников он уже свалил — оставалось пятеро. Он взмахнул цепью на железной рукоятке и захлестнул посох, которым размахивал высокий разбойник. Грабитель накренился вперед и попал под сокрушительный удар левой, сбивший его на землю.

Двое оставшихся побросали дубинки и выхватили из-за пояса кинжалы. Еще двое на мгновение скрылись в лесу и вернулись с луками.

Дело принимало серьезный оборот. Чернокожий пока еще никого не убил, но теперь все могло измениться. Он бросил свой кистень и достал из-за голенищ метательные ножи.

— Вам что, жизнь не дорога? — спросил он звучным басом.

— Думаю, что очень даже дорога, — раздался слева чей-то голос, и он обернулся. На опушке стояли двое мужчин — они целили в разбойников из луков.

— Вовремя, — усмехнулся чернокожий. — Они убили мою лошадь.

Тенака осторожно ослабил тетиву и вышел вперед.

— В жизни всякое случается, — сказал он черному и велел разбойникам: — Уберите-ка оружие. Бой окончен.

— Охота была руки марать, — пробурчал вожак, осматривая павших.

— Да живы они, живы. — Чернокожий убрал ножи и подобрал кистень.

Из леса донесся вопль. Вожак вскочил на ноги.

Из-за деревьев вышли Галанд, Парсаль и Белдер.

— Вы были правы, генерал, — сказал Галанд. — Там затаились еще двое.

— Вы убили их? — спросил Тенака.

— Нет. Дали по башке, и все тут.

— Ну, каких еще пакостей от вас ожидать? — Тенака повернулся к вожаку.

— Может, еще слово с меня возьмешь?

— А стоит оно чего-нибудь, твое слово?

— Как когда.

— Не трудись. Поступай, как тебе угодно. Но при следующей встрече вы все распрощаетесь с жизнью — вот тебе мое слово.

— Слово варвара, — сплюнул вожак.

— Вот-вот, — усмехнулся Тенака и вместе с Ананаисом вернулся в лес.

Валтайя уже развела огонь и разговаривала с Мухой. Рения с кинжалом в руке подошла к Тенаке, и он улыбнулся ей. Вскоре в лагерь вернулись все, кроме Галанда: он остался присмотреть за разбойниками.

Последним пришел чернокожий с двумя седельными сумами, перекинутыми через широкое плечо. Высокий и могучий, он был одет в облегающий камзол из голубого шелка и подбитый овчиной плащ. Валтайя никогда еще не видела таких людей, хотя и слышала рассказы о темнокожих, живущих далеко на востоке.

— Привет вам, друзья, — сказал он, скидывая свою поклажу. — Будьте благословенны!

— Поешь с нами? — предложил Тенака.

— Благодарю, но у меня — свои припасы.

— Куда путь держишь? — спросил Ананаис.

Чернокожий достал из сумки два яблока и вытер их о камзол.

— Я путешествую по вашей прекрасной стране без определенной цели.

— Откуда ты? — спросила Валтайя.

— Издалека, госпожа, — моя земля лежит за много тысяч лиг к востоку от Вентрии.

— Ты совершаешь паломничество? — спросил Муха.

— Можно и так сказать. Есть у меня одно дело — вот исполню его и вернусь домой, к своим.

— Как тебя зовут? — спросил Тенака.

— Боюсь, вам трудно будет произнести мое имя. Но один из разбойников окрестил меня по-своему, и мне понравилось. Можете называть меня Басурманом.

— А я — Тенака-хан. — И Тенака представил чернокожему остальных.

Ананаис протянул руку. Басурман пожал ее, и взгляды их встретились. Тенака посмотрел на них — оба высокие, могучие, с гордой осанкой. Точно два призовых быка, приглядывающихся один к другому.

— Хорош ты в своей маске, — сказал Басурман.

— Да. В ней я точно твой брат, чернокожий. — И оба добродушно хохотнули.

— Ну так и будем братьями, Ананаис!

Из лесу вышел Галанд.

— Они ушли на север и вряд ли вернутся, — доложил он.

— Хорошо! Все потрудились на славу.

Галанд сел рядом с братом. Рения подала знак Тенаке, и они вдвоем отошли от костра.

— В чем дело? — спросил он.

— Этот чернокожий вооружен до зубов. За голенищами он носит два ножа, в лесу оставил меч и два лука. Под трупом его коня лежит сломанный топор. Он один стоит целой армии.

— Так что же?

— Случайной ли была наша встреча?

— Думаешь, он нас выслеживал?

— Не знаю. Но он убийца, я это чувствую. Его паломничество как-то связано со смертью. И Ананаису он тоже не понравился.

— Не тревожься, — мягко сказал он.

— Я не надирка, Тенака, и не так слепо верю в судьбу.

— Это все, что тебя беспокоит?

— Нет. Взять хотя бы этих двух братьев: они нас не любят. Между нами нет настоящей близости — мы все чужие, нас свел вместе случай.

— Эти братья — сильные мужчины и хорошие воины. Уж в этом я знаю толк. Знаю я и то, что они относятся ко мне с подозрением, но тут уж ничего не могу поделать. Со мной так всегда было. Однако у нас общая цель, и со временем они приучатся доверять мне. Муха и Белдер? Не знаю, но вреда они нам не причинят. Что до Басурмана — если он охотится за мной, я убью его.

— Если сумеешь.

— Верно. Если сумею, — улыбнулся он.

— Тебя послушать — так все очень просто, а я думаю иначе.

— Ты все принимаешь слишком близко к сердцу. То ли дело надиры: они справляются с трудностями по мере их возникновения и ни о чем не беспокоятся.

— Никогда не прощу тебе, если ты позволишь убить себя.

— Тогда стереги меня, Рения. Я доверяю твоему чутью — это чистая правда. И насчет Басурмана ты права. Он убийца и, возможно, выслеживал нас. Любопытно посмотреть, что он теперь предпримет.

— Попросит, чтобы мы взяли его с собой.

— Да, но это само собой разумеется. Он чужой в нашей стране и один раз уже подвергся нападению.

— Лучше будет, если мы ему откажем. Мы и так уже слишком заметны с твоим громадным другом под черной маской. Не хватало только чернокожего в голубых шелках.

— Да уж. Боги — если они существуют — любят порой подшутить.

— Мне совсем не смешно, — сказала Рения.

Тенака очнулся от крепкого сна, широко раскрыв глаза, и страх коснулся его холодной рукой. Он встал. Луна светила ненатурально ярко, словно волшебный фонарь, и ветви деревьев раскачивались с шорохом, хотя никакого ветра не было.

Тенака посмотрел вокруг — все его спутники спали. Он опустил глаза — и остолбенел: его тело лежало на земле, завернутое в его одеяла. Тенаку пробрала дрожь.

Что это — смерть?

Из всех жестоких шуток, которые могла бы сыграть судьба...

Легкое дуновение, похожее на воспоминание о вчерашнем ветре, заставило его обернуться. На краю леса стояли шестеро в черных доспехах, с черными мечами в руках. Образовав полукруг, они двинулись к Тенаке. Он потянулся за своим мечом, но рука прошла сквозь рукоять, как сквозь туман.

— Ты обречен, — сказал безликий голос. — Дух Хаоса зовет тебя.

— Кто вы? — спросил Тенака и устыдился дрожи в своем голосе.

Черные рыцари ответили ему издевательским смехом.

— Мы — твоя смерть.

Тенака попятился.

— Ты не сможешь убежать. Даже с места не сдвинешься, — сказал голос.

Тенака застыл как вкопанный. Ноги не слушались его, а рыцари подходили все ближе.

Внезапно его охватил покой, и рыцари остановили свое медленное движение. Тенака оглянулся — рядом с ним стояли шестеро воинов в серебряных доспехах и белых плащах.

— Сюда, псы мрака! — сказал один из них.

— Мы придем, — ответил черный рыцарь. — Но не по твоему зову. — И черные один за другим отступили в лес.

Тенака, растерянный и испуганный, медленно обернулся, и серебряный воин опустил руку ему на плечо.

— Усни теперь. Исток защитит тебя.

И тьма укрыла Тенаку словно одеяло.

Утром шестого дня они вышли из леса на широкую равнину, простирающуюся от Скултика до Скодийских гор. Далеко на юге стоял город Карнак, и его белые шпили едва маячили на зеленом горизонте. Кое-где еще белел снег, но первая трава уже тянулась к солнцу.

Тенака, заметив дым, вскинул руку.

— Это не трава горит, — сказал Ананаис, заслоняя глаза от яркого солнца.

— Горит деревня, — заявил Галанд. — По нынешним временам дело обычное.

— Неладно живется на вашей земле. — Басурман сложил свою котомку и седельные сумки. К котомке были привязаны окованный медью щит из дубленой буйволиной кожи, лук из рога антилопы и колчан телячьей кожи.

— Твоего снаряжения достало бы на целый взвод «Дракона», — проворчал Ананаис.

— Оно мне дорого как память, — ухмыльнулся Басурман.

— Лучше нам в эту деревню не соваться, — сказал Муха. Его длинные волосы слиплись от пота — сказывался недостаток закалки. Они присел рядом с поклажей Басурмана.

Ветер переменился и принес стук лошадиных копыт.

— Всем рассредоточиться и залечь, — скомандовал Тенака, и все упали ничком в траву.

На пригорке показалась женщина — она бежала из последних сил, и золотистые волосы развевались у нее за спиной. На ней были зеленая шерстяная юбка и бурая шаль. На руках она держала отчаянно вопившего ребенка.

То и дело она в ужасе оглядывалась назад. За ней гнались конные, и до леса было еще очень далеко, но она все бежала и бежала — прямо на укрывшегося в траве Тенаку.

Ананаис выругался и встал. Женщина с визгом свернула влево — в объятия Басурмана.

Солдаты осадили лошадей. Их командир спешился. Бронзовые доспехи сверкали на солнце, поверх лат развевался дельнохский красный плащ.

— Спасибо за помощь, — сказал он, — хотя мы обошлись бы и без нее.

Женщина затихла и в отчаянии приникла головой к широкой груди Басурмана.

Тенака улыбнулся. Двенадцать солдат, одиннадцать из них — в седлах. Деваться некуда — придется отдать им женщину.

Но тут стрела вонзилась в шею ближнего всадника, и он свалился с седла. Тенака ошеломленно раскрыл глаза. Вторая стрела попала другому солдату в грудь — конь взвился на дыбы, всадник рухнул на землю. Быстро выхватив меч, Тенака вогнал его в спину обернувшегося к солдатам офицера.

Басурман оттолкнул от себя женщину, припал на колено и достал из-за голенищ ножи. Бросок — и еще двое солдат погибли, так и не успев унять своих лошадей. Тенака бросился вперед, вскочил в опустевшее седло и схватил поводья. Семеро солдат схватились за оружие, и двое напали на Басурмана. Тенака вихрем налетел на оставшихся пятерых. Одна лошадь упала, остальные с бешеным ржанием взмыли на дыбы. Меч Тенаки опустился, и еще одна стрела, просвистев мимо, вонзилась солдату в левый глаз.

Басурман выхватил из ножен короткий меч, упал и снова вскочил на ноги, когда оба всадника пронеслись мимо. Со всего размаху он вогнал клинок в бок одному из нападавших. Тот с воплем повалился наземь, а Басурман вскочил на его коня, выбил из седла второго и тут же, вслед за ним соскочив на землю, одним ударом сломал ему шею.

Рения отшвырнула лук и, сжимая в руке кинжал, бросилась к Тенаке, который вместе с Ананаисом бился против уцелевших солдат. Она вскочила на лошадь позади всадника и всадила ему кинжал между лопаток. Вскрикнув, он попытался обернуться, но Рения ударила его пониже уха. Шея хрустнула, и он свалился с коня.

Последние двое солдат повернули коней и поскакали обратно за пригорок. Но дорогу им заступили Парсаль и Галанд. Мгновение — и все было кончено.

— Ну и ну, — с широкой ухмылкой сказал Парсаль. — Ради такого стоило вернуться.

— Нам чертовски повезло — вот что я тебе скажу, — буркнул в ответ Галанд. Вытерев меч о траву, он взял обоих коней под уздцы и повел к остальным.

Тенака, скрывая гнев, крикнул Басурману:

— Ты здорово дерешься!

— Поупражняться никогда не мешает.

— Хотел бы я знать, кто пустил ту стрелу? — вскричал Ананаис.

— Чего уж там — сделанного не воротишь, — сказал Тенака. — Теперь нам лучше убраться отсюда. Предлагаю вернуться в лес и дождаться ночи. У нас теперь есть лошади, и мы быстро наверстаем упущенное.

— Нет! — закричала женщина с ребенком. — Мои родные. Мои друзья. Их убивают там, позади.

Тенака положил руки ей на плечи.

— Послушай меня. На мой взгляд, эти солдаты входили в полусотню — значит, в твоей деревне орудует около сорока человек. Их слишком много — мы ничем не сможем помочь.

— Мы могли бы попытаться, — сказала Рения.

— Молчать! — гаркнул Тенака. Рения изумленно раскрыла рот, однако умолкла. — Оставайся с нами, — Тенака повернулся женщине, — завтра мы пойдем в твою деревню и сделаем все, что сможем.

— Завтра будет поздно!

— Думаю, мы так и так уже опоздали.

Женщина отшатнулась.

— Чего еще ждать от надира? — проговорила она сквозь слезы. — Но ведь среди вас есть и дренаи — пожалуйста, помогите мне!

— Если мы умрем, это ничему не поможет, — сказал Муха. — Пойдем с нами. Ты ведь спаслась — значит, спаслись и другие. И как бы там ни было, деваться тебе все равно некуда. Пойдем, я посажу тебя на лошадь.

Все сели по коням и поехали к лесу. Позади кружило слетевшееся на добычу воронье.

Ночью Тенака позвал Рению, и они отошли от лагеря. За весь день они не обменялись ни единым словом.

Тенака, холодный и отчужденный, отвел ее на залитую лунным светом поляну.

— Это ты пустила стрелу! Никогда больше так не делай без моего приказа.

— Да кто ты такой, чтобы мне приказывать?

— Я Тенака-хан, женщина! Попробуй еще раз пойти мне наперекор — и я тебя прогоню.

— Они убили бы и женщину, и ребенка.

— Да. Но из-за тебя мы могли погибнуть все. Чего бы ты этим достигла?

— Но мы ведь не погибли. И ее спасли.

— Нам повезло. Бывает, что удача помогает солдату, но полагаться на нее нельзя. Это не просьба, Рения, это приказ: никогда больше так не делай!

— Я буду делать, что захочу!

Тенака залепил ей пощечину. Она рухнула наземь, но тут же вскочила, сверкая глазами и скрючив пальцы, как когти. В руке Тенаки блеснул нож.

— Ты способен убить меня? — прошептала она.

— Не задумываясь!

— А я тебя так любила! Больше жизни. Больше всего на свете.

— Будешь ты меня слушаться или нет?

— О да, Тенака-хан. Я буду тебя слушаться. До самой Скодии — а там я избавлю тебя от своего общества. — Она повернулась и пошла к лагерю.

Тенака спрятал кинжал в ножны и опустился на камень.

— Снова один, Тани? — спросил, выходя из-за деревьев, Ананаис.

— Я не хочу ни с кем разговаривать.

— Ты был суров с ней — и правильно. Но зашел чуть дальше, чем следовало, — ты ведь не убил бы ее на самом-то деле.

— Нет, не убил бы.

— И все-таки ты ее побаиваешься?

— Я уже сказал, что не хочу разговаривать.

— Но ведь это я, Ананаис, твой урод, который хорошо тебя знает. Не хуже кого другого. Ты думаешь, если нам грозит смерть, то для любви уже нет места? Не будь глупцом и наслаждайся тем, что имеешь.

— Не могу, — покачал головой Тенака. — Когда я пришел сюда, в мыслях у меня был один Цеска. А теперь я все больше думаю... ты знаешь, о чем.

— Как не знать. Но куда девались твои надирские устои? Пусть завтрашний день сам заботится о себе.

— Я надир только наполовину.

— Ступай поговори с ней.

— Нет. Лучше уж так.

Ананаис встал и сладко потянулся.

— Пойду-ка сосну немного.

Он вернулся в лагерь, где Рения с несчастным видом сидела у костра, и присел рядом с ней.

— Странно обстоит дело с некоторыми мужчинами, — сказал он. — В делах или на войне они гиганты и такие умники, что дальше некуда. А в любви точно дети. Женщины — дело иное: они видят ребенка, который спрятан в мужчине.

— Он чуть не убил меня, — прошептала Рения.

— И ты в это веришь?

— А ты?

— Рения, он любит тебя — и никогда не причинил бы тебе зла.

— Тогда зачем? Зачем он так сказал?

— Чтобы ты поверила. Чтобы возненавидела его и ушла.

— Значит, он своего добился.

— Очень жаль. И между нами... тебе не следовало пускать ту стрелу.

— Знаю! — отрезала она. — Нет нужды говорить мне об этом. Но я не могла допустить, чтобы они убили ребенка.

— Да. Я и сам бы не смог. — Ананаис взглянул поверх костра в ту сторону, где спала женщина. Черный Басурман сидел, прислонясь к дереву, и держал ребенка на руках. Дитя ухватило его пухлой ручонкой за палец, а Басурман что-то тихо и ласково говорил ему.

— Он умеет обращаться с детьми, правда? — сказал Ананаис.

— Да. И с оружием тоже.

— Он настоящая загадка. Но я слежу за ним.

Рения взглянула в ярко-голубые глаза под черной маской.

— Ты мне нравишься, Ананаис. По-настоящему.

— Любишь меня, люби и моих друзей. — Ананаис кивнул на высокую фигуру Тенаки-хана, идущего к месту ночлега.

Она потрясла головой и снова уставилась в огонь.

— Очень жаль, — снова сказал Ананаис.

Они въехали в деревню через два часа после рассвета. Галанд сходил на разведку и доложил, что солдаты уходят на юг, к далеким шпилям Карнака. Деревня выгорела дотла, из обугленных развалин поднимались столбы черного дыма. Мертвые тела валялись повсюду, а за околицей стояли десять крестов, на которых были распяты деревенские старейшины. Прежде чем прибить к перекладинам, их подвергали бичеванию, а после переломали им ноги, чтобы тела обмякли и воздух не проникал в легкие.

— Мы превратились в варваров, — прошептал Муха, отвернув коня. Белдер молча кивнул и тоже поскакал в зеленые луга за деревней.

Тенака спешился на площади, где лежало больше всего трупов — около тридцати женщин и детей.

— В этом нет никакого смысла, — повернулся он к Ананаису. — Кто же теперь будет работать на полях? Если такое творится по всей империи...

— Творится, — хмуро сказал Галанд.

Женщина с ребенком накинула на голову шаль и закрыла глаза. Басурман, подъехав к ней, взял у нее поводья.

— Мы подождем вас за деревней, — бросил он.

Валтайя и Рения последовали за ним.

— Странное дело, — покачал головой Ананаис. — Многие века дренаи давали отпор врагам, которые вторгались в страну, чтобы творить вот это. А теперь мы сами это делаем. Что за люди служат в нынешней армии?

— На такую работу всегда найдутся охотники, — сказал Тенака.

— Разве что среди вас, — буркнул Парсаль.

— Что это значит? — обернувшись к нему, вскричал Ананаис.

— Прекрати! — приказал Тенака. — Ты прав, Парсаль: надиры славятся своей яростью. Но это сделали не надиры и не вагрийцы. Ананаис верно сказал: мы сами поступаем так с собой.

— Забудьте о моих словах, генерал, — попросил Парсаль. — Это мой гнев говорил за меня. Поехали отсюда.

— Скажите мне вот что, — подал вдруг голос Галанд. — Прекратится это со смертью Цески или нет?

— Не знаю, — ответил Тенака.

— Его нужно истребить.

— Я не думаю, чтобы шестеро мужчин и две женщины могли сокрушить его империю. А ты?

— Несколько дней назад, — сказал Ананаис, — мужчина был всего один.

— Парсаль прав, поехали отсюда, — промолвил Тенака.

Но тут послышался детский плач, и четверо мужчин быстро принялись раскидывать трупы. Наконец они добрались до тела толстой старухи, обнявшей мертвыми руками девочку лет пяти. На спине женщины зияли три ужасные раны — должно быть, она заслонила собой ребенка. Но копье, пронзив ее, задело и девочку. Парсаль взял ребенка на руки и побледнел, увидев пропитанную кровью одежду. С девочкой на руках он вышел к остальным, ожидавшим за деревней, и Валтайя, подбежав, приняла у него его легкую ношу.

Девочку бережно опустили на траву, и тогда она открыла свои яркие голубые глазки.

— Я не хочу умирать, — прошептала она. — Пожалуйста! — Глаза закрылись снова, и женщина из деревни, приподняв девочке голову, взяла ее к себе на колени.

— Все хорошо, Алайя. Это я, Париза. Я вернулась, чтобы позаботиться о тебе.

Девочка слабо улыбнулась, но улыбка тут же сменилась гримасой боли. Путники молча смотрели, как отлетает ее жизнь.

— О нет! — воскликнула Париза. — Благие боги света, нет! — Ее собственный ребенок расплакался, и Басурман взял его на руки.

Галанд, отвернувшись, упал на колени. Парсаль подошел к нему, и Галанд поглядел на брата сквозь слезы, качая головой и не находя слов. Парсаль опустился на колени рядом с ним.

— Я знаю, брат, я знаю, — быстро проговорил он.

Галанд прерывисто вздохнул и достал свой меч.

— Клянусь всем святым и нечистым, всеми ползучими и летающими тварями: не знать мне покоя, пока эта земля не очистится от скверны. — Он поднялся на ноги и взмахнул мечом. — Я иду к тебе, Цеска! — проревел он, отшвырнул меч и побрел прочь, к маленькой роще.

— У него тоже убили дочь, — пояснил Парсаль. — Прелестное дитя... дитя смеха и радости. Он свое слово сдержит... а я не покину его. — Голос Парсаля стал хриплым, и он откашлялся. — Мы с ним люди маленькие — я даже в «Дракон» не сгодился, а он не вышел в офицеры. Но давши слово, мы его держим. Не знаю, чего хотите вы все, но те, что остались там, в деревне, — это мой народ, наш с Галандом. Они не богаты и не знатны — они мертвы. Та старуха умерла, спасая девочку, — и потерпела неудачу. Но она старалась... жизни не пожалела. Так вот, я тоже не пожалею! — Его голос дрогнул, и он, выругавшись, ушел вслед за братом.

— Ну, генерал, — сказал Ананаис, — что прикажешь своей армии из шести человек?

— Из семи, — поправил Басурман.

— Гляди-ка, да мы растем! — воскликнул Ананаис.

— Почему ты хочешь идти с нами? — спросил Тенака.

— Это мое дело — но цель у нас одна. Я проделал тысячи миль, чтобы увидеть, как падет Цеска.

— Похороним ребенка и отправимся в Скодию, — решил Тенака.

Весь долгий день они с осторожностью продвигались вперед. Галанд и Парсаль ехали по бокам отряда. Ближе к сумеркам над равниной внезапно разразилась буря, и путники укрылись в заброшенной башне на берегу бурного ручья. Они загнали лошадей на ближнее поле, на скорую руку собрали дров и расчистили нижний этаж башни. Старое четырехугольное строение когда-то вмещало двадцать солдат — эту сторожевую башню поставили здесь во времена Первой Надирской войны. В ней было три этажа, а с верхушки остроглазые караульщики некогда высматривали надирских или сатулийских всадников.

Около полуночи, когда все уснули, Тенака позвал Муху и по винтовой лестнице поднялся с ним на башню.

Буря ушла на юг, и на небе ярко светили звезды. Летучие мыши кружили, ныряя, вокруг, ночной ветер нес прохладу с заснеженного Дельнохского хребта.

— Как ты себя чувствуешь, Арван? — спросил Тенака, когда они укрылись от ветра под парапетом.

— Немного не в своей тарелке, — пожал плечами тот.

— Это пройдет.

— Я не воин, Тенака. Когда вы бились с солдатами, я лежал в траве и смотрел. С места сдвинуться не мог!

— Не в этом дело. Все произошло слишком внезапно — мы просто опомнились быстрее других, вот и все. Нас этому обучали. Возьми братьев: они сразу встали на том месте, где солдаты только и могли прорваться, и не позволили уцелевшим привести помощь. Я им этого не приказывал — но они бойцы и сами все знают. Вся стычка длилась от силы две минуты — что бы мог сделать ты?

— Ну, не знаю. Хотя бы достать меч. Помочь вам!

— Успеешь еще. Как обстоят дела в Дельнохе?

— Не знаю. Я уехал оттуда пять лет назад, а до того провел десять лет в Дренане.

— Кто там правит?

— Не Бронзовый Дом. Оррина отравили, и Цеска посадил на его место своего человека. Его зовут Матракс. А почему ты спрашиваешь?

— Мои планы изменились.

— Каким образом?

— Я собирался убить Цеску.

— А теперь?

— Теперь я задумал нечто еще более глупое. Я намерен собрать армию и свергнуть его.

— Ни одна на свете армия не сможет побороть полулюдов. Боги мои, приятель, — даже «Дракон» ничего не смог с ними поделать!

— В жизни ничто не дается легко, Арван. Но меня как раз этому и учили — командовать армиями. Сеять смерть и разрушение. Ты слышал, что сказали Парсаль и Галанд, — это верные слова. Человек должен выступать против зла там, где его видит, и вкладывать в эту борьбу все свои способности. А убийца из меня никудышный.

— Где же ты найдешь эту свою армию?

— Мне нужна твоя помощь, — улыбнулся Тенака. — Ты должен взять Дельнох.

— Ты серьезно?

— Еще как!

— Ты хочешь, чтобы я в одиночку взял крепость, которая дважды давала отпор надирским ордам? Но это безумие!

— Ты происходишь из Бронзового Дома. Подумай хорошенько. Способ есть.

— Если ты уже знаешь этот способ, почему тогда сам этого не сделаешь?

— Я не могу. Я из дома Ульрика.

— К чему такая таинственность? Скажи мне, что надо делать.

— Нет. По-моему, ты слишком дешево себя ценишь. Мы задержимся в Скодии и посмотрим, как там дела. А потом мы с тобой приведем армию.

Муха широко раскрыл глаза.

— Надирскую армию? — прошептал он, и кровь отхлынула от его лица. — Ты хочешь привести сюда надиров?

— Только в том случае, если ты возьмешь Дрос-Дельнох!

7

Настоятель терпеливо ждал в темной библиотеке, облокотясь о стол, сомкнув пальцы и закрыв глаза. Трое других сидели напротив него неподвижные, словно статуи. Настоятель открыл глаза и оглядел их.

Аквас, сильный, чуткий и преданный.

Скептик Балан.

Истинный мистик Катан.

Их души странствовали, выслеживали Черных Храмовников, прятали в тумане следы Тенаки-хана и его спутников.

Аквас вернулся первым. Он открыл глаза и почесал свою светлую бороду. Вид у него был измученный.

— Нелегко это, отец, — сказал он. — Сила Черных Храмовников очень велика.

— Наша тоже. Продолжай.

— Их двадцать человек. В Скултике на них напала шайка разбойников, но Храмовники перебили всех с поразительной легкостью. Они в самом деле превосходные воины.

— Далеко ли от них Факелоносец?

— Меньше чем в сутках пути. Нам не удастся слишком долго обманывать их.

— Даже несколько дней сейчас бесценны. Они не пытались еще раз напасть на него ночью?

— Нет, отец, — но думаю, еще попытаются.

— Отдохни теперь, Аквас. Пусть Торис и Ланнад сменят тебя.

Настоятель вышел из комнаты, прошел по длинному коридору и медленно спустился вниз, в огород Декадо.

Темноглазый монах встретил его улыбкой.

— Пойдем со мной, Декадо. Я хочу показать тебе кое-что.

Ни слова более не говоря, он повернулся и повел монаха вверх по ступеням, к дубовой двери. Декадо остановился на пороге — за все годы в монастыре он ни разу не поднимался туда.

— Пойдем! — обернулся к нему настоятель.

За дверью было темно. Необъяснимый страх охватил садовника — казалось, его мир ускользает от него. Он задрожал, сглотнул комок, глубоко вздохнул и последовал за настоятелем.

Они шли через лабиринт коридоров, но Декадо не смотрел ни вправо, ни влево, не сводя глаз с серой сутаны идущего впереди. Настоятель остановился перед дверью в форме древесного листа. Ручки на ней не было.

— Откройся, — прошептал настоятель, и дверь медленно ушла вбок, в стену. За ней открылось длинное помещение. Тридцать серебряных доспехов поблескивали в полумраке, покрытые ослепительно белыми плащами. Перед каждым стоял столик с мечом в ножнах и шлемом, увенчанным плюмажем из белого конского волоса.

— Знаешь, что это такое? — спросил настоятель.

— Нет. — С Декадо градом лился пот. Он протер глаза, и настоятель с тревогой заметил в его взгляде прежнюю настороженность.

— Это доспехи, которые носили Дельнохские Тридцать, возглавляемые Сербитаром, — те, что погибли в бою во время Первой Надирской войны. Слышал ты о них?

— Конечно.

— Расскажи мне, что ты слышал.

— К чему все это, отец настоятель? Меня ждет работа в саду.

— Расскажи мне о Дельнохских Тридцати, — приказал настоятель.

Декадо откашлялся.

— Они были монахи-воины — не такие, как мы. Они обучались воинскому искусству долгие годы, а потом выбирали себе войну и шли на нее умирать. Сербитар привел Тридцать в Дельнох, и там они помогли Бронзовому Князю и Друссу-Легенде. Сражаясь вместе, они обратили вспять орды Ульрика.

— Но почему священники взялись за оружие?

— Не знаю, отец. Это для меня непостижимо.

— Так ли?

— Ты учил меня, что всякая жизнь для Истока священна и что убийство — преступление перед Господом.

— И все же мы должны сражаться со Злом.

— Но не оружием Зла.

— Допустим, мужчина занес копье над ребенком. Что ты будешь делать?

— Я остановлю его — но не убью.

— Как ты его остановишь? Ударом?

— Да, возможно.

— Допустим, он неудачно упал, ударился головой и умер?

— Нет... да... не знаю.

— Будет ли на тебе грех? Мы стремимся к миру и гармонии, сын мой, — мы жаждем их всею душой. Но мир вокруг нас диктует свои требования. В этой стране более нет гармонии. Здесь правит Хаос, и страдания народа ужасны.

— Скажи то, что хочешь сказать мне, отец.

— Это нелегко, сын мой, ибо мои слова причинят тебе великую боль. — Настоятель положил руки ему на плечи. — Это — Храм Тридцати. И мы готовимся выступить против Тьмы.

— Нет! — отпрянул Декадо.

— Я хочу, чтобы ты выступил вместе с нами.

— Я верил в тебя. Я тебе доверял! — Декадо отвернулся, увидел перед собой доспехи и, вздрогнув, обратился к ним спиной. — Я от этого хотел укрыться здесь: от смерти и от резни. От острых клинков и изувеченных тел. Я был счастлив здесь — а теперь ты отнял у меня счастье. Идите, играйте в солдатики. Я уже в эти игры наигрался.

— Ты не сможешь прятаться вечно, сын мой.

— Прятаться? Я пришел сюда, чтобы стать другим.

— Нетрудно стать другим, когда самая большая твоя забота — сорняки на огородной грядке.

— Что это значит?

— Это значит, что ты был полубезумным убийцей — человеком, влюбленным в смерть. Теперь я даю тебе шанс проверить, изменился ты или нет. Надень доспехи и выйди вместе с нами против сил Хаоса.

— Чтобы снова научиться убивать?

— Там видно будет.

— Я не хочу убивать. Хочу жить среди моих растений.

— Думаешь, я хочу на войну? Мне скоро шестьдесят. Я люблю Исток, люблю все, что растет или движется. Я верю, что жизнь — величайший дар во Вселенной. Но в мире есть зло, и с ним нужно бороться. Побеждать его. Чтобы другие могли насладиться прелестью жизни.

— Замолчи! — вскричал Декадо. — Ни слова больше! Проклятие!

Чувства, которые он подавлял долгие годы, бурлили в нем, и забытый гнев жег его ударами огненных плетей. Какой же он был дурак — укрылся от мира, копаясь в земле, словно какой-нибудь потный крестьянин!

Он шагнул к доспехам, стоявшим с правого края, и рука его сомкнулась на рукояти слоновой кости. Одним плавным движением он обнажил клинок, и сладкая дрожь пронизала его тело. Клинок был из стали-серебрянки, острый как бритва и идеально уравновешенный. Он повернулся к настоятелю и на месте прежнего господина увидел старика со слезящимися глазами.

— Этот твой поход, он имеет какое-то отношение к Тенаке-хану?

— Да, сын мой.

— Не называй меня так, монах! Никогда не называй. Я не виню тебя — я сам был дураком, когда поверил тебе. Ладно, я пойду с твоими монахами, но только чтобы помочь моим друзьям. И не дерзай командовать мною.

— Я никак не смогу командовать тобой, Декадо, — особенно теперь, когда ты выбрал свои доспехи.

— Мои доспехи?

— Узнаешь ли ты руну на шлеме?

— Это старинная цифра «один».

— Эти доспехи носил Сербитар. Теперь их будешь носить ты.

— Но ведь он был главой Тридцати?

— Как и ты.

— Вот, значит, каков мой жребий — возглавить сборище монахов, которым вздумалось поиграть в войну. Прекрасно — с чувством юмора у меня все в порядке.

Декадо расхохотался. Настоятель прикрыл глаза и вознес безмолвную молитву — за смехом он слышал крик страдающей души. Отчаяние охватило старого священника, и он вышел из комнаты, преследуемый раскатами безумного смеха.

«Что ты натворил, Абаддон?» — спросил он себя.

Со слезами на глазах он вошел в свою келью и упал на колени.

Декадо нетвердым шагом вернулся в свой огород и недоуменно воззрился на ровные ряды растений, аккуратные изгороди и тщательно подстриженные кусты.

Он пинком отворил дверь своей хижины.

Менее часа назад она была его домом — домом, который он любил. Здесь он познал душевный покой.

Теперь она показалась ему грязной хибарой — он вышел и побрел в свой цветник. На белой розе появилось три новых бутона. В гневе Декадо схватился за куст, чтобы вырвать его с корнем, — и медленно разжал руку. Ни один шип не поранил его. Очень осторожно он разгладил смятые листья — и рыдания, сотрясшие его грудь, излились в слова:

— Прости меня.

Тридцать седлали коней в нижнем дворе. Лошади еще не облиняли после зимних стуж — это была крепкая горная порода, быстрая, как ветер. Декадо выбрал себе гнедую кобылу, быстро оседлал ее и сел верхом, по обычаю «Дракона» расправив позади свой белый плащ. Доспехи Сербитара пришлись ему впору, как никакие другие; они облегали его, точно вторая кожа.

Настоятель Абаддон сел на гнедого мерина и подъехал к Декадо.

Декадо наблюдал за монахами, молча рассаживавшимися по коням, — и не мог не признать, что они проделывают это ловко. Каждый расправил свой плащ точно так же, как Декадо. Абаддон с грустью поглядывал на своего бывшего ученика. Декадо гладко выбрился и стянул свои длинные темные волосы на затылке. Глаза его блестели, на губах играла легкая насмешливая улыбка.

Прошлой ночью Декадо был формально представлен своим помощникам: Аквасу, Сердцу Тридцати, Балану, Глазам Тридцати, и Катану, Душе Тридцати.

— Если хотите стать воинами, — сказал он им, — делайте то, что я скажу, и тогда, когда я скажу. Настоятель говорит, что Тенаку-хана преследует какой-то отряд. Мы должны преградить врагам дорогу. Мне сказали, что они отменные воины. Будем надеяться, что ваш поход не прервется в самом начале.

— Это и твой поход, брат, — с мягкой улыбкой заметил Катан.

— Не родился еще тот, кто способен убить меня. И если вы начнете падать как подкошенные, я не собираюсь погибать с вами.

— Что же это за вождь, который бросает своих людей? — осведомился Балан, и в его голосе прозвучал гнев.

— Вождь? Комедия, да и только! Ладно, я буду играть по вашим правилам, но погибать с вами не согласен.

— Ты присоединишься к нашей молитве? — спросил Аквас.

— Нет. Вы за меня помолитесь! Я и так уйму лет угробил на эти бесплодные упражнения.

— Мы всегда за тебя молились, — сказал Катан.

— Помолитесь за себя! Помолитесь, чтобы при встрече с Черными Храмовниками душа у вас не ушла в пятки. — И Декадо ушел.

Теперь он, вскинув руку, вывел свой отряд из ворот Храма на Сентранскую равнину.

— *Ты уверен, что сделал мудрый выбор?* — мысленно спросил Катан у Абаддона.

— *Это не мой выбор, сын мой.*

— *Этот человек — во власти гнева.*

— *Исток знает, в чем мы нуждаемся. Помнишь Эстина?*

— *Да. Бедняга. Такой мудрый — из него бы вышел достойный вождь.*

— *Это так. Он был отважен, но добр, силен, но кроток — и не кичился своим недюжинным умом. Но он умер. И в день его смерти в наши ворота постучался Декадо, искавший убежища от мира.*

— *Но что, если его послал не Исток, отец настоятель?*

— *Я больше не «отец настоятель», Катан. Просто Абаддон.*

Старик прервал мысленную связь, и Катан не сразу понял, что Абаддон так и не ответил на его вопрос.

Декадо помолодел. Он снова сидел в седле, и ветер развевал его волосы. Снова стучали по земле копыта, и кровь бурлила в жилах, словно в юные годы...

«Дракон» несется на конницу надиров. Смятение, кровь и ужас. Павшие воины, захлебнувшиеся крики и вороны, радостно каркающие в темных небесах.

А после — одна наемническая война за другой в самых отдаленных уголках света. Декадо выходил из боя без единой царапины, его враги, забытые всеми, отправлялись в те загробные обиталища, которые предназначала для грешников их вера.

В уме Декадо всплыл образ Тенаки-хана.

Вот был воин! Сколько же раз Декадо снилось, как он бьется с Тенакой-ханом? Лед и Тень в сверкающей пляске клинков.

Впрочем, они сражались много раз — на деревянных мечах, на тупых рапирах, даже на притупленных саблях. Силы их всегда были равны. Но такие поединки бессмысленны — лишь смерть, таящаяся на острие клинка, выявляет истинного победителя.

Думы Декадо прервал светлобородый Аквас, поравнявшийся с ним.

— Ждать недолго, Декадо. Храмовники напали на след наших друзей в разоренной деревне и нанесут свой удар на рассвете.

— Когда мы сможем их нагнать?

— Самое раннее — под утро.

— Ну так молись, светлобородый, — молись хорошенько!

Декадо пустил лошадь вскачь, и все Тридцать последовали за ним.

Близился рассвет. Они ехали большую часть ночи, остановившись только на час дать отдых лошадям. Скодийский хребет маячил впереди, и Тенака спешил укрыться в горах. Солнце, еще не видимое за восточным горизонтом, уже проснулось, и звезды начали бледнеть в розовом свете зари.

Кавалькада выехала из рощи на широкую, повитую туманом луговину. Внезапный холод пронял Тенаку до костей — он вздрогнул и поплотнее запахнулся в плащ. Он устал, и жизнь снова, как прежде, не радовала его. С Ренией он не разговаривал со времени их ссоры в лесу, но думал о ней постоянно. Он не сумел изгнать ее из своих мыслей — только себе принес лишние терзания. Он не способен был перекинуть мост через разверзшуюся между ними пропасть. Тенака оглянулся — Рения ехала рядом с Ананаисом, смеясь какой-то его шутке, — и отвернулся опять.

Впереди, словно темные демоны прошлого, ждали, выстроившись в ряд, двадцать всадников. Они недвижимо сидели в седлах, и лишь черные плащи трепетали на ветру.

Тенака осадил коня шагах в пятидесяти от шеренги, и его спутники поравнялись с ним.

— Кто это такие, черт побери? — спросил Ананаис.

— Им нужен я, — ответил Тенака. — Они уже приходили ко мне во сне.

— Не хочу каркать, но их несколько многовато. Не пуститься ли нам наутек?

— От них не убежишь, — бесстрастно сказал Тенака, сходя с коня.

Двадцать всадников разом спешились и молча пошли сквозь туман. Рении казалось, будто это — тени усопших в призрачном море. Их броня была чернее ночи, лица скрывали шлемы, в руках они держали черные мечи.

Тенака шагнул им навстречу, взявшись за эфес.

Ананаис потряс головой. Его словно заворожили — он не мог шевельнуться и только смотрел. Преодолев чары, он соскочил с седла, обнажил свой меч и поравнялся с Тенакой.

Черные Храмовники остановились, и вперед выступил их вожак.

— Тебя нам пока не поручали убить, Ананаис, — сказал он.

— Убить меня не так просто, — ответил воин. Он хотел добавить еще что-нибудь пооскорбительнее, но слова застряли в горле, и сильнейший страх, словно порыв ледяного ветра, захлестнул его. Он задрожал, охваченный неодолимым желанием пуститься в бегство.

— Не труднее, чем всякого смертного, — ответил Храмовник. — Уходи! Ступай навстречу своей судьбе.

Ананаис молча сглотнул и посмотрел на Тенаку. Тот побелел, и видно было, что ему тоже очень страшно.

Галанд и Парсаль подошли к ним с мечами наголо.

— Хотите сразиться с нами? — спросил Храмовник. — Даже сотня воинов не выстоит против нас. Прислушайтесь к моим словам и примите правду, которую шепчет вам ваш страх.

Страх стал еще сильнее, и лошади заплясали, тревожно заржав. Муха и Белдер соскочили с седел, опасаясь, что кони сбросят их. Басурман потрепал свою лошадь по шее — она затихла, но по-прежнему прижимала уши, и он знал, что животное вот-вот впадет в панику. Валтайя и Рения быстро соскочили наземь и помогли сойти Паризе.

Париза, вся дрожа, легла на землю, прикрывая своим телом плачущего ребенка.

Басурман спешился, вынул меч и медленно поравнялся с Тенакой. Белдер и Муха последовали за ним.

— Достань свой меч, — прошептала Рения, но Муха не послушал ее. У него хватило мужества только на то, чтобы стать рядом с Тенакой-ханом. Ужас подавлял в нем всякие мысли о возможности борьбы.

— Глупо, — презрительно бросил вожак. — Вы точно ягнята идете на бойню!

Храмовники двинулись вперед.

Тенака боролся с паникой, но все его тело словно налилось свинцом, и всякая уверенность покинула его.

Он знал, что против них используют черную магию, но одного знания было недостаточно. Он чувствовал себя ребенком, к которому крадется леопард.

«Борись! — твердил он себе. — Где же твое мужество?»

И вдруг, как в недавнем сне, страх прошел, и сила влилась в его жилы. Он, даже не оглядываясь, понял, что вернулись белые рыцари — на сей раз во плоти.

Храмовники замедлили шаг, и Падакс тихо выругался, увидев Тридцатерых. Теперь его воины оказались в меньшинстве. Требовалось принять решение. Опираясь на силу Темного Духа, он прощупал своих врагов и наткнулся на стену... Исключение представлял только рыцарь в середине — он не был мистиком. Падакс неплохо знал предания о Тридцати — его собственный храм был создан в насмешку над Белым Храмом, — и он узнал руну на шлеме этого воина.

Так ими командует обыкновенный человек? У Падакса возникла мысль.

— Здесь прольется много крови, — сказал он, — если мы, два вождя, не уладим это между собой.

Абаддон схватил Декадо за руку.

— Нет, Декадо, — ты не представляешь, сколь велика его сила.

— Он ведь человек?

— Он не простой человек — он владеет силой Хаоса. Если уж кто-то должен сразиться с ним, пусть это будет Аквас.

— Кто здесь командует — я или нет?

— Ты, но...

— Никаких «но». Приказы отдаю я. — Декадо отвел его руку, шагнул вперед и встал перед одетым в черные доспехи Падаксом.

— Что ты предлагаешь, Храмовник?

— Поединок между вождями. Люди побежденного оставляют поле.

— Я хочу большего, — холодно заявил Декадо. — Гораздо большего.

— Говори.

— Я изучал многие пути мистиков. Это входит... входило в мое прежнее призвание. Говорят, что в сражениях древности вожди несли в себе души своих армий — и когда они погибали, погибали и их воины.

— Это так, — сказал Падакс, с трудом скрывая свою радость.

— Итак, вот мое требование.

— Да будет так. Клянусь Духом!

— Не клянись, воин, — твои клятвы ничего не стоят. Докажи свои слова на деле!

— Это займет некоторое время. Я должен совершить обряд — и полагаюсь на то, что ты последуешь моему примеру.

Декадо кивнул и вернулся к своим.

— Ты не можешь поступить так, Декадо! — воскликнул Аквас. — Ты обрекаешь нас на смерть.

— Что, разонравилась игра? — гаркнул Декадо.

— Не в этом дело. Этот воин, твой враг, обладает властью, которой ты лишен. Он способен прочесть твои мысли и предвосхитить каждое твое движение. Как же ты думаешь победить его?

Декадо засмеялся.

— Я по-прежнему ваш вождь?

Аквас взглянул на бывшего настоятеля.

— Да, — кивнул старик. — Ты наш вождь.

— Тогда вот что: когда он закончит свой ритуал, вы вольете в меня жизненную силу Тридцати.

— Скажи мне, перед тем как я умру, — тихо сказал Аквас. — Зачем ты жертвуешь собой таким образом? Зачем обрекаешь на гибель своих друзей?

— Кто знает? — пожал плечами Декадо.

Черные Храмовники преклонили колени перед Падаксом, и он — все громче и громче — начал произносить имена низших демонов, призывая Дух Хаоса. Солнце уже взошло на востоке, но равнина почему-то осталась в тени.

— Готово, — прошептал Абаддон. — Он сдержал свое слово — души его воинов влились в него.

— Сделайте то же самое, — приказал Декадо.

Тридцать, склонив головы, опустились на колени перед своим вождем. Декадо ничего не чувствовал, но знал, что они подчинились ему.

— Дек, это ты? — крикнул Ананаис.

Декадо сделал ему знак молчать и вышел навстречу Падаксу.

Черный меч просвистел в воздухе — серебряная сталь отразила его. Бой начался. Тенака с трепетом следил, как кружат воины, с лязгом сводя свои клинки.

Время шло, и отчаяние начинало сквозить в каждом движении Падакса. Страх проник в его сердце. Он предвосхищал каждый ход своего противника, но тот двигался с такой скоростью, что предвидение ничего не давало Падаксу. Храмовник попытался навести на врага панику, но Декадо только засмеялся: он не боялся смерти. Тогда Падакс понял, что обречен, и его глубоко уязвила мысль, что причиной его гибели станет простой смертный. Он бросился в последнюю отчаянную атаку, и ужас пронзил его: он увидел удар Декадо за миг до того, как обрушился меч.

Серебряная сталь отбила черный клинок и вошла Храмовнику в пах. Падакс упал, кровь ручьем хлынула на траву, и души его воинов погибли вместе с ним.

Солнце брызнуло, рассеяв мрак, и Тридцать поднялись с колен, дивясь тому, что остались живы.

Аквас вышел вперед.

— Как? Как удалось тебе победить?

— Никакой тайны тут нет, Аквас, — мягко ответил Декадо. — Он был всего лишь человек.

— Но и ты тоже человек!

— Нет. Я Декадо. Ледяной Убийца! И тот, кто идет за мной, делает это себе на погибель.

Декадо снял шлем и глубоко вдохнул в себя утренний воздух. Тенака потряс головой, словно желая стряхнуть облепившую его паутину страха.

— Дек! — позвал он.

Декадо улыбнулся, подошел к нему, и они по воинскому обычаю пожали друг другу запястья. Ананаис, Галанд и Парсаль обступили их.

— Клянусь всеми богами, Дек, ты выглядишь прекрасно. Просто великолепно! — тепло сказал Тенака.

— Ты тоже, генерал. Я рад, что мы поспели вовремя.

— Не скажешь ли ты мне, — спросил Ананаис, — отчего умерли все эти воины?

— Только если ты мне скажешь, почему носишь маску. Это же просто смешно, когда такой, как ты, бахвал прячет свои божественные черты!

Ананаис отвернулся, все застыли в неловком молчании.

— Неужели никто так и не представит меня нашему спасителю? — вмешалась Валтайя.

Тридцать, постояв немного в стороне, разбились по шестеро и пошли собирать хворост.

Аквас, Балан, Катан и Абаддон устроились под одиноким вязом. Катан развел огонь, и все четверо расселись вокруг, в молчании глядя на пляшущее пламя.

— *Говори, Аквас,* — мысленно передал Абаддон.

— *Меня печалит, Абаддон, что наш вождь не принадлежит к нам. Я не впадаю в гордыню, но Орден очень древний, и главным для нас всегда было духовное. Мы идем на войну не затем, чтобы насладиться смертоубийством, но затем, чтобы умереть во имя Света. Декадо — самый настоящий убийца.*

— *Ты Сердце Тридцати, Аквас,* — *и тобою руководит чувство. Ты прекрасный человек — ты переживаешь... ты любишь. Но порой чувства ослепляют нас. Не спеши судить Декадо.*

— *Как он сумел убить Храмовника?* — спросил Балан. — *Это просто непостижимо.*

— *Ты Глаза Тридцати, Балан, — и все-таки этого не видишь. Но я не стану тебе объяснять. В свое время ты сам мне все скажешь. Я верю, что Декадо послал нам Исток, — и я принял его. Кто-нибудь из вас скажет мне, почему нас возглавляет он?*

— *Потому что из нас он самый меньший,* — улыбнулся темноглазый Катан.

— *Но не только.*

— *Это единственное, что ему предназначено,* — сказал Аквас.

— *Объясни, брат,* — попросил Балан.

— *Будучи просто рыцарем, он не смог бы ни общаться, ни странствовать с нами: он постоянно чувствовал бы себя униженным. Но мы идем на войну — это ему знакомо. Отсутствие дара уравновешивается для него званием вождя.*

— *Хорошо, Аквас. А теперь, пусть теперь Сердце скажет нам, где опасность.*

Аквас закрыл глаза и сосредоточился. Несколько минут он хранил молчание.

— *Храмовники еще заявят о себе. Они не смирятся со своим поражением и не оставят его неотомщенным.*

— *Что еще?*

— *Еще — Цеска отрядил тысячу человек для подавления Скодийского мятежа. Не пройдет и недели, как они будут здесь.*

Шагах в тридцати от их костра сидели Декадо с Тенакой, Ананаисом, Басурманом и Мухой.

— Расскажи-ка, Дек, — сказал Ананаис, — как тебя угораздило сделаться вождем этих колдунов? Тут, должно быть, целая история.

— Почем ты знаешь — может, я сам колдун?

— Нет, серьезно, — прошептал Ананаис, покосившись на рыцарей в белых плащах. — Странные они какие-то — все время молчат.

— Ошибаешься. Они разговаривают — только мысленно.

— Вздор! — Ананаис сложил пальцы в знак Хранящего Рога и приложил ладонь к сердцу.

— Я правду говорю, — улыбнулся Декадо и подозвал к себе Катана. — Давай, Ани, спроси у него что-нибудь.

— Неловко как-то, — пробормотал Ананаис.

— Я спрошу, — вызвался Муха. — Скажи, друг мой, это правда, что вы умеете разговаривать... э-э-э... не разговаривая?

— Правда, — мягко ответил Катан.

— Не мог бы ты нам показать, как вы это делаете!

— Каким образом?

— Попроси вон того, высокого, — понизил голос Муха, — чтобы он снял шлем, а потом надел снова.

— Если тебе это доставит удовольствие — пожалуйста, — сказал Катан, и все взоры обратились на воина шагах в сорока от них. Он послушно снял шлем, улыбнулся и надел снова.

— С ума сойти! — воскликнул Муха. — Как тебе это удалось?

— Это трудно объяснить. Извини меня. — Катан, поклонившись Декадо, вернулся к своему костру.

— Говорил же я, — сказал Ананаис. — Странные они — не такие, как мы.

— В наших краях такие тоже встречаются, — вступил в разговор Басурман.

— И чем же они занимаются? — спросил Муха.

— Да ничем. Мы их жжем на кострах.

— Не слишком ли сурово?

— Возможно, — пожал плечами чернокожий. — Но делать нечего — так уж заведено.

Тенака оставил их и прошел к тому месту, где сидела Рения с Валтайей, Парсалем и Паризой. При виде его у Рении забилось сердце.

— Не хочешь ли пройтись со мной немного? — спросил он.

Она кивнула, и они отошли от костров. Солнце сияло ярко, высвечивая серебряные нити в его волосах. Ей ужасно хотелось прикоснуться к нему, но чутье советовало не спешить.

— Прости меня, Рения. — Он взял ее за руку.

Она заглянула в раскосые лиловые глаза — и увидела в них страдание.

— Ты правду сказал тогда? Ты в самом деле убил бы меня кинжалом?

Он покачал головой.

— Хочешь, чтобы я осталась с тобой? — тихо спросила она.

— А ты хочешь?

— Это единственное, чего я хочу.

— Тогда прости меня, дурака. В этих делах я полный профан. Всегда был неуклюж с женщинами.

— Чертовски приятно слышать, — улыбнулась она.

Ананаис, наблюдавший за ними, перевел взгляд на Валтайю. Она смеялась, говоря о чем-то с Парсалем.

«Зря я не позволил тому полулюду убить меня», — подумал Ананаис.

8

Путь до Скодии занял три дня: приходилось соблюдать осторожность. Аквас сказал Декадо, что после стычки у сожженной деревни командир Дельнохского гарнизона разослал караулы по всему Скултику и его окрестностям, а на юге в поисках мятежников рыщут конники Легиона.

Тенака, выбрав время, переговорил с предводителями Тридцати — он слышал множество преданий, но по сути мало что знал об Ордене. Если верить легендам, Тридцать — полубоги, наделенные сверхъестественными способностями, и их призвание — погибнуть в битве со злом. В последний раз они появились в Дрос-Дельнохе, где под водительством альбиноса Сербитара сражались вместе с Бронзовым Князем против орд Ульрика, величайшего надирского полководца всех времен.

Но из разговора с ним Тенака так почти ничего и не понял.

Они были вежливы — даже дружелюбны, — но их ответы проплывали в воздухе, как дым, который обычному человеку ухватить не под силу. Декадо вел себя точно так же: он только улыбался и переводил разговор на другое.

Тенака не отличался особой религиозностью, но в присутствии монахов-воинов чувствовал себя неуютно и постоянно возвращался памятью к словам слепого провидца.

«Золото, Лед и Тень...» Старец предвидел, что трое сойдутся вместе. И они сошлись. Предвидел он и угрозу со стороны Храмовников.

В первую ночь их путешествия Тенака подошел к старшему из рыцарей, Абаддону, и они вдвоем удалились от костра.

— Я видел тебя в Скултике, — сказал Тенака. — На тебя нападал полулюд.

— Да. Прости мне этот обман.

— Зачем ты это устроил?

— Это было испытание, сын мой. Не только для тебя, но и для нас.

— Я не понимаю.

— Тебе и не нужно понимать. Не бойся нас, Тенака. Мы пришли, чтобы помочь тебе, чем только сможем.

— Но почему?

— Потому что так мы служим Истоку.

— Не можешь ли ты ответить мне без своих божественных загадок? Вы люди — какая у вас цель в этой войне?

— Никакой — в понятиях этого мира.

— Тебе известно, зачем я сюда пришел?

— Да, сын мой. Чтобы очистить душу от вины и печали, омыв ее кровью Цески.

— А теперь?

— Теперь ты во власти того, что сильнее тебя. Печаль растворилась в любви, вина осталась. Ты не откликнулся на зов — и позволил, чтобы полулюды Цески перебили твоих друзей. Ты спрашиваешь себя, не могло ли бы все обернуться иначе, если бы ты пошел с ними. «Мог бы я победить полулюдов или нет» — вот чем ты мучаешь себя.

— Мог бы я победить полулюдов?

— Нет, сын мой.

— Могу ли я победить их теперь?

— Нет, — печально повторил Абаддон.

— Тогда что мы здесь делаем? Какой от нас прок?

— Ответить на это должен ты сам — ты наш истинный вождь.

— Я не Факелоносец, монах! Я человек. Я сам хозяин своей судьбы.

— Разумеется, я с тобой не спорю. Но ты человек чести. Можешь ли ты сбежать от ответственности, которую взял на себя? Нет — ты никогда не поступал так и никогда не поступишь. Именно это делает тебя тем, кто ты есть. Именно поэтому люди идут за тобой, хотя им ненавистна кровь, которая течет в твоих жилах. Они доверяют тебе.

— Я не любитель безнадежных дел, монах. Ты, может, и хочешь умереть, а я — нет. Я не герой —

я солдат. Когда битва проиграна, я отступаю и перестраиваю свои ряды; когда война окончена, я откладываю свой меч. Никаких отчаянных атак, никаких сражений до последнего.

— Я понимаю тебя.

— Тогда знай: какой бы безнадежной ни была эта война, я буду биться до победы. На что бы ни пришлось мне пойти, я пойду на это. Хуже Цески не может быть ничего.

— Сейчас ты говоришь о надирах. Хочешь получить мое благословение?

— Не смей читать мои мысли, будь ты проклят!

— Не мысли твои я читаю, а только слова. Ты знаешь, как надиры ненавидят дренаев, — ты сменишь одного кровавого тирана на другого, вот и все.

— Возможно. Но я попытаюсь.

— Тогда мы поможем тебе.

— Так просто? Без просьб, без уговоров, без советов?

— Я уже сказал тебе, что твой надирский план слишком опасен. Я не стану повторяться. Ты вождь — и решать тебе.

— Я говорил только с Арваном. Другие не поняли бы.

— Я никому не скажу.

Тенака оставил его и ушел один в ночь. Абаддон сел, прислонившись спиной к дереву. Он устал, и на душе было тяжело. Хотел бы он знать, испытывали ли другие настоятели, его предшественники, такие же сомнения.

Нес ли поэт Винтар такое же бремя, когда ехал со своими Тридцатью в Дельнох? Еще день — и он это узнает.

Он почувствовал приближение Декадо. Воин был обеспокоен, но гнев его поутих. Абаддон закрыл глаза и прислонил голову к корявому стволу.

— Можно поговорить с тобой? — спросил Декадо.

— Голос может говорить с кем захочет, — ответил Абаддон, не открывая глаз.

— Можно мне поговорить с тобой, как прежде, когда я был твоим учеником?

Абаддон выпрямился и ответил с ласковой улыбкой:

— Слушаю тебя, ученик.

— Прости мне мой гнев и те резкие слова, которые я наговорил.

— Слова — пустой звук, сын мой. Я подверг тебя суровому испытанию.

— Боюсь, я не тот вождь, который угоден Истоку. Я хотел бы отказаться в пользу Акваса. Такое дозволено?

— Подожди немного. Не спеши принимать решение. Скажи мне лучше, что изменило твое мнение.

Декадо оперся на локти, глядя в ночное небо, и тихо, почти шепотом сказал:

— Это случилось, когда я вышел против Храмовника, поставив на кон ваши жизни. Я поступил недостойно и стыдился самого себя. Но вы покорились. Вы вложили свои души в мою руку. И меня это нисколько не заботило.

— Но теперь заботит, Декадо?

— Да. Очень.

— Я рад, мой мальчик.

Они помолчали, и Декадо сказал:

— Скажи, отец настоятель, почему победа над Храмовником далась мне так легко?

— Ты готовился к смерти?

— Я допускал такую возможность.

— Этот человек был одним из Шестерых, из главных храмовников. Его звали Падакс. Он был дурной человек, бывший служитель Истока, не способный противостоять пагубным страстям.

Да, он обладал силой. Все они обладают силой. По сравнению с простым человеком они непобедимы, как сама Смерть. Но ты, дорогой мой Декадо, не простой человек. Ты тоже обладаешь силой, но она дремлет в тебе. Когда ты вступаешь в бой, она пробуждается, и ты становишься великим воином. Притом ты сражался не только за себя, но и за других — и потому стал непобедимым. Зло никогда не бывает по-настоящему сильным, оно зиждется на страхе. Почему Падакс так легко уступил? Потому что испытал твою силу и понял, что может умереть. Если бы он обладал истинным мужеством, это знание удвоило бы его силы. Но страх сковал его, и он погиб. Однако он вернется, сын мой. Еще сильнее, чем прежде!

— Он мертв.

— Но Храмовники живы. Их шесть сотен, не считая многочисленных послушников. Смерть Падакса и его двадцати воинов ожгла их, как кнутом. В это самое время они уже готовятся покончить с нами — и они знают, где мы. Весь нынешний день я ощущал присутствие зла. Они и сейчас кружат над щитом, которым Аквас и Катан укрыли наш лагерь.

Декадо содрогнулся.

— Можем мы победить их?

— Нет. Но мы здесь не для того, чтобы победить.

— Тогда — для чего?

— Мы здесь — чтобы умереть.

Аргонис устал, и похмелье порядком мучило его. Вечеринка удалась на славу, а девчонки... ох, эти девчонки! Умеет же Эгон подбирать как раз то, что нужно. Аргонис придержал своего вороного, завидев скачущего к нему разведчика, и взмахом руки остановил колонну.

Разведчик осадил коня, вздернув его на дыбы, и отдал честь.

— Всадники, мой господин, числом около сорока, направляются в Скодию. Хорошо вооружены — похоже, военные. Может быть, это наши?

— Сейчас разберемся. — Аргонис знаком привел колонну в движение. Возможно, это разведывательный отряд из Дельноха, но если в нем всего сорок человек, он не стал бы идти прямиком в логово мятежников. Аргонис оглянулся, и вид сотни легионеров вселил в него уверенность.

Неплохо бы наконец сразиться с кем-то — может, даже голове станет легче. Разведчик сказал «военные». Приятное разнообразие после неотесанного мужичья с вилами и топорами.

Въехав на гряду холмов, Аргонис оглядел равнину до самого подножия Скодии. Разведчик стоял рядом.

— Ну как, командир, это наши?

— Нет. В Дельнохе солдаты носят красные плащи, а офицеры синие — но не белые. Мне думается, это вагрийский летучий отряд.

Всадники на равнине перешли на рысь, спеша укрыться в горах.

— Галопом марш! — вскричал Аргонис, выхватил саблю, и сотня конников в черных доспехах устремилась в погоню. Копыта дробно застучали по твердой земле.

Они скакали под гору, наперерез неприятелю, и расстояние сокращалось быстро.

Аргонис в азарте пригнулся к шее коня — свежий утренний ветер бил в лицо, и сабля сверкала на солнце.

— Пленных не брать! — прокричал он.

Он уже мог разглядеть отдельных всадников и видел, что среди них — три женщины. Рядом с одной, словно оберегая ее, ехал чернокожий. Его дама не слишком хорошо держалась в седле, и руки ее были чем-то заняты. Вот черный забрал у нее ношу, и ее конь сразу поскакал быстрее. «Что толку? — усмехнулся Аргонис. — Легион все равно их нагонит, они не успеют добраться до гор».

Внезапно всадники в белых плащах развернули коней. Это был пример недюжинной выучки, ибо они исполнили это одновременно, — и не успел Аргонис опомниться, как белые всадники бросились в атаку. Аргониса охватила паника. Он скакал один во главе погони, и эти тридцать безумцев мчались прямо на него. Аргонис резко натянул поводья, и растерянные кавалеристы последовали его примеру.

Тридцать налетели, как зимняя буря. Сверкнули в воздухе серебряные клинки. Кони поднялись на дыбы, и люди с криком попадали из седел. А воины в белых плащах столь же внезапно повернулись и умчались прочь.

— В погоню! — яростно взревел Аргонис, благоразумно придержавши своего коня.

Горы приблизились, и неприятель начал долгий подъем. Один их конь споткнулся и упал, сбросив светловолосую наездницу. Трое легионеров, пришпорив лошадей, устремились к ней. Наперерез им бросился высокий воин в черном, лицо его скрывала черная маска. Словно зачарованный, Аргонис следил, как воин, пригнувшись от взмаха сабли, вспорол живот первому, отразил, откинувшись назад, удар второго и направил своего коня на третьего, свалив лошадь вместе с всадником.

Женщина тем временем быстро вскочила и бросилась бежать. Воин в маске отразил атаку второго легионера и ответным ударом рассек ему горло. Убрав меч в ножны, он подскакал к женщине, подхватил ее за талию, посадил перед собой в седло — и они скрылись в Скодийских горах.

Аргонис рысью вернулся к месту стычки. Тридцать один его солдат был сбит, из них восемнадцать погибли, а шестеро — смертельно ранены.

Оставшиеся легионеры возвращались в полном унынии. Разведчик Лепус, спешившись, придержал командиру коня. Аргонис соскочил наземь.

— Кто они такие, дьявол их побери?! — воскликнул Лепус.

— Не знаю — но они побили нас, как малых ребятишек.

— Вы так и скажете в своем рапорте, командир?

— Заткнись!

— Слушаюсь.

— Через несколько дней сюда прибудет тысяча легионеров. Тогда мы выкурим их — весь хребет им не удержать. Мы еще встретимся с этими ублюдками в белых плащах.

— Не уверен, что мне этого хочется, — сказал Лепус.

Тенака остановил коня у извилистого ручья, который струился через вязовую рощу на западной стороне долины, и оглянулся, ища Ананаиса. Тот ехал шагом, и Валтайя сидела боком позади него. Благодаря несравненному мастерству Тридцати они вышли из боя без единой потери.

Спешившись, Тенака ослабил подпругу, похлопал лошадь по шее и пустил ее пастись. Рения соскочила с седла. Лицо ее раскраснелось, глаза сверкали.

— Теперь мы в безопасности? — спросила она.

— Пока да.

Ананаис, перекинув ногу через луку седла, спрыгнул наземь и снял Валтайю. Она с улыбкой положила руки ему на плечи.

— Ты всегда будешь рядом, чтобы спасать меня?

— Всегда — слишком долгий срок, — сказал он, держа ее за талию.

— Говорил тебе кто-нибудь, что у тебя красивые глаза?

— В последнее время нет, — ответил он и отошел от нее.

Галанд, наблюдавший эту сцену, приблизился к Валтайе.

— Я бы на твоем месте не расстраивался. Этого человека не так легко завоевать.

— Не то что тебя, да, Галанд?

— Вот именно, девочка! Но повремени, прежде чем сказать «да». Я не такая уж завидная добыча.

— Лучше, чем тебе кажется, — засмеялась Валтайя.

— И тем не менее ты говоришь «нет»?

— Непохоже, чтобы ты подыскивал себе жену, верно?

— Будь у нас только время, — серьезно ответил Галанд, взяв ее за руку. — Ты чудесная женщина, Вал, — лучшей и найти невозможно. Жаль, что мы не встретились с тобой в более мирные времена.

— Мы сами делаем время таким, как оно есть. На свете есть и другие страны, где молодчикам вроде Цески воли не дают, и там царит мир.

— Я не хочу ютиться на чужбине, Вал. Хочу жить на своей земле, среди своих. Хочу... — Галанд осекся, и Валтайя прочла в его глазах муку. Она положила ему на руку ладонь, и он отвернулся.

— Что с тобой, Галанд? Что ты хотел сказать?

— Не важно, девочка. — Он уже справился с собой, и во взгляде его светилось спокойствие. — Скажи лучше, что ты такого нашла в нашем замаскированном спутнике?

— Не знаю. Женщине трудно ответить на такой вопрос. Пойдем-ка поедим.

Декадо, Аквас, Балан и Катан вернулись к устью долины и смотрели вниз, где легионеры подбирали своих раненых. Мертвых заворачивали в одеяла и приторачивали к седлам.

— Вы славно потрудились, — сказал Декадо, снимая шлем и цепляя его на луку седла.

— Это было ужасно, — покачал головой Катан.

— Ты сам хотел стать воином, — перегнулся к нему Декадо. — Прими же это как должное!

— Я принимаю, Декадо, — с грустной улыбкой сказал темноглазый монах и провел рукой по лицу. — Но радоваться я не могу.

— И не надо. Ты вышел сразиться со злом и только что одержал хоть маленькую, но победу. Ребенка Паризы уже не было бы в живых, если бы не ты и не остальные.

— Я все понимаю. Сам-то я не ребенок. Но мне тяжело.

Все четверо спешились и опустились на траву, наслаждаясь солнечным теплом. Декадо снял свой белый плащ, тщательно сложил его — и вдруг зажмурился от странного ощущения: словно холодное дуновение пронеслось у него в голове.

Он постарался сосредоточиться и начал различать слабые приливы и отливы — словно волны где-то далеко набегали на гальку. Тогда он умиротворенно откинулся назад и погрузился в себя, ища источник. Шелест волн постепенно превратился в тихие голоса, и его это не удивило. Говорил Аквас:

— *Я по-прежнему боюсь, что Абаддон совершил ошибку. Вы чувствовали, с каким наслаждением бился Декадо, когда мы напали на легионеров? Его пыл был так силен, что чуть было не заразил и меня.*

— *Абаддон просил нас не выносить поспешных суждений.* — А это уже был голос Катана.

— *Но Абаддон более не настоятель,* — заметил Балан.

— *Он всегда будет настоятелем Мечей. Мы должны уважать его.* — Снова Катан.

— *Мне с ним как-то неловко,* — передал Аквас. — *Где его Дар? За всю долгую историю Тридцати еще не было вождя, неспособного Странствовать и Говорить.*

— *Вероятно, нам стоит обсудить и другие возможности,* — проговорил Катан. — *Если Абаддон ошибся в выборе Голоса — значит, он не сумел отличить волю Хаоса от воли Истока. Это ставит под сомнение всякий другой выбор Абаддона.*

— *Не обязательно,* — возразил Балан. — *Все мы люди, и Абаддон мог совершить одну-единственную ошибку. Да, его ведет Исток, но многое зависит и от того, как истолковать указания. То, что смерть Эстина и приход Декадо случились в тот же день, могло быть либо совпадением, либо кознями темных сил.*

— *Либо — волею Истока.* — добавил Аквас.

— *Разумеется.*

Декадо открыл глаза и сел.

— Что они замышляют? — спросил он вслух, указав на легионеров.

— Они ждут прибытия своей армии, — сказал Аквас. — Аргонис, их командир, говорит, что нас выкурят из этих гор и уничтожат заодно с прочими скодийскими мятежниками. Он пытается взбодрить своих людей.

— Но тщетно, — вставил Балан.

— Расскажи нам о «Драконе», Декадо, — попросил Катан, и Декадо улыбнулся.

— Давно это было. Словно в другой жизни.

— Тебе та жизнь нравилась? — спросил Аквас.

— И да и нет. Большей частью нет, как мне вспоминается. Странное дело — по-своему «Дракон» связывал нас не менее крепко, чем вас Орден, хотя мы, конечно, не обладали вашим даром и не могли Странствовать и Говорить. И все же мы были одной семьей. Братьями. И вся страна держалась вместе благодаря нам.

— Ты, должно быть, опечалился, услышав, что Цеска перебил твоих друзей? — спросил Балан.

— Да. Но я был монахом, и жизнь моя в корне переменилась. У меня был мой клочок земли и мои растения. Мой мирок сделался очень маленьким.

— Меня всегда поражало, как это ты умудряешься выращивать столько разных овощей на таком маленьком участке, — сказал Балан.

— Я сажал томатную рассаду в картофелины, — усмехнулся Декадо. — Томаты росли наверху, а картошка — под землей. Итогом я всегда оставался доволен.

— Ты скучаешь по своим грядкам? — спросил Аквас.

— Нет. Это-то меня и печалит.

— А монахом быть тебе нравилось? — спросил Катан.

Декадо окинул взглядом его стройную фигуру и доброе лицо.

— А тебе нравится быть воином?

— Нет. Совсем не нравится.

— В каком-то смысле я был доволен монашеской жизнью. Хорошо было хоть на время скрыться от мира.

— От чего же ты прятался? — спросил Балан.

— Я думал, ты знаешь ответ. Мое ремесло — смерть, и так было всегда. Одни люди владеют живописным даром, другие создают красоту из камня или из слов, а я убиваю. Но гордость и стыд плохо уживаются, и эта дисгармония вконец измучила меня. В самый миг убийства я испытывал блаженство, но после...

— Что же было после? — спросил Аквас.

— Никто не мог соперничать со мной в бою на мечах, и все мои противники оказывались беззащитны. Из воина я превратился в мясника. Блаженство все реже посещало меня, сомнения росли. Когда «Дракон» распустили, я обошел весь мир в поисках достойного соперника, но не нашел ни одного. Тогда я понял, что есть лишь один человек, с кем я мог бы сразиться, и решил вызвать его на бой. На пути в Вентрию, где он жил, меня застигла песчаная буря. Она длилась три дня, и это дало мне время задуматься. Ведь тот человек был моим другом — однако, если бы не буря, я убил бы его. Вот тогда-то я вернулся в дренайские земли и попытался изменить свою жизнь.

— А что сталось с твоим другом? — спросил Катан.

— Он сделался Факелоносцем, — улыбнулся Декадо.

9

Зал совета знавал лучшие дни. Черви источили вязовые панели, цветная мозаика, изображавшая седобородого Друсса-Легенду, во многих местах облупилась, обнажив серую от плесени штукатурку.

Около тридцати мужчин и с десяток женщин и детей сидели на деревянных скамьях и слушали женщину, восседавшую на председательском месте, — крупную, ширококостную и плечистую. Темные волосы окружали голову львиной гривой, зеленые глаза гневно сверкали.

— Вслушайтесь в свои собственные слова! — прогремела она, вскочив на ноги и оправив тяжелую зеленую юбку. — Разговоры, одни разговоры! И к чему они ведут? Отдаться на милость Цески! Какого черта это означает? Вы хотите сдаться, вот что! Вот ты, Петар, — встань-ка!

Петар поднялся, понурив голову и покраснев до ушей.

— Подними руку! — приказала женщина.

Он подчинился. Кисть была отрублена, и культя еще носила следы смолы, которой заклеили рану.

— Вот оно, милосердие Цески! Клянусь всеми богами, вы все очень громко кричали «ура», когда мои горцы прогнали солдат с нашей земли. Тогда вы готовы были в лепешку расшибиться ради нас! Теперь же, когда солдаты возвращаются, вы хнычете и норовите спрятаться куда-нибудь. Только прятаться нам негде. Вагрийцы не пропустят нас через границу, а Цеска, уж будьте уверены, не забудет и не простит.

Мужчина средних лет, встав рядом с совсем растерявшимся Петаром, ответил:

— Что пользы кричать, Райван? Разве у нас есть выбор? Побить их мы не сможем и погибнем все до единого.

— Все люди смертны, Ворак! — вспылила женщина. — Или ты не слышал? У меня шестьсот бойцов, и они заявляют, что им под силу побить Легион. И еще пятьсот человек только и ждут, чтобы присоединиться к нам, когда мы раздобудем побольше оружия.

— Предположим, Легион нам побить удастся, — сказал Ворак, — но что будет, когда Цеска пошлет на нас своих полулюдов? Что проку тогда от твоих бойцов?

— Придет время — увидим.

— Ничего мы не увидим. Иди откуда пришла и дай нам заключить с Цеской мир. Здесь ты нам не нужна! — крикнул Ворак.

— Кому это «нам», Ворак? — Он тревожно замигал, когда она спустилась с помоста и подошла к нему вплотную, а она сгребла его за ворот и подтащила к стене. — Погляди сюда! Что ты тут видишь?

— Стенку, Райван, а на ней картину. Ну-ка, отпусти меня!

— Это не просто картина, ты, куча дерьма! Это Друсс. Человек, который вышел против орд Ульрика. Уж он-то не считал своих врагов. Меня от тебя тошнит! — Отпустив Ворака, она вернулась на возвышение и обратилась к собранию: — Я могла бы послушаться Ворака. Могла бы забрать шестьсот своих бойцов и вернуться в горы. Но я знаю точно, что тогда вас всех перебьют. Выход у вас один — сражаться.

— У нас есть семьи, Райван, — возразил кто-то из мужчин.

— Да — и их перебьют тоже.

— Это ты так говоришь — но уж мы-то погибнем наверняка, если окажем сопротивление Легиону.

— Поступайте как знаете, — бросила Райван. — Только уйдите с глаз моих долой — все до единого! Были когда-то мужчины на этой земле, да вымерли все.

Петар, уходивший последним, обернулся.

— Не суди нас строго, Райван.

— Прочь! — крикнула она и, подойдя к окну, посмотрела на город, белый в лучах весеннего солнца. Такой красивый и такой беззащитный. Даже стены вокруг него нет. Райван извергла из себя затейливую гирлянду проклятий, и ей полегчало, но ненамного.

Там, внизу, на извилистых улочках и широких площадях собирались кучками люди — и Райван, хотя и не слышала слов, знала, о чем они толкуют.

О сдаче. О том, как бы выжить. И за всеми словами стоит одно — страх!

Что с ними сталось? Неужто ужас, внушаемый Цеской, разъел их, как ржавчина? Райван, оборотясь, взглянула на поблекшую мозаику. Друсс-Легенда, высокий и могучий, с топором в руке, и Скодийские горы позади — словно его предки: белоголовые и несокрушимые.

Райван перевела взгляд на свои руки — широкие, с короткими пальцами, в кожу глубоко въелась земля. Годы работы, работы, ломающей тело, лишили их красоты. Хорошо еще, что зеркала нет. Когда-то она была «девой гор», стройной и украшенной венками. Но годы — эти славные минувшие годы — круто обошлись с ней. В темных волосах пробились серебряные нити, и лицо стало твердым, как скодийский гранит. Мало кто из мужчин теперь смотрит на нее с вожделением — да оно и к лучшему. После двадцати лет замужества и девяти детей она как-то утратила интерес к зверю с двумя спинами.

Вернувшись к окну, она устремила взгляд на горы, кольцом обступившие городок. Откуда придет враг? И как встретить его? Ее люди уверены в своих силах. Как-никак, они перебили несколько сотен солдат, потеряв при этом всего сорок человек. Все верно — но солдаты были захвачены врасплох, да и боевитостью не отличались. На сей раз все будет по-иному.

Райван не оставляли тяжкие думы о предстоящей битве.

«По-иному? Да они на куски нас изрубят». Она выругалась, снова вспомнив, как солдаты вторглись на ее землю и убили ее мужа и двух сыновей. Собравшаяся толпа молча смотрела на это, пока Райван не бросилась на офицера и не всадила ему в бок кривой нож для мяса.

После этого началось побоище.

Но теперь... теперь настало время расплаты.

Райван прошла через зал к мозаичной картине и стала, подбоченясь, под ней.

— Я всегда хвасталась тем, что происхожу из твоего рода, Друсс. Это неправда, я знаю, что это неправда, но мне хотелось бы, чтобы это было правдой. Мой отец часто рассказывал о тебе. Он был солдатом в Дельнохе и месяцами корпел над хрониками Бронзового Князя. Он знал о тебе больше, чем кто-либо другой. Хорошо бы ты вернулся. Сойди со своей стены, а? Уж тебя-то полулюды не остановили бы, верно? Ты пошел бы на Дренан и сорвал бы корону с головы Цески. А я этого не могу, Друсс. Я ничего не смыслю в войне. И поучиться нет времени, будь оно все проклято.

Дальняя дверь скрипнула.

— Райван!

Вошел ее сын Лукас.

— В чем дело?

— К городу скачут всадники — около полусотни.

— Черт! Как им удалось проскочить мимо разведчиков?

— Не знаю. Лейк спешно собирает тех, кто под рукой.

— Но почему только полста?

— Как видно, недорого они нас ценят, — ухмыльнулся Лукас. Он был красивый парень, темноволосый и сероглазый; они с Лейком — лучшие из всего ее выводка.

— Ничего, оценят, когда познакомятся поближе, — сказала она. — Пошли.

Они прошли по мраморному коридору и спустились по широким ступеням на улицу. Новость уже разошлась по городу, и Ворак поджидал их вместе с пятьюдесятью другими купцами.

— Все, Райван! — выкрикнул он, как только она вышла на солнце. — Повоевала и будет.

— Что это значит? — спросила она, сдерживая гнев.

— Ты заварила всю эту кашу — вот мы тебя им и отдадим.

— Позволь мне убить его, — шепнул Лукас, нашаривая в колчане стрелу.

— Нет! — прошипела она, бросив взгляд на противоположное здание: в каждом окне виднелся стрелок с наставленным луком. — Вернись в дом и выйди через Пекарский переулок. Возьми Лейка, попробуйте вместе прорваться в Вагрию. Когда-нибудь, когда сможете, вы отомстите за меня.

— Я не оставлю тебя, мать.

— Делай, что говорят!

Лукас выбранился и скрылся в доме. Райван медленно сошла вниз, не сводя зеленых глаз с Ворака. Он попятился.

— Свяжите ее! — завопил он, и несколько мужчин, подскочив к Райван, заломили ей руки за спину.

— Я еще вернусь, Ворак. Хотя бы и с того света, — пообещала она.

Он ударил ее по лицу. Из разбитой губы брызнула кровь, но она не вскрикнула. Ее протащили сквозь толпу и вывели за город, на равнину. А всадники уже были близко. Их предводитель, человек с жестоким лицом, спешился, и Ворак выскочил вперед.

— Мы схватили изменницу, господин. Это она возглавила восстание, если его можно так назвать, — а мы ни в чем не повинны.

Предводитель кивнул и подошел к Райван. Она взглянула в его раскосые лиловые глаза.

— Стало быть, и надиры теперь заодно с Цеской?

— Как твое имя, женщина?

— Райван. Запомни его, варвар, ибо мои сыновья вырежут его на твоем сердце.

— Как, по-твоему, мы должны поступить с ней? — спросил всадник у Ворака.

— Убейте ее, чтоб другим неповадно было. Измена карается смертью!

— А ты, значит, человек верный?

— Да. И всегда был таким. Это я первым донес о восстании в Скодии. Вы должны знать меня — меня зовут Ворак.

— А эти люди, что с тобой, они тоже верны престолу?

— Как нельзя более. Мы все — преданные сторонники Цески.

Всадник снова обернулся к Райван:

— Как им удалось захватить тебя, женщина?

— Все мы совершаем ошибки.

Он поднял руку, и тридцать конников в белых плащах окружили толпу.

— Что вы делаете? — воскликнул Ворак.

Предводитель вынул из ножен меч и попробовал острие большим пальцем. А потом он крутнулся на каблуках, сталь блеснула в воздухе, и голова Ворака с выпученными от ужаса глазами свалилась с плеч.

Она подкатилась к ногам предводителя, а тело Ворака с хлещущей из шеи кровью осело на траву. Вся толпа, как один человек, упала на колени, моля о милосердии.

— Молчать! — проревел гигант в черной маске, сидевший на гнедом мерине.

Крики стихли, хотя там и сям еще слышались сдавленные рыдания.

— Я не собираюсь убивать вас всех, — сказал Тенака-хан. — Вас отведут в долину — ступайте и замиряйтесь с Легионом, если охота. Желаю всяческой удачи — она вам понадобится. Вставайте и убирайтесь.

Толпа под конвоем Тридцати двинулась на восток.

Тенака развязал Райван руки.

— Кто ты? — спросила она.

— Тенака-хан из рода Бронзового Князя, — с поклоном ответил он.

— Ну а я из рода Друсса-Легенды, — подбоченилась она.

Муха прогуливался в одиночестве в садах Гатере, что за городской ратушей. Сначала он слушал, как Тенака и Райван обсуждают будущую битву, но, будучи не в состоянии предложить ничего разумного, потихоньку, с тяжелым сердцем, убрался прочь. Дурак же он был, что пошел с Тенакой. Какой от него прок? Он не воин.

Он сел на каменную скамью у небольшого пруда, где резвились среди лилий золотые рыбки. В детстве Муха был одиноким ребенком. Ему нелегко жилось со вспыльчивым Оррином — особенно тяжело было сознавать, что дед возлагает на него, мальчика, все свои надежды. Их семью преследовал злой рок, и Муха остался последним в роду, если не считать Тенаки-хана — а его мало кто считал.

Но Арван — как звали тогда Муху — привязался к юному надиру и все время терся около него, слушая его рассказы о степной жизни. Восхищение, которое мальчик питал к юноше, перешло в преклонение той ночью, когда в комнату Арвана проник наемный убийца.

Весь в черном, в черном капюшоне, убийца подошел к кровати и зажал Арвану рот рукой в черной перчатке. Арван, чувствительный шестилетний мальчуган, от страха лишился чувств, и только холод, коснувшийся лица, привел его в себя. Он открыл глаза и посмотрел с крепостной стены на камни далеко внизу. Он дернулся в чужих руках и почувствовал, что пальцы разжимаются.

— Если тебе дорога жизнь, не делай этого! — раздался чей-то голос.

Убийца, тихо выругавшись, снова сжал пальцы.

— Ну а если я оставлю его в живых? — глухо спросил он.

— Тогда и ты будешь жить, — сказал Тенака-хан.

— Я убью вместе с ним и тебя, мальчишка.

— Что ж, дерзни. Испытай свое счастье.

Несколько мгновений убийца колебался. Потом медленно поднял Арвана на стену, поставил на камень и исчез во мраке. Арван подбежал к Тенаке, а юноша вернул меч в ножны и прижал мальчика к себе.

— Он хотел убить меня, Тани!

— Я знаю. Но теперь он ушел.

— За что он хотел меня убить?

Тенака не знал этого. Оррин тоже не знал, но с той поры у двери Арвана поставили часового, и страх сделался его всегдашним спутником...

— Добрый день.

Муха поднял глаза — у пруда стояла молодая девушка в свободном платье из легкой белой шерсти. Ее темные волосы слегка вились, зеленые глаза отливали золотом. Муха встал и поклонился.

— Почему вы такой мрачный? — спросила она.

— Скорее меланхоличный, — пожал плечами Муха. — Кто вы?

— Равенна, дочь Райван. Почему вы не там, вместе с остальными?

— Я ничего не понимаю в войнах, кампаниях и битвах, — усмехнулся он.

— А в чем вы понимаете?

— В искусстве, литературе, поэзии и других прекрасных вещах.

— Вы отстали от времени, друг мой.

— Муха. Зовите меня Мухой.

— Странное имя. Вы что, ходите по потолку?

— В основном по стенам. Не хотите ли посидеть со мной?

— Разве что недолго. Меня послали с поручением.

— Ничего, поручение подождет. Скажите — как так вышло, что восстание возглавила женщина?

— Чтобы понять это, надо знать матушку. Она из рода Друсса-Легенды и не боится никого и ничего. Однажды она прогнала барса с одной лишь палкой в руках.

— Ошеломляющая дама.

— Да, она такая. Она тоже ничего не понимает в войнах, кампаниях и битвах, но она научится. И вам бы тоже следовало.

— Мне больше хотелось бы получше узнать вас, Равенна, — сказал он, пуская в ход свою обезоруживающую улыбку.

— Вижу, некоторыми кампаниями вы все-таки интересуетесь, — ответила она, поднимаясь со скамьи. — Приятно было познакомиться.

— Погодите! Могли бы мы встретиться снова? Вечером, например?

— Возможно — если вы оправдаете свое имя.

Ночью Райван, лежа на своей широкой постели и глядя на звезды, чувствовала себя спокойнее, чем когда-либо за последние горячечные месяцы. До недавних пор она не знала, как это хлопотно — быть вождем, да она и не собиралась никогда им становиться. Она хотела одного: расправиться с убийцей своего мужа, но, сделав это, точно заскользила вниз с ледяной горы.

За несколько недель военных действий небольшое войско Райван завладело большей частью Скодии. То были хмельные дни ликующих толп и боевого дружества. Потом в горы проникла весть, что против повстанцев собирают армию, и общее настроение быстро изменилось. Райван почувствовала себя в этом городе осажденной еще до прихода врага.

Теперь на сердце у нее стало легко.

Тенака-хан — не простой человек. Она улыбнулась и закрыла глаза, вспоминая его. Движется он с точностью танцора, и уверенность окутывает его словно плащ. Прирожденный воин!

Ананаис таит какую-то тайну — но он, видят боги, тоже орел. И повидал в жизни всякое. Он сам предложил обучить ее неопытных бойцов, и Лейк проводил его на холмы, в лагерь повстанцев. С ним отправились два брата, Галанд и Парсаль, — тоже солидные, надежные люди.

В чернокожем Райван сомневалась. С виду — настоящий полулюд, но тоже хорош, дьявол. И боец, сразу видно, отменный.

Райван повернулась, взбив пухлую подушку.

«Присылай свой Легион, Цеска. Мы повышибем ему зубы!»

В том же длинном коридоре, в комнате, выходящей на восток, лежали рядом Тенака и Рения, скованные тяжелым молчанием.

Тенака приподнялся на локте и посмотрел на нее, но она на него даже не взглянула.

— В чем дело? — спросил он.

— Ни в чем.

— Но это же неправда. Прошу тебя, Рения, поговори со мной.

— Дело в человеке, которого ты убил.

— Ты что, знала его?

— Нет. Но он был безоружен, и не было нужды его убивать.

— Ясно. — Он спустил свои длинные ноги с кровати и подошел к окну.

Она смотрела с постели на его обнаженное тело, загородившее луну.

— Зачем ты это сделал?

— Иначе нельзя было.

— Объясни.

— Он, будучи явным сторонником Цески, вел за собой целую толпу. Его внезапная смерть напугала их — а они-то все были вооружены, в том числе луками и стрелами. Они могли бы напасть на нас — но его гибель их ошеломила.

— Меня-то она уж точно ошеломила — словно на бойне!

Он повернулся к ней.

— Это не игра, Рения. Многие люди погибнут еще до конца недели.

— И все-таки это нехорошо.

— Нехорошо? У нас тут не рыцарский эпос, женщина, и я не герой в золотых доспехах, вершащий одни лишь хорошие дела. Я счел, что смерть этого человека позволит нам избавить город от зловредной опухоли, не подвергая себя опасности. И он вполне заслужил свою смерть.

— И тебя не волнует, что ты отнял у него жизнь? Ты не подумал, что у него могла быть семья, дети, мать?

— Нет, не волнует. На свете есть всего двое, кого я люблю, — ты и Ананаис. Тот человек сам выбрал, на чью сторону стать, за это он и умер. Я не жалею о содеянном и через месяц, вполне возможно, забуду об этом.

— Какие ужасные вещи ты говоришь!

— Ты предпочла бы, чтобы я лгал тебе?

— Я просто подумала, что мы... разные.

— Не суди меня. Я просто стараюсь сделать что могу — по-другому я не умею.

— Иди ложись.

— Значит, спор окончен?

— Если ты так хочешь, — солгала она.

В комнате над ними Басурман ухмыльнулся и отошел от окна.

Странные создания женщины. Влюбляются в мужчину, а потом стараются его изменить. Большинству это удается, и всю оставшуюся жизнь они удивляются, как это их угораздило выйти замуж за таких нудных приспособленцев. Такова уж бабья натура. Басурман стал перебирать в памяти лица собственных жен, но сумел ясно припомнить не более тридцати.

«Стареешь, — сказал он себе. — И зачем было заводить такую уйму женщин? Не дворец, а прямо базар какой-то. Все из-за чрезмерного самомнения — от него никуда не денешься, так же как от сорока двух детей». Басурман вздрогнул и хохотнул.

Слабый шум снаружи привлек его внимание.

По стене футах в двадцати правее лез человек — это был Муха.

— Что это ты делаешь? — спросил вполголоса Басурман.

— Кукурузу сажаю, — прошипел в ответ Муха. — Сам не видишь что?

Басурман взглянул на темное окошко вверху.

— А по лестнице подняться было нельзя?

— Меня попросили прийти именно так. Мне назначено свидание.

— Понятно. Ну что ж, доброй ночи!

— Взаимно.

Басурман убрал голову из окна. Сколько же усилий прикладывает человек, чтобы нажить себе лишних хлопот.

— Что тут происходит? — раздался голос Тенаки-хана.

— Нельзя ли потише? — огрызнулся Муха.

Басурман снова высунулся из окна и увидел Тенаку, глядящего вверх.

— У него свидание, — пояснил чернокожий.

— Если он упадет, то сломает себе шею.

— Он никогда не падает, — заверил Белдер из левого окна. — Такой уж талант ему дан от природы.

— Не скажет ли мне кто-нибудь, зачем этот человек лезет по стенке? — вмешалась Райван.

— У него свидание! — прокричал Басурман.

— А почему он не поднялся по лестнице? — осведомилась она.

— Мы это уже обсудили. Его попросили прийти таким путем!

— А-а. Значит, свидание у него с Равенной.

Муха прилип к стене, ведя личную доверительную беседу с вечными богами.

В темной комнате наверху Равенна кусала подушку, сдерживая смех — но удержаться не могла.

Два дня Ананаис провел среди скодийских повстанцев, разбивая их на отряды из двадцати человек и заставляя трудиться в поте лица. Их было пятьсот восемьдесят два человека — в большинстве своем крепких, поджарых горцев. Однако они не знали, что такое дисциплина, и не привыкли к регулярным военным действиям. Будь у Ананаиса время, он создал бы из них армию, способную сразиться с любыми силами Цески, — но времени не было.

В первое же утро Ананаис вместе с сероглазым Лейком собрал всех бойцов и проверил, как они вооружены. На все воинство имелась едва ли сотня мечей.

— Это не мужицкое оружие, — сказал Лейк. — Зато у нас вдосталь топоров и луков.

Ананаис кивнул и двинулся дальше. Пот, пробираясь под маску, разъедал незаживающие шрамы, и раздражение гиганта росло.

— Отбери мне двадцать человек, способных командовать другими, — распорядился он и вернулся в хижину, которую сделал своим штабом.

Галанд и Парсаль последовали за ним.

— Что стряслось? — спросил Галанд, когда они расположились в прохладной горнице.

— Стряслось? Эти шестьсот парней через пару суток полягут все до единого. Вот что стряслось.

— Что, уже настроился на поражение? — ровно произнес Парсаль.

— Пока еще нет, но близок к этому. Они крепкие ребята и сами рвутся в бой, но нельзя же выставлять против Легиона толпу новобранцев. У нас даже горна нет — а если б и был, никто бы не понял ни единого сигнала.

— Тогда нам придется нанести удар и быстро отойти, — предложил Галанд.

— Ты ведь не дослужился до офицера, верно? — спросил Ананаис.

— Нет. Породой не вышел, — огрызнулся Галанд.

— По этой причине или по какой иной, но командовать людьми тебя не учили. Такая тактика не для нас — для этого нам придется раздробить силы. Легион будет истреблять нас по частям, каждая из которых не будет знать, что происходит с остальными.

В конце концов Легион войдет в Скодию и обрушится на беззащитные города и деревни.

— Что же ты предлагаешь? — спросил Парсаль, налив воды из каменного кувшина в глиняные кружки и раздав остальным.

Ананаис отвернулся, приподнял маску, с шумом втянул в себя холодную воду и сказал:

— По правде говоря, сам не знаю. Если мы будем держаться заодно, они раздробят нас в первый же день. Если разделимся сами, они перебьют мирных жителей. Что в лоб, что по лбу. Я попросил Лейка начертить мне карту этих мест, хотя бы грубую. И у нас есть пара дней, чтобы натаскать людей отзываться на простейшие сигналы — будем пользоваться охотничьими рожками. Ты, Галанд, отбери две сотни лучших бойцов — таких, что способны устоять перед конницей. Ты, Парсаль, займись лучниками — и опять-таки отбери лучших в отдельный отряд. Мне понадобятся еще самые быстрые бегуны. И пришлите ко мне Лейка.

Когда братья ушли, Ананаис осторожно снял свою черную маску, налил в миску воды и промыл багровые, воспаленные рубцы. Дверь открылась, и он быстро повернулся спиной к вошедшему. Надев маску, он предложил Лейку стул. Старший сын Райван был красивым парнем, сильным и гибким, с глазами цвета зимнего неба. Двигался он со звериной грацией и держался с уверенностью человека, который знает, что у него есть свой предел, но еще не достиг его.

— Наша армия не внушила тебе доверия? — спросил он.

— Мне внушило доверие ваше мужество.

— Горцы славятся им. — Лейк откинулся назад и положил длинные ноги на стол. — Но ты не ответил на мой вопрос.

— Это не вопрос, поскольку ответ ты уже знаешь. Нет, ваша армия не внушила мне доверия — так ведь и армии никакой нет.

— Сможем ли мы отразить Легион?

Ананаис подумал немного. Другому он мог бы и солгать, но только не Лейку — слишком уж он смышлен.

— Как сказать...

— И тем не менее ты останешься с нами?

— Да.

— Почему?

— Хороший вопрос. Но я не могу на него ответить.

— По-моему, он достаточно прост.

— Ну а ты почему остаешься?

— Это моя земля, мой народ — и моя семья, с которой все и началось.

— С твоей матери?

— Если угодно.

— Она замечательная женщина.

— Это так. Но я хочу знать, почему остаешься ты.

— Потому что это мое ремесло, мальчик. Я офицер «Дракона». Понимаешь, что это значит?

Лейк кивнул.

— И тебя не трогает то, что правда на нашей стороне?

— Трогает, но не слишком. Большинство войн завязывается из-за алчности, но нам повезло — мы боремся за собственную жизнь и за жизнь тех, кого любим.

— И за свою землю, — добавил Лейк.

— Чушь! — гаркнул Ананаис. — Никто не станет драться за грязь и траву. Да и за горы тоже. Эти горы стояли здесь до начала времен и будут стоять, когда мир снова провалится в тартарары.

— Я на это смотрю по-другому.

— Разумеется, ты ведь молод и полон огня, я же стар, как само море. Я был по ту сторону света и заглянул в глаза Змия. Я видел все, молодой Лейк, и не слишком поражен тем, что видел.

— Что ж, по крайней мере мы понимаем друг друга, — усмехнулся Лейк. — Чего же ты хочешь от меня?

— Надо послать людей в город. У нас всего семь тысяч стрел — этого недостаточно. У нас нет доспехов — нужно раздобыть хоть несколько. Выверни весь город наизнанку. Нам требуется овес, мука, вяленое мясо, фрукты. И лошади, хотя бы штук пятьдесят. Если достанешь больше — тем лучше.

— Чем мы за все это расплатимся?

— Пиши расписки.

— Кому нужны расписки от мертвецов?

— Думай головой, Лейк. Они возьмут твои расписки — в противном случае ты заберешь все даром. А любого, кто заартачится, объявят предателем и поступят с ним соответственно.

— Я не собираюсь убивать кого-то за то, что он не позволяет себя грабить.

— Тогда ступай обратно к маменьке и пришли мне человека, который хочет победить! — вспылил Ананаис.

Оружие и провизия начали поступать в лагерь утром третьего дня.

На четвертое утро Галанд, Парсаль и Лейк отобрали двести человек, которым, по замыслу Ананаиса, предстояло принять на себя удар Легиона, а Парсаль собрал около сотни лучших стрелков в особый отряд.

Как только солнце взошло над восточными горами, Ананаис вывел всех на широкий луг за лагерем. Многие, благодаря любезности городского оружейника, обзавелись теперь мечами. На каждого лучника приходилось по два колчана стрел, и даже панцири виднелись кое на ком из пехотинцев. Ананаис, которого сопровождали Парсаль, Лейк и Галанд, влез на телегу и, подбоченясь, оглядел рассевшихся перед ним воинов.

— Обойдемся без пышных речей, ребята. Ночью мы узнали, что Легион уже на подходе. Завтра мы выйдем на позиции, чтобы встретить врага. Они приближаются со стороны нижней восточной долины, которая, как я слышал, зовется у вас Улыбкой Демона.

У них почти двенадцать сотен бойцов, хорошо вооруженных и на хороших конях. Двести лучников, остальные — копейщики и сабельщики. — Ананаис дал людям время усвоить его слова и с удовлетворением отметил отсутствие страха на их лицах. — Я никогда не лгал своим солдатам и сейчас говорю вам: наши виды на победу невелики. Очень невелики! И я хочу, чтобы вы это поняли.

Меня вы знаете понаслышке. Но я прошу вас слушать меня так, будто ваши родные отцы шепчут вам это на ухо. Исход битвы зачастую зависит от одного-единственного человека. И каждый из вас способен склонить весы в сторону победы или поражения.

Таким человеком был Друсс-Легенда. Он обратил битву при Скельнском перевале в одну из величайших побед за всю историю дренаев. А был он простой человек, выходец из Скодии.

В урочный день один из вас, или десяток, или сотня, тоже изменит ход битвы. Довольно одного мгновения паники — или одного героического мига. — Ананаис снова сделал паузу и поднял к небу палец. — Одного-единственного!

И вот сейчас я прошу вас показать первый пример мужества. Если есть среди вас люди, которые опасаются подвести своих друзей в завтрашней битве, — пусть они покинут лагерь до конца этого дня.

Клянусь всем, что мне дорого, — я не посмотрю свысока ни на кого из тех, кто так поступит. Ибо завтра будет жизненно важно, чтобы те, кто решился взглянуть в глаза смерти, не дрогнули.

Чуть позже к нам прибудет воин, которому нет равных на этом свете, — самый искусный военачальник из всех, кого я знаю, и самый непобедимый боец. С ним будут рыцари, обладающие особым даром, —

их распределят среди вас, и их приказам следует повиноваться безоговорочно. Зарубите это себе на носу!

И напоследок я попрошу вас еще кое о чем — для себя. Я был ганом крыла в лучшем на свете полку — в «Драконе». Мои однополчане были моей семьей, моими друзьями, моими братьями. Их предали — они погибли и потеряны для этой страны. Но «Дракон» — не просто полк, это идеал. Мечта, если хотите. Это была армия, призванная сражаться против Тьмы, и каждый из ее бойцов смело отправился бы в ад с ведром воды, веря, что сумеет загасить адское пламя.

Вам не нужны ни блистающие доспехи, ни знамя, чтобы стать «Драконом». Стоит только этого захотеть.

Силы Тьмы идут на нас — мы словно светильник, горящий на буйном ветру. Они думают, мы спрячемся в горах, как овцы. Я же хочу, чтобы они ощутили дыхание «Дракона» на своих шеях и зубы «Дракона» в своих внутренностях! Я хочу, чтобы эти сукины дети в черных латах, гарцующие на красивых конях, сгорели в огне «Дракона»! — Ананаис уже кричал, молотя по воздуху кулаками. Он глубоко вздохнул и сделал широкий взмах рукой, словно обнимая всех собравшихся. — Я хочу, чтобы вы стали «Драконом». Хочу, чтобы вы думали, как «Дракон». И когда враг нападет — я хочу, чтобы вы бились, как «Дракон»!

Способны вы на это? Вот ты — способен? — проревел он, указав на человека в переднем ряду.

— Еще как!

— А ты? — спросил Ананаис воина на несколько рядов позади.

Тот кивнул.

— Вслух! — гаркнул командир.

— Способен! — отозвался боец.

— А знаешь ли ты, как ревет «Дракон»? — Тот покачал головой. — «Дракон» ревет: смерть. Смерть! СМЕРТЬ! А ну-ка, послушаем тебя — тебя одного!

Воин прокашлялся и закричал, покраснев до ушей.

— Поддержите его! — И Ананаис присоединился к общему хору.

— Смерть, смерть, СМЕРТЬ! — прокатилось по лугу до самых гор в белых венцах. С каждым мигом звук набирал силу и уверенность, сплачивая людей.

Ананаис сошел с повозки и подозвал к себе Лейка.

— Теперь полезай туда ты, парень, — и скажи им свою речь на предмет защиты родной земли. Они для нее созрели, клянусь громом!

— Обойдемся без пышных речей, — ухмыльнулся Лейк.

— Полезай, Лейк, и разожги их как следует!

10

Басурман отвел Паризу в гостиницу на южном конце города и дал хозяину три золотых. Тот выпучил глаза при виде богатства, сверкающего в его ладони.

— Я хочу, чтобы эта женщина и ее ребенок имели все самое лучшее, — ласково сказал Басурман. — Я оставлю у друзей еще золота, если этого окажется недостаточно.

— Я буду заботиться о ней, как о родной сестре, — заверил хозяин.

— Вот и хорошо, — с широкой улыбкой нагнулся к нему Басурман. — Позаботься... а иначе я съем твое сердце!

— Незачем угрожать мне, чернокожий. — Крепкий лысеющий трактирщик расправил плечи и выставил вперед здоровенные кулаки. — Я и без чужой указки знаю, как обращаться с женщиной.

— Такое уж теперь время — доверять никому не приходится.

— И то верно. Хочешь выпить со мной?

Они посидели за пивом, пока Париза кормила ребенка в отведенной ей комнате. Хозяина звали Илтер, и он переехал в этот город двадцать три года назад, когда засуха сгубила весь его урожай.

— Ты ведь знаешь, что дал мне куда больше, чем следует? — спросил он.

— Знаю.

Илтер кивнул и допил свое пиво.

— Никогда прежде не видел черных.

— А в моей стране, за темными джунглями и Лунными горами, люди никогда не видели белых, хотя о них ходят легенды.

— Да, в странном мире мы живем.

Басурман уставился в золотистую глубину своего стакана, ощутив вдруг острую тоску по холмистой саванне, алым закатам и кашляющему реву вышедшего на охоту льва.

Ему вспомнилось утро Дня Смерти. Сможет ли он когда-нибудь забыть об этом? Корабли с черными парусами причалили в заливе Белого Золота, и захватчики быстро нашли дорогу в глубину суши, к деревне его отца. Старик кликнул своих воинов, но их было мало, и последних убили перед краалем старого короля.

Грабители пришли в поисках золота, наслушавшись преданий о жителях залива, но старые рудники были давно уже выработаны, и теперь здесь растили другое золото: маис и кукурузу. В ярости разбойники стали пытать женщин, а после изнасиловали их и убили. В тот день расстались с жизнью четыреста душ — и среди них отец и мать Басурмана, три его сестры, младший брат и четыре дочери.

Одному мальчонке удалось убежать в самом начале — он помчался как ветер и разыскал Басурмана, который со своей личной гвардией охотился в Высоких Холмах.

Басурман с шестьюдесятью воинами и длинным копьем на плече понесся босиком через саванну. Когда они добрались до деревни, разбойники уже ушли. Окинув взглядом открывшуюся ему сцену, Басурман прочел по следам, что бандитов было около трехсот — слишком много, чтобы он мог справиться с ними. Он переломил копье о колено, отбросив древко и превратив оставшуюся половину в подобие короткого меча. Прочие воины последовали его примеру.

— Мне нужно много мертвых — и один живой, — сказал он. — Ты, Бопа, приведешь живого ко мне. Остальные — пусть умрут.

— Слушаем и повинуемся, Катаскисана, — вскричали воины, и он повел их через джунгли к заливу.

Словно черные призраки подобрались они к захватчикам, которые со смехом и песнями шли обратно к своим кораблям. Басурман и его шестьдесят воинов обрушились на них словно демоны ада — черные мстители рубили и кололи, а потом снова скрылись в джунглях.

Восемьдесят разбойников погибли и один пропал без вести. Три дня он горько сожалел о том, что не умер сразу.

Басурман увел его в разоренную деревню и испробовал на нем все варварское искусство своего народа, пока то, что прежде было человеком, не отдало свой дух бездне. Тогда Басурман сжег его труп.

Вернувшись в свой дворец, он призвал к себе советников и поведал им о происшедшем.

— Кровь моих родных взывает к отмщению, — сказал он, — но мы живем слишком далеко, чтобы воевать с ними. Эти убийцы пришли из страны, именуемой Дренай, — их послал за золотом тамошний король. Я тоже король и держу в своей руке сердце моего народа — поэтому на войну отправлюсь я один. Я разыщу их короля и убью его. Мой сын Катаси займет мой трон, пока я не вернусь. Если же меня не будет по прошествии трех лет... — Он обернулся к воину около себя. — Ты станешь правителем, Катаси. Я в твоем возрасте уже был королем.

— Позволь мне пойти вместо тебя, отец, — с мольбой сказал юноша.

— Нет. За тобой будущее. И если я не вернусь, пусть моих жен не сжигают. Одно дело — последовать за королем в день его смерти и в том же месте, где он скончался. Но я могу умереть вскоре и не хочу, чтобы мои жены ждали три года лишь для того, чтобы блуждать потом в туманах. Пусть они живут.

— Слушаю и повинуюсь.

— Хорошо! Я рад, что дал тебе хорошее образование, Катаси. В свое время ты возненавидел меня за то, что я послал тебя в Вентрию учиться — так же, как я возненавидел своего отца. Но теперь ты, думаю, поймешь, что эти годы пошли тебе на пользу.

— Да пребудет с твоим клинком всемогущий Шем, — сказал Катаси, обняв отца.

Больше года ушло у Басурмана на то, чтобы добраться до Дреная, и в дороге он истратил больше половины золота, которое взял с собой. Вскоре он осознал всю трудность задачи, которую себе поставил, — но теперь боги, судя по всему, дали ему случай.

Ключ к успеху — Тенака-хан.

Но сперва они должны побить Легион.

Последние сорок часов Тенака-хан провел в Улыбке Демона — он объехал и обошел пешком всю округу, изучил каждый бугорок и каждую ямку, запоминая возможные укрытия и углы атаки.

Теперь он сидел вместе с Райван и ее сыном Лукасом в самой высокой точке долины, глядя на равнину за горами.

— Ну, так что же? — в третий раз спросила Райван. — Придумал ты что-нибудь или нет?

Тенака потер усталые глаза, отложил карту, с которой сверялся, и с улыбкой обернулся к воительнице. Ее объемистый стан скрывался теперь под длинной кольчугой, а темные волосы, заплетенные в косы, — под круглым черным шлемом.

— Надеюсь, ты отказалась от намерения биться вместе со всеми, Райван.

— Не пытайся меня отговорить. Я решила твердо.

— Не спорь ты с ней, — посоветовал Лукас. — Это пустая трата времени.

— Я их в это втравила — и будь я проклята, если пошлю их умирать, а сама останусь в стороне.

— Не обманывай себя, Райван, умереть придется многим. Легкой победы нам не видать: счастье будет, если мы не лишимся двух третей нашего войска.

— Так много? — прошептала она.

— По меньшей мере. Здесь слишком открытое место.

— Может, нам просто поливать их стрелами с высоты, когда они войдут в долину? — предложил Лукас.

— Тогда они оставят здесь половину, чтобы связать нас, а другая половина двинется на город и близлежащие деревни и зальет их кровью.

— Что же ты предлагаешь? — спросила Райван.

Он объяснил ей, и она побледнела. Лукас не сказал ни слова. Тенака свернул пергаментные листы с пометками и чертежами, связав их кожаной тесемкой. Наступило молчание.

— Хоть в тебе и течет надирская кровь, — проговорила наконец Райван, — я доверяю тебе, Тенака. Скажи это другой, я сочла бы его безумцем. Даже и от тебя...

— Иного способа победить не существует. Но я согласен — это сопряжено с опасностью. Я разметил участок, где нужно произвести работы, и начертил карты с пометками для лучников. Но решать тебе, Райван. Командуешь здесь ты.

— Что скажешь, Лукас? — обратилась она к сыну.

— Меня не спрашивай! — замахал он руками. — Я не солдат.

— По-твоему, я солдат? — рявкнула мать. — Выскажи свое мнение.

— Мне это не нравится, но ничего другого я предложить не могу. Тенака верно говорит: прибегнув к способу наскока и отхода, мы откроем им путь в горы. И победы нам таким образом не одержать. Но две трети войска...

Райван встала, кряхтя от ревматической боли в колене, и пошла вниз, к ручью, на дне которого белые голыши мерцали словно жемчуг. Сев на берегу, она извлекла из-под кольчуги сухарь, который разломился натрое под железными звеньями.

Она чувствовала себя полной дурой.

Что она здесь делает? Что она смыслит в войне?

Она вырастила пятерых сыновей, и муж ее был редким мужчиной: сильным, но мягким, словно гусиный пух. Когда солдаты зарезали его, она не колебалась ни мгновения. Но с того момента она жила обманом, наслаждаясь своей новой ролью предводительницы воинов, принимая решения и командуя армией. Все это сплошное надувательство, как и ее заверения в том, что она происходит от Друсса. Она понурила голову и прикусила большой палец, сдерживая слезы.

«Кто ты такая есть, Райван? Толстая, немолодая уже баба в мужской кольчуге».

Завтра, самое позднее послезавтра, из-за нее погибнут четыреста молодых мужчин, и кровь их падет на ее голову. Среди них будут ее оставшиеся в живых сыновья.

Райван погрузила руки в ручей и умыла лицо.

— Ох, Друсс, что мне делать? Что сделал бы ты?

Ответа нет, да и быть не может. Мертвые мертвы, и их золотые тени не взирают с любовью из небесных чертогов на своих потомков. Никто не услышит ее крика о помощи. Разве что ручей с жемчужными камешками на дне, мягкая весенняя травка да пурпурный вереск. Она одинока.

В каком-то смысле она всегда была одинакова. Муж, Ласка, служил ей большим утешением, и она верно любила его — но не той всепоглощающей любовью, о которой мечтала. Он был как скала, как надежная опора, к которой она льнула, когда никто другой не видел. Он обладал большой внутренней силой и не возражал, когда она распоряжалась им на людях и решала — как думали окружающие — все семейные дела. В действительности она всегда спрашивала его мнения, когда они оставались наедине, и очень часто поступала согласно его советам.

Теперь Ласки больше нет, нет и их сына Геддиса, а она сидит тут одна в своей нелепой кольчуге. Райван посмотрела на устье Улыбки Демона, представляя себе, как хлынут туда легионеры в черных плащах, и вспоминая удар, сгубивший Ласку. Он не ожидал ничего подобного и сидел у колодца, беседуя с Геддисом. Их семья вместе с двумя сотнями других скодийцев пришла на ярмарку, где продавали скот. Райван не слышала, что произошло между офицером и ее мужем, — она находилась футах в тридцати от них и рубила мясо для обеда на свежем воздухе. Она видела только, как меч сверкнул, как пронзил клинок тело мужа... И тут же бросилась вперед с мясным ножом в руке.

А теперь Легион возвращается, чтобы отомстить — не ей одной, а всем невинным жителям Скодии. Гнев вспыхнул в ней: они хотят вторгнуться в ее горы и запятнать траву кровью ее сородичей!

Поднявшись на ноги, она медленно взошла обратно к Тенаке-хану. Он сидел неподвижно, как статуя, глядя на нее своими бесстрастными лиловыми глазами, — и вдруг встал. Райван моргнула, пораженная плавностью и быстротой этого движения: только что он сидел — и вот уже на ногах. Грация, с которой он это сделал, вселила в нее уверенность — она и сама не знала почему.

— Ты приняла какое-нибудь решение? — спросил он.

— Да. Мы поступим так, как ты советуешь. Но я буду стоять там, в середине.

— Как скажешь, Райван. Я сам стану в устье долины.

— Разумно ли это? Не слишком ли велика опасность для нашего генерала?

— Ананаис займет место в середине, Декадо на правом фланге. Я, когда вернусь, прикрою левый. Если меня убьют, меня заменит Галанд. Теперь я должен найти Ананаиса — его людям предстоит работать всю ночь.

***

Предводители Тридцати собрались в укромной ложбине на восточном склоне Улыбки Демона. Внизу при ярком лунном свете трудились четыреста человек, сдирая дерн и копая канавы в мягкой черной почве.

Все пятеро сидели тесным кружком, храня молчание. Аквас странствовал, собирая донесения от десяти воинов-монахов, следивших за ходом работ. Он парил высоко в ночном небе, наслаждаясь свободой: здесь не было ни тяжести, ни необходимости дышать, ни плена мышц и костей. Здесь, над землей, его глаза могли смотреть вечно, а уши — слышать сладостную песнь солнечных ветров. Он хмелел, и душа его ширилась, впивая красу Вселенной.

Ему стоило усилия вернуться к своим обязанностям, но Аквас был человеком дисциплинированным. Он мысленно посетил дозорных, державших щит против Храмовников, и почувствовал угрозу за ограждением.

— *Как дела, Овард?* — спросил он.

— *Плохо, Аквас. Их сила все время растет. Долго мы их не удержим.*

— *Храмовники ни в коем случае не должны видеть наших приготовлений.*

— *Мы почти на пределе, Аквас. Еще немного — и они прорвутся. И смерть начнет собирать свою жатву.*

— *Я знаю. Держитесь!*

Аквас полетел за устье долины, где стал лагерем Легион. Там нес караул Астин.

— *Привет тебе, Аквас.*

— *Привет. Что нового?*

— *Как будто ничего — но Храмовники теснят нас, и я больше не могу проникнуть в мысли командира. Однако он уверен в себе и не ждет серьезного сопротивления.*

— *Не пытались ли Храмовники пробиться к тебе?*

— *Пока нет. Щит еще держит. Как дела у Оварда и остальных?*

— *Они на пределе. Не задерживайся здесь, Астин. Мне не хочется потерять тебя.*

— *Аквас,* — позвал Астин, когда он уже собрался улететь.

— *Да?*

— *Те люди, которых мы увели из города...*

— *И что же?*

— *Легионеры перебили их всех. Это было ужасно!*

— *Я боялся, что так и будет.*

— *Ответственны ли мы за их смерть?*

— *Не знаю, друг мой. Боюсь, что да. Будь осторожен.*

Аквас вернулся в свое тело и открыл глаза. Он поделился новостями с остальными и стал ждать решения Декадо.

— Большего мы сделать не можем, — сказал тот. — Часа через три рассветет, и Легион нанесет свой удар. Как вам известно, Тенака требует пятерых наших к себе. Выбор я предоставляю тебе, Аквас. Остальные станут в середине с Ананаисом. Райван тоже будет там — и Ананаис хочет уберечь ее любой ценой.

— Задача не из легких, — заметил Балан.

— Я и не говорю, что это легко. Но постараться нужно. Без нее нам не обойтись — скодийцы сражаются за нее не меньше, чем за свою землю.

— Я понимаю, Декадо, — ровно ответил Балан, — но обещать мы ничего не можем. Местность кругом открытая, мы пешие, и бежать нам некуда.

— Ты недоволен планом Тенаки? — спросил Абаддон.

— Отчего же. Мы все здесь знатоки военного дела, и с тактической стороны его замысел очень хорош, а при умелом осуществлении может оказаться блестящим. Тем не менее наши шансы на успех — тридцать из ста.

— Шестьдесят, — поправил Декадо.

— Неужели? — поднял бровь Балан. — Объясни почему.

— Я признаю, что вы наделены сверхъестественным даром. Признаю я и то, что ты отменный стратег. Но не слишком гордись этим, Балан.

— Почему же? — с легкой насмешкой спросил рыцарь.

— Потому что твоя наука — одно, а жизнь — совсем другое. Если рассматривать эту битву как игру случая, то тридцать из ста — цифра верная. Только это не игра. У нас есть Ананаис, Золотой Воин. Его сила велика, а мастерство еще больше. Но главное — его власть над людьми почти приближается к вашим талантам. Там, где стоит он, выстоят и другие — он удержит их своей волей. Это и делает его вождем. Всякая оценка успеха должна опираться на стойкость бойцов и на их готовность умереть. Их могут одолеть, могут перебить, но они не побегут.

Добавь к этому быстроту мысли Тенаки-хана. Он, как и Ананаис, большой мастер воинского дела, и в стратегии ему равных нет. Время он рассчитывает безукоризненно. Как вождь он уступает Ананаису только из-за своей смешанной крови. Дренаи дважды подумают, прежде чем идти за надиром.

И наконец, Райван. Пока она с ними, ее люди будут драться с удвоенным пылом. Пересмотри свои расчеты, Балан.

— Хорошо, я учту твои замечания и пересмотрю их.

Декадо кивнул и повернулся к Аквасу:

— Далеко ли от нас Храмовники?

— К завтрашней битве они, благодарение Истоку, не поспеют. Их сотня, и они в двух днях езды от нас. Остальные ждут в Дренане, где Шестеро ведут переговоры с Цеской.

— Значит, с ними можно пока погодить, — сказал Декадо. — Пойду отдохну немного.

— Разве ты не соберешь нас в молитве? — впервые заговорил темноглазый Катан.

Декадо ласково улыбнулся, зная, что молодой воин не хотел его уколоть.

— Нет, Катан. Ты ближе к Истоку, чем я, и ты — Душа Тридцати. Проведи молитву сам.

Катан поклонился, и четверо закрыли глаза в молчаливом единении. Декадо освободил разум от мыслей, вслушиваясь в далекий рокот прибоя. Стал слышен голос Катана, и Декадо поплыл к нему. Молитва была короткой и до предела искренней. Декадо был тронут, услышав, как Катан помянул его имя, поручив его милости небесного владыки.

Позже, когда он лежал, глядя на звезды, пришел Абаддон и сел рядом. Декадо тоже сел и расправил плечи.

— Ты думаешь о завтрашнем дне? — спросил настоятель.

— Боюсь, что да.

Старик прислонился к дереву и закрыл глаза. Он выглядел усталым, словно все силы покинули его, и морщины на его лице, прежде тонкие, как паутина, казались теперь высеченными резцом.

— Я причинил тебе зло, Декадо, — прошептал он. — Я втянул тебя в мир, о котором ты без меня не имел бы понятия. Я постоянно молюсь о тебе. Хотел бы я знать наверное, что не ошибся, — но этого мне не дано.

— Я не могу помочь тебе, Абаддон.

— Знаю. Каждый день я смотрел, как ты работаешь на своих грядках, и думал. По правде говоря, скорее это была надежда, чем уверенность. Мы не настоящие Тридцать — никогда не были настоящими. Орден был распущен еще во времена моего отца, но мне казалось — наверное, это была гордыня, — что мир нуждается в нас. Потому-то я обшарил весь континент, разыскивая детей, наделенных Даром, и обучил их, как мог, непрестанно молясь Истоку, чтобы он указал мне путь.

— Наверное, ты был прав, — мягко сказал Декадо.

— Не знаю. Теперь я уже ничего не знаю. Я наблюдал за ними нынче ночью, подключался к их размышлениям. Там, где должен быть покой, царит возбуждение и даже жажда битвы. Это началось, когда ты убил Падакса и они возрадовались твоей победе.

— Чего же ты ждал от них? Им всем нет еще и двадцати пяти. И они никогда не знали нормальной человеческой жизни... не напивались пьяными... не целовали женщин. Все человеческое в них подавлено.

— Вот как ты думаешь? А я льстил себя мыслью, что их человечность только окрепла.

— Для меня это слишком умну, — признался Декадо. — Я не знаю, чего ты ждал от них. Они готовы умереть за тебя — разве этого мало?

— Мало. Ничтожно мало. Эта жалкая война не значит ничего в долгой истории человечества. Тебе никогда не приходило в голову, что эти горы видели подобное уже не раз? Что из того, если завтра, возможно, мы все погибнем? Станет ли земля вращаться медленнее? Или звезды светить не так ярко? Пройдет столетие — и ни одного из тех, кто находится здесь сейчас, не останется в живых. Ну так что же? Много лет назад Друсс-Легенда пал на стенах Дрос-Дельноха ради того, чтобы остановить надирское вторжение. Кому это теперь нужно?

— Это было нужно Друссу. И нужно мне.

— Но почему?

— Потому что я человек, священник. Только и всего. Я не знаю, существует ли Исток, да меня это не очень-то и интересует. Все, что у меня есть, это я и мое самоуважение.

— Есть и еще кое-что. Свет должен восторжествовать. Да, человеку свойственны жадность, похоть, погоня за суетными радостями — но он не был бы человеком без доброты, понимания и любви.

— Стало быть, мы должны возлюбить Легион?

— Да. Возлюбить — и сразиться с ним.

— Это чересчур глубоко для меня, — покачал головой Декадо.

— Я знаю. Но надеюсь, что когда-нибудь ты поймешь. Я до этого не доживу. Но я буду за тебя молиться.

— Ну вот, теперь пошли мрачные речи. Ничего, перед боем такое бывает.

— Это не просто речи, Декадо. Завтра — мой последний день на этой земле. Я знаю. Я видел. Это не страшно... Я надеялся только, что нынче ночью ты убедишь меня, что я был прав — по крайней мере с тобой.

— Что ты хочешь, чтобы я сказал?

— Ты ничего не можешь сказать.

— Значит, я не смогу помочь тебе. Ты знаешь, какую жизнь я вел до встречи с тобой. Я был убийцей и находил в смерти радость. Не хочу показаться слабым, но я никогда этого не хотел — такой уж я от природы. Менять себя у меня не было ни сил, ни охоты. Понимаешь? Но потом я чуть не убил человека, которого любил. И пришел к тебе. Ты дал мне убежище, и я был благодарен за это. Теперь я вернулся туда, где мне и место, — под рукой у меня меч, и враг тоже недалеко. Я не отрицаю существования Истока. Я только не могу понять, какую игру он ведет, позволяя цескам этого мира жить и благоденствовать. Да и понимать не хочу. Пока моя рука сильна, я буду биться со злом, которое воплощает собой Цеска, и если в конце концов Исток скажет: «Декадо, ты не заслужил бессмертия», — я отвечу: «Будь по-твоему» и ни о чем не пожалею. Если ты в самом деле погибнешь завтра, как говоришь, а мы, остальные, останемся живы, я присмотрю за твоими молодыми воинами. Постараюсь удержать их на твоем пути. Думаю, они тебя не подведут. Да и ты тогда окажешься вблизи своего Истока — авось он не откажет подать нам руку помощи.

— Но что, если я ошибался? — спросил настоятель, крепко сжав руку Декадо. — Что, если я воскресил Храм Тридцати лишь под влиянием собственной гордыни?

— Я не знаю, Абаддон. Но ты делал это с верой и не искал никакой корысти. Если ты даже и заблуждался, твой Бог простит тебя. А если не простит, то в него и верить не стоит. Если бы кто-то из твоих монахов провинился, разве ты не простил бы его? Выходит, ты милосерднее своего Бога?

— Не знаю. Я больше уже ни в чем не уверен.

— Как-то раз ты сказал мне, что уверенность и вера — разные вещи. Храни веру, Абаддон.

— Нелегко это, Декадо, в день своей смерти.

— Почему ты пришел с этим ко мне? Я не могу тебе помочь обрести веру. Почему ты не поговоришь с Катаном или с Аквасом?

— Мне казалось, ты поймешь.

— Нет, я не понимаю. Ты всегда был таким уверенным — от тебя веяло гармонией, покоем. В твоих волосах сияли звезды, и слова были полны мудрости. Неужто все это было видимостью? Или сомнение пришло внезапно?

— Однажды я обвинил тебя в том, что в своем саду ты прячешься от жизни. Так вот, я тоже прятался. Легко победить сомнения, когда тебя окружают прочные монастырские стены. У меня были мои книги, мои ученики, и я думал, что совершаю великое дело на благо Света. Но после гибели людей все стало другим. Те пятьдесят человек, что схватили Райван, были напуганы и хотели жить, мы же выгнали их из города на равнину, где их убили. Мы не дали им попрощаться с женами и детьми — просто погнали их, как скот на бойню.

— Теперь я понял, — сказал Декадо. — Ты видишь в нас Белых Храмовников, борцов со Злом, что идут на битву в серебряной броне и белых плащах, под радостные клики народа. Так вот, Абаддон, — это дело несбыточное. Зло живет в грязной яме, и чтобы сразиться с ним, нужно вываляться в грязи. На белых плащах грязь виднее, чем на черных, и серебро от нее тускнеет. Теперь оставь меня и обратись к своему Богу — Он даст тебе лучший ответ.

— Ты помолишься за меня, Декадо?

— С какой стати Исток будет слушать меня, если тебя не слушает? Молись за себя сам!

— Пожалуйста! Сделай это для меня.

— Хорошо. Но теперь ступай и отдохни.

Старик ушел в темноту. Декадо снова лег и стал смотреть в светлеющее небо.

11

Солнце взошло в кровавом зареве. Тенака-хан стоял на взгорье близ выхода на равнину. С ним была сотня воинов, вооруженных луками, мечами и топорами. Лишь у тридцати из них были щиты, и Тенака поставил их на открытом месте у входа в долину. По обе стороны маленького отряда высились горы, позади Улыбка Демона расширялась, переходя в поросшие лесом холмы.

Бойцы теряли спокойствие, а Тенака не находил слов, чтобы приободрить их — они же сторонились надирского воина и бросали на него подозрительные взгляды. Они согласились сражаться под его началом только потому, что Райван попросила их об этом.

Тенака заслонил рукой глаза и увидел, что Легион приходит в движение. Он уже различал блистающие на солнце наконечники копий и отполированные панцири.

После «Дракона» Легион считался лучшей боевой единицей Дреная. Тенака вынул меч и попробовал лезвие на большом пальце. Потом взял брусок и наточил клинок еще раз.

— Удачи, генерал! — сказал, подойдя, Галанд.

Тенака усмехнулся в ответ и обвел взглядом свое воинство. Люди ждали с суровыми, решительными лицами — видно было, что уж эти-то не дрогнут. Вот уже многие столетия такие, как они, отстаивали Дренайскую империю, давая отпор величайшим армиям мира: ордам Ульрика, Бессмертным короля Горбена и свирепым вагрийским всадникам во времена Хаоса.

Теперь они снова столкнулись с непосильной задачей.

Грохот копыт по сухой равнине докатился до гор и ударил в уши, подобно барабанам судьбы. Слева от воинов со щитами сын Райван, Лукас, наложил на лук стрелу, сглотнул и вытер рукавом лоб. Не странно ли — с лица так и льет, а во рту сухо. Он оглянулся на надирского генерала — тот стоял спокойно, с мечом в руке, устремив лиловые глаза на приближающихся всадников, и на лбу у него не было ни капли пота.

«Вот ублюдок, — подумал Лукас. — Ничего человеческого в нем нет!»

Всадники доскакали до склона перед входом в Улыбку, и их кони немного замедлили бег.

Одинокая стрела вылетела им навстречу и упала шагах в тридцати от строя.

— Без приказа не стрелять! — проревел Галанд, бросив взгляд на невозмутимого Тенаку.

Всадники продвигались вперед с копьями наперевес.

— Огонь? — спросил Галанд, когда передовые легионеры проехали мимо первой стрелы. Тенака покачал головой. — Вперед смотреть! — крикнул Галанд, видя, что лучники беспокойно поворачивают головы в ожидании команды.

Легионеры ехали строем в двадцать пять рядов по пятидесяти человек. На взгляд Тенаки, расстояние между рядами составляло шесть лошадиных корпусов. Атака велась по всем правилам.

— Огонь, — сказал он.

— Огонь! Задайте им жару! — вскричал Галанд, и сотня стрел сверкнула на солнце. Залп обрушился на лошадей первой шеренги. Кони с визгом вставали на дыбы и падали, сбрасывая всадников на камни. Второй ряд заколебался, но расстояние было велико, и легионеры направили коней так, чтобы не топтать упавших. Лучники дали второй залп, убивая и калеча лошадей второй шеренги. Ошеломленные всадники поднимались на ноги, и тогда в их беззащитные тела вонзались новые стрелы. Но атака продолжалась. Вот уже легионеры почти вплотную приблизились к заслону.

Лукас встал с колен — у него осталась одна последняя стрела. Всадник с копьем прорвал строй, и Лукас выстрелил в него не целясь. Стрела отскочила от конского черепа, лошадь от боли взвилась на дыбы, но всадник удержался в седле. Лукас бросил лук и кинулся вперед с охотничьим ножом в руке. Он вскочил на коня и ударил наездника в грудь — враг перегнулся вправо, и конь под грузом двух человеческих тел свалился наземь. Лукас оказался сверху; падая, он всей тяжестью навалился на нож и всадил его по самую рукоять. Враг застонал и умер. Лукас попытался вытащить нож, но не смог. Тогда он обнажил меч и бросился к другому легионеру.

Тенака, увернувшись от колющего удара, прыгнул на всадника и стащил его с седла. Ответный удар в горло — и легионер захлебнулся собственной кровью.

Тенака вскочил в седло. Лучники отошли дальше в долину и поливали стрелами легионеров, одолевавших подъем. В устье сгрудились кони и люди. Царил полный хаос. Там и сям всадники прорывали оборону, и скодийские воины рубили их снизу мечами и топорами.

— Галанд! — крикнул Тенака.

Чернобородый боец, сражавшийся рядом с братом, прикончил своего противника и обернулся на зов. Тенака указал ему на столпотворение в горле долины, и Галанд взмахнул мечом.

— Ко мне, Скодия! Ко мне! — заорал он.

Братья и еще двадцать воинов ударили на мятущихся конников. Под напором атакующего клина легионеры бросали копья и хватались за мечи. Тенака, пришпорив коня, бросился в атаку.

Несколько кровавых минут длилась схватка — потом с равнины прозвучал горн, и Легион отступил, оставив на поле боя груду тел.

Галанд с неглубокой раной на голове подбежал к Тенаке.

— Сейчас они опять пойдут в атаку — и нам их не сдержать.

Тенака молча убрал меч в ножны. Людей у него поубавилось почти наполовину.

Подбежал Лукас.

— Давайте унесем раненых в долину, — с мольбой сказал он.

— Нет времени! — сказал Тенака. — Станьте по местам — но будьте готовы отойти по моему приказу. — Послав лошадь вперед, он въехал на пригорок. Внизу, у склона, легионеры перестраивали ряды.

Позади него скодийские лучники лихорадочно собирали стрелы, вытаскивая их из мертвых тел. Тенака поднял руку, давая им знак выйти вперед, и они повиновались без промедления.

Снова прозвучал горн, и всадники в черных плащах устремились в атаку. Копий на сей раз не было — в руках у них сверкали яркие клинки. Снова грохот копыт эхом отразился в горах.

Когда они приблизились на тридцать шагов, Тенака вскинул руку.

— Огонь! — прогремел он, и стрелы вонзились в цель.

— Назад! — прозвучал новый приказ.

Скодийцы повернулись и бросились бежать под прикрытие лесистых холмов.

По оценке Тенаки Легион потерял около трехсот воинов и еще больше лошадей. Тенака галопом поскакал вслед за бегущими скодийцами. Впереди Галанд и Парсаль тащили за собой раненого Лукаса.

Парень хотел достать стрелу из тела всадника, но тот был еще жив и рассек Лукасу левую ногу.

— Давайте его сюда! — крикнул Тенака, нагнав их.

Он перекинул Лукаса через седло и оглянулся. Легион одолел подъем и бросился в погоню. Галанд и Парсаль припустили во весь опор в сторону севера.

Тенака направил коня на северо-запад, и легионеры устремились за ним.

Впереди был первый холм, за которым ждал Ананаис с остальным войском. Тенака погонял коня, но с двойной ношей быстро не поскачешь. Он опережал преследователей не более чем на пятнадцать корпусов. До Ананаиса с четырьмя сотнями бойцов осталось совсем недалеко. Вот и вершина холма. Ананаис, выйдя вперед, знаком направил Тенаку влево. Он натянул поводья и быстро пробрался через препятствия, устройством которых руководил сам всю прошлую ночь.

Позади него сотня легионеров тоже натянула поводья, ожидая приказа. Тенака помог Лукасу слезть и спешился сам.

— Ну, как дела? — спросил Ананаис.

Тенака поднял три пальца:

— Жаль, что не пять. Они двигались по всем правилам, Ани, ряд за рядом.

— Надо отдать им должное — дисциплина у них всегда была на высоте. Однако день еще не окончен.

Райван протолкалась к ним.

— Много ли мы потеряли?

— В бою около сорока человек — но многих еще догонят в лесу.

Подошли Декадо и Аквас.

— Генерал, — сказал Аквас, — командир Легиона оценил нашу позицию и созывает людей для лобовой атаки.

— Спасибо. На это мы и надеялись.

— Скорее бы, — пробормотал Аквас, почесывая светлую бороду. — Храмовники прорвали наш заслон и скоро узнают о принятых нами мерах — а узнав, передадут командиру.

— Если это случится, нам конец, — буркнул Ананаис.

— Можете ли вы, вложив в это всю вашу силу, отгородить от них командира? — спросил Тенака.

— Можем, — бесстрастно ответил Аквас, — но это сопряжено с большой опасностью для наших братьев.

— Мы все тут тоже не в игрушки играем, — огрызнулся Ананаис.

— Будет сделано, — кивнул Декадо. — Займись этим, Аквас.

Аквас закрыл глаза.

— Давай же, парень, — повторил Ананаис.

— Он уже приступил, — прошептал Декадо. — Не трогай его.

Горны Легиона пронзительно затрубили, и через несколько мгновений всадники в черных плащах показались у противоположного холма.

— Ступай обратно в середину, — сказал Ананаис Райван.

— Не обращайся со мной, как с молочницей!

— Я обращаюсь с тобой, как с нашим вождем, женщина! Если ты погибнешь при первой атаке, битва будет проиграна.

Райван отошла, и скодийцы наставили свои луки.

Одинокий горн протрубил атаку, и всадники помчались вниз с невысокого склона. Страх прошел по рядам защитников. Ананаис кожей почувствовал его и крикнул:

— Спокойно, ребята!

Тенака вытянул шею, чтобы рассмотреть легионеров: они шли по сто в ряд, и расстояние между шеренгами не превышало одного корпуса. Он тихо выругался. Первая шеренга достигла подножия холма и двинулась навстречу повстанцам уже медленнее из-за возрастающей крутизны. Вторая шеренга вследствие этого придвинулась к ней еще ближе. Тенака улыбнулся. В тридцати шагах от защитников первая шеренга ступила на мягкий дерн, прикрывавший тонкие ветки над вырытыми вчера траншеями. Легионеры рухнули вниз, точно подсеченные топором невидимого великана. Бьющиеся в ужасе кони второй шеренги, подошедшей слишком близко, последовали за первой.

— Вперед! — завопил Ананаис, и триста скодийских воинов бросились в атаку, рубя направо и налево. Оставшаяся сотня стреляла через головы товарищей по задним рядам легионеров — они придерживали лошадей и теперь представляли собой превосходные мишени. Командир Легиона Кареспа ругался с вершины холма на чем свет стоит. Перегнувшись в седле, он приказал горнисту трубить отбой. Пронзительные звуки понеслись над полем битвы, и Легион отступил. Кареспа махнул рукой влево, и кавалеристы, развернув коней, приготовились к атаке с фланга. Ананаис увел своих бойцов на вершину холма.

Легион снова пошел на приступ — но кони запутались в силках, разбросанных в высокой траве. Кареспа снова скомандовал отбой. Поставленный в тупик, он приказал своим людям сойти с коней и атаковать пешими. Лучники шли позади. Легионеры двигались медленно — их охватил страх. Щитов у них не было, и они были уязвимы для стрел.

На расстоянии, чуть превышающем дальность полета стрелы, передняя шеренга остановилась, готовясь к решающему броску. В это время за спинами словно из-под земли возник Лейк со своей полусотней — скодийцы сбрасывали с себя одеяла с нашитой на них травой и вылезали из канав, укрытых за гранитными валунами. Кареспа заморгал, не веря своим глазам.

Лейк быстро натянул тетиву, и все стрелки последовали его примеру. Их целью были вражеские лучники. Пятьдесят стрел взвились в воздух, за ними еще пятьдесят. Началось что-то невообразимое. Ананаис бросил свои четыре сотни в атаку, и Легион дрогнул. Кареспа повернулся, чтобы приказать горнисту трубить отбой, и замер в изумлении. Чернобородый воин, стащив с седла трубача, стоял, ухмыляясь, около Кареспы с кинжалом в руке. Рядом с такими же зловещими ухмылками на лицах стояли другие повстанцы.

Галанд поднес трубу к губам и протрубил печальный сигнал «Сдавайся». Трижды прозвучала труба, пока последние легионеры не сложили оружия.

— Все кончено, генерал, — сказал Галанд. — Сойдите-ка с коня.

— Будь я проклят, если сойду! — рявкнул Кареспа.

— Тогда вы умрете, — пообещал Галанд.

Кареспа спешился.

В распадке сидели на траве шестьсот легионеров, а скодийцы обходили их, собирая оружие и панцири.

Декадо вложил меч в ножны и подошел к Аквасу, преклонившему колени перед лежащим на земле Абаддоном. На теле настоятеля не было ни царапины.

— Что случилось? — спросил Декадо.

— Он был сильнее всех нас — и мыслью, и даром. Он вызвался ограждать Кареспу от Храмовников.

— Он знал, что умрет сегодня!

— Он не умрет сегодня! — гневно бросил Аквас. — Не говорил ли я, что опасность слишком велика?

— Ну так что ж — Абаддон погиб, как погибли сегодня многие.

— Это не смерть, Декадо. Да, тело его мертво, но Храмовники забрали его душу.

***

Муха сидел на высокой стене висячего сада и смотрел на далекие горы — не покажется ли там победоносный Легион. Он испытал облегчение, когда Тенака попросил его остаться в городе, но теперь ему было не по себе. Конечно, он не воин, и в бою от него мало толку. Зато он по крайней мере знал бы, чем кончилось сражение.

Темные тучи собрались над садом, заслонив солнце. Муха запахнулся в свой синий плащ, слез со стены и стал прогуливаться по цветнику. Старый сенатор велел разбить этот сад около шестидесяти лет назад — его слуги втащили на башню не меньше трех тонн плодородной земли. Теперь здесь произрастали самые разные деревья, цветы и кустарники. Лавр и бузина соседствовали с падубом и вязом, а вдоль серых стен цвели белым и розовым вишни. Дорожка причудливо вилась между клумбами. Муха шел по ней, вдыхая ароматы сада.

Рения, поднявшись по винтовой лестнице, вышла в сад как раз в тот миг, когда солнце показалось из-за туч. Муха стоял один, его темные волосы были перехвачены черным кожаным обручем. Красивый мужчина, подумала она... и одинокий. Меча при нем не было, и он разглядывал желтый цветок на краю каменной горки.

— Доброе утро, — сказала она, и он поднял глаза.

На Рении была светло-зеленая туника, шелковый шарф цвета ржавчины покрывал волосы. Ни чулок, ни сандалий она не надела.

— Доброе утро. Хорошо ли тебе спалось?

— Нет. А тебе?

— Боюсь, что нет. Когда мы узнаем, как ты думаешь?

— Скоро, — пожала плечами Рения.

Он кивнул, и они, пройдя вместе по саду, остановились у стены, выходящей на юг, к Улыбке Демона.

— Почему ты не пошел с ними? — спросила она.

— Тенака попросил меня остаться.

— Зачем?

— Он дал мне одно задание и не желает, чтобы я умер, не выполнив его — или хотя бы не попытавшись.

— Значит, это задание опасное?

— Почему ты так полагаешь?

— Ты сказал «не попытавшись», словно сомневаешься в успехе.

— Сомневаюсь? — невесело засмеялся он. — Я не сомневаюсь — я точно знаю. Но это не важно. Никому не дано жить вечно. Впрочем, до этого, может, еще и не дойдет — сначала они должны разбить Легион.

— Они разобьют его. — Рения села на каменную скамью, поджав длинные ноги.

— Почему ты так уверена?

— Не такие они люди, чтобы позволить побить себя. Тенака найдет путь к победе. И если он попросил тебя помочь ему, значит, уверен, что это возможно.

— С какой простотой судят женщины о мире мужчин.

— Ничего подобного. Это мужчины усложняют самые простые вещи.

— Ответ смертоносный. Я сражен!

— Тебя так легко победить, Муха?

— Да, Рения, легко. — Он сел рядом с ней. — Ведь я не слишком стремлюсь к победе. Выжить бы — вот главное. Я всю жизнь спасаюсь бегством. В детстве меня окружали наемные убийцы. Вся моя семья погибла от их рук. Теперь я понимаю, что за этим стоял Цеска, но тогда он притворялся другом моего деда и моим. Долгие годы мои комнаты охраняли, пока я спал, мою пищу пробовали, мои игрушки осматривали на предмет потайных отравленных игл. Вряд ли такое детство можно назвать счастливым.

— Но теперь ты вырос и стал мужчиной.

— Как сказать. Я легко поддаюсь страху. Одно меня утешает: будь я смелее, я бы уже расстался с жизнью.

— Или одержал победу.

— Да — возможно. Но когда Оррина, моего деда, убили, я бежал. Отказался от своего княжеского титула и скрылся. Белдер, последний мой вассал, последовал за мной. Я стал для него горьким разочарованием.

— Как же тебе удалось выжить?

— Я сделался вором, — ухмыльнулся он. — Отсюда и прозвище. Я забираюсь в чужие дома и ворую ценные вещи. Говорят, будто Бронзовый

Князь начинал так же, стало быть, я только продолжаю семейную традицию.

— Такое занятие требует храбрости. Тебя могли поймать и повесить.

— Ты не видела, как я бегаю, — меня и ветер не догонит.

Рения, улыбнувшись, встала, взглянула поверх стены на юг и снова села.

— Чего хочет от тебя Тенака?

— Ничего особенного. Всего-то и нужно, что сызнова сделаться князем, подчинить себе Дрос-Дельнох с десятью тысячами солдат, открыть ворота и пропустить надирскую армию. Сущие пустяки!

— Нет, серьезно, чего он от тебя хочет?

— Я тебе только что сказал.

— Я тебе не верю. Это безумие!

— И тем не менее...

— Это невозможно.

— Правда твоя, Рения, правда твоя. Однако этот план по-своему забавен. Подумать только: потомок Бронзового Князя, отстоявшего крепость против Ульрика, теперь должен взять крепость и открыть ворота потомку Ульрика вместе с его войском.

— Но где он возьмет это войско? Надиры ненавидят его не меньше, чем дренаи.

— Это так — но он Тенака-хан, — сухо ответил Муха.

— И что же — возьмешь ты эту крепость?

— Кто знает? Я, пожалуй, явлюсь прямо в замок, назову себя и предложу всем сдаться.

— Хороший план — простой и незамысловатый, — невозмутимо заметила она.

— Как и все хорошие планы. Скажи мне теперь, как ты в это во все ввязалась?

— Такое уж мое счастье. — Она встала. — Проклятие! Почему их не видно?

— Как ты верно сказала, скоро мы это узнаем. Не хочешь ли позавтракать со мной?

— Нет. Там на кухне Валтайя — она приготовит тебе что-нибудь.

Чувствуя, что она хочет побыть одна, Муха спустился по лестнице и пошел на восхитительный запах жареной ветчины.

Разминувшись с Валтайей, которая поднималась навстречу, он дошел до кухни, где Белдер расправлялся с целой горой ветчины, яиц и бобов.

— Человеку твоего возраста следовало бы давно уже насытиться, — заметил Муха, садясь напротив.

— Что нам следовало бы, так это пойти с ними, — проворчал Белдер.

— Тенака сам просил меня остаться.

— Не понимаю почему, — с издевкой буркнул Белдер. — Мы были бы там очень полезны.

Терпение Мухи лопнуло.

— Я молчал, сколько мог, Белдер, но теперь скажу, что сыт тобой по горло. Либо держи язык за зубами, либо убирайся куда хочешь!

— И убрался бы, с большим удовольствием, — вспыхнул старый воин.

— Ну так ступай! И хватит читать мне морали. Ты много лет твердишь мне, что я сбился с пути, что я трус и неудачник. Но не из преданности остаешься около меня — а потому, что ты и сам беглец. Со мной тебе проще прятаться. Да, Тенака попросил меня остаться, но тебя-то он не просил — мог бы и пойти с ним.

Муха вскочил и вышел вон. Старик, опершись на локти, отодвинул от себя тарелку.

— Именно что из преданности, — прошептал он.

После боя Тенака один ушел в горы — с тяжелым сердцем и в глубокой меланхолии.

Райван хотела было пойти за ним, но Ананаис удержал ее.

— У него уж так заведено. Оставь его, пусть идет.

Райван пожала плечами и вернулась к раненым. Из копий и плащей Легиона сооружали носилки. Тридцать, сняв доспехи, ходили между страждущими и своим изумительным даром облегчали боль тем, кому зашивали раны.

Убитых складывали на поле бок о бок, легионеров рядом со скодийцами. Шестьсот одиннадцать кавалеристов погибли в этот день, и двести сорок шесть скодийцев упокоились вместе с ними.

Райван брела вдоль рядов убитых, припоминая имена своих воинов и молясь за каждого. Почти у всех были свои поля и хижины, жены и дети, сестры, матери. Райван знала их всех. Она позвала к себе Лейка и велела составить углем на бумаге список павших.

Ананаис, смыв кровь с одежды, занялся генералом Кареспой. Тот был не в духе и не желал разговаривать.

— Мне придется убить тебя, Кареспа, — с сожалением сказал Ананаис.

— Я понимаю.

— Хорошо! Может, поешь со мной?

— Нет уж, спасибо. У меня пропал аппетит.

Ананаис понимающе кивнул.

— Предпочитаешь какой-нибудь определенный способ?

— Какая разница? — пожал плечами Кареспа.

— Тогда меч. Может, хочешь сделать это сам?

— Иди к дьяволу!

— Тогда это сделаю я. Даю тебе время до рассвета — приготовься.

— Не хочу я ждать до рассвета. Убей меня сейчас, пока я в настроении.

— Ладно, — сказал Ананаис, и боль, жгучая, как адское пламя, опалила спину Кареспы. Он хотел обернуться, но тьма заволокла его ум. Галанд выдернул меч и вытер его о плащ генерала, а после сел рядом с Ананаисом.

— Стыд и срам, — сказал он.

— Нельзя было отпускать его после всего, что он сделал.

— Пожалуй. Боги, генерал, мы все-таки победили! Даже не верится, правда?

— Раз уж за дело взялся Тенака...

— Брось — ведь всякое могло случиться. Они могли бы не ходить в атаку конным строем, а спешиться и послать вперед лучников.

— Могли бы, да не сделали. Они действовали согласно уставу. В кавалерийском уставе сказано, что конница при встрече с нерегулярной пехотой должна идти в атаку. Легион славится своей дисциплиной. Хочешь, чтобы я назвал тебе главу и параграф?

— Нет надобности. Ты это, поди, сам и написал.

— Нет, не я. Последние изменения ввел Тенака-хан восемнадцать лет назад.

— И все-таки...

— В чем дело, Галанд? Ведь он оказался прав.

— Но не мог же он знать, где встанет Кареспа со своим трубачом, — однако же послал нас с Парсалем на тот самый холм.

— А откуда еще мог Кареспа следить за битвой?

— Он мог бы пойти в бой вместе со своими людьми.

— А решал бы за него кто — трубач?

— Тебя послушать, так все очень просто, но битвы просто так не выигрываются. Стратегия — это одно, а отвага и мастерство — другое.

— Я и не отрицаю. Легионеры дрались не в полную силу. Среди них много хороших ребят, которым, полагаю, их задача не доставляла удовольствия. Но теперь это позади. Я предложу легионерам присоединиться к нам.

— А если они откажутся?

— Я их отпущу — но на выходе из долины их будешь ждать ты с сотней лучников. Живым не должен уйти никто.

— Жестокий ты человек, генерал.

— Я намерен подольше пожить на этом свете, Галанд.

Бородач тяжело поднялся на ноги.

— Надеюсь, это тебе удастся, генерал. Надеюсь также, что Тенака-хан сотворит еще одно чудо, когда придут полулюды.

— Это будет завтра. Порадуемся сегодняшнему дню.

12

Тенака нашел укромное место высоко в горах у водопада — воздух здесь был прохладен и чист, а на склонах еще лежал пятнами снег. Он медленно и старательно разложил между камней костер и сел, глядя на пламя. Он не испытывал радости от победы — кровь убитых смыла все его чувства. Немного погодя он встал и подошел к ручью, вспоминая слова Аста-хана, старого шамана племени Волчьей Головы:

«Все в мире создано для человека — но с двоякой целью. Вода создана для того, чтобы мы ее пили, — но она же служит символом бренности человека. Воды отражают нашу жизнь. Они рождаются в чистоте гор и бегут, лепеча, словно малые дети, вырастая постепенно в сильные юные реки. Они ширятся, начинают течь медленнее и наконец петляющей старческой походкой входят в море. И там, словно души людей в Запредельной Бездне, они сливаются, пока солнце вновь не поднимет их ввысь и они не прольются дождем на горы».

Тенака окунул руку в струящуюся воду. Он чувствовал себя выбитым из колеи, оторванным от времени. Маленькая бурая птичка вскочила на камень поблизости от него — она искала пропитания и не замечала Тенаку. Внезапно она нырнула в поток, и Тенака подался вперед, завороженный зрелищем того, как она трепещет крылышками под водой. Птичка вынырнула, скакнула на камень, отряхнула перышки и нырнула опять. Тенака глядел на нее, и ему становилось легче. Он понаблюдал за птичкой еще немного, потом лег на траву и стал смотреть, как собираются в голубом небе облака.

Высоко над ним, расправив крылья, парил орел, обманно неподвижный в потоках теплого воздуха.

Поблизости вспорхнула куропатка — с ее перьев, уже по-весеннему пестрых, еще не сошла белизна, и это служило ей отличной защитой, поскольку в горах еще лежал снег. Мысли Тенаки обратились к этой птице. Зимой она вся белая и неотличима от снега, весной пестреет, частично сохраняя белое оперение, а летом ее окраска делается грифельно-серой с бурым под стать камням, в которых она прячется. Кроме перьев, ей нечем защититься.

Куропатка взмыла в воздух, и орел камнем обрушился на нее. Но он был против солнца, и тень его упала на куропатку — она свернула в сторону, чудом избежав грозных когтей, и снова упорхнула в кусты.

Орел с видом оскорбленного достоинства уселся на дереве неподалеку. Тенака откинулся на спину и закрыл глаза.

Новая битва не за горами, и дважды одна и та же стратегия не сработает. Они выиграли передышку — но это все. Цеска выслал Легион искоренить горстку мятежников — знай командиры, что здесь находится Тенака-хан, они прибегли бы к иной тактике. Теперь они это узнают... и Цеска двинет против Тенаки всю свою мощь.

В каком числе нагрянет враг на этот раз?

В Легионе осталось еще четыре тысячи человек. Солдаты регулярной армии — это еще десять тысяч. Дренайские Уланы — этих, по последним сведениям, две тысячи. Но страшнее их всех, вместе взятых, полулюды. Сколько Цеска успел их понаделать? Пять тысяч? Десять?

И как их расценивать против обычных людей? Одного полулюда за пятерых? Даже в этом случае они стоят двадцати пяти тысяч солдат.

На первый раз Цеска недооценил скодийское восстание — дважды он своей ошибки не повторит.

Усталость легла на Тенаку словно саван. Его первый план был так прост: убить Цеску и умереть. Теперь сложные перипетии нового замысла клубились в голове, как туман.

Столько смертей — и сколько их будет еще?

Он подбросил дров в костер и лег рядом, завернувшись в плащ. Он думал об Иллэ и своем вентрийском доме. Как хорошо ему там жилось.

Потом перед ним возникло лицо Рении, и он улыбнулся. Всю жизнь он был везучим. Грустным, одиноким, но везучим. Удача подарила ему любящую мать Шиллат, поставила рядом с ним такого человека, как Ананаис. Он служил в «Драконе». Он любил Иллэ. Он нашел Рению.

Все эти дары судьбы — более чем щедрая награда за одиночество и боль изгоя. Тенаку охватила дрожь. Он подбросил еще топлива и лег, ожидая тошноты, которая, как он знал, последует за этим. В голову вступила боль, и яркие огни заплясали перед глазами. Он глубоко дышал, успокаивая себя перед приступом. Боль нарастала, терзая мозг огненными пальцами.

Тенака мучился четыре часа и под конец чуть не дал волю слезам. Потом его отпустило, и он уснул...

Он очутился в темном коридоре, холодном и идущем под уклон. Под ногами валялись крысиные скелеты. Он переступил через них — скелеты ожили, забренчали костями и убежали во тьму. Тенака потряс головой, стараясь вспомнить, что это за место. Впереди висел в цепях разложившийся труп.

— Помоги мне! — сказал мертвец.

— Ты мертв, я не могу тебе помочь.

— Почему ты отказываешь мне в помощи?

— Ты мертвый.

— Мы все мертвы — и никто нам не поможет.

Тенака двинулся дальше в поисках двери, спускаясь все глубже вниз.

Коридор расширился и превратился в зал с темными колоннами, уходящими в пустоту. Из мрака показались тени с черными мечами в руках.

— Теперь ты наш, Факелоносец, — раздался чей-то голос.

Тени не носили доспехов, и лицо их вожака было Тенаке знакомо. Тенака попытался вспомнить его имя, но не смог.

— Падакс, — сказал тот. — Даже здесь я способен читать твои полные страха мысли. Падакс, умерший от меча Декадо. Но разве я мертв? Нет! Но ты, Факелоносец, ты умрешь, ибо проник во владения Духа. Где твои храмовники? Где твои подлые Тридцать?

— Это сон, — сказал Тенака. — Ты ничем не можешь повредить мне.

— Ты так полагаешь? — Огненный разряд сорвался с его меча, опалив Тенаке плечо. Он отскочил назад, охваченный страхом. Падакс разразился пронзительным смехом. — Ну а теперь что скажешь?

Тенака вынул из ножен меч.

— Иди сюда. Сейчас ты умрешь во второй раз.

Черные Храмовники двинулись вперед, став около него полукругом. Внезапно Тенака почувствовал, что он не один. Сперва он подумал, что это Тридцать пришли ему на подмогу, как в прежнем сне, — но потом взглянул налево и увидел крепкого, широкоплечего надирского воина в козьем полушубке. Следом подошли другие надиры.

Храмовники заколебались, и надир рядом с Тенакой поднял меч.

— Гоните прочь эти тени, — велел он своим воинам.

Сотня пустоглазых кочевников ринулась вперед, и Храмовники обратились в бегство.

Надир обратил к Тенаке свое широкое плоское лицо с пронзительными лиловыми глазами. Тенака ощутил идущую от него силу и власть, которую не встречал еще ни в ком из живых, — и узнал этого человека. И тогда он упал на колени и склонился до земли.

— Так ты узнал меня, кровь от крови моей?

— Да, я узнал тебя, мой хан. Ты Ульрик. Предводитель Орд.

— Я наблюдал за тобой, мальчик. Следил, как ты растешь, — ведь мой старый шаман Носта-хан по-прежнему со мной. Ты не разочаровал меня... но ведь и кровь в тебе отменная.

— Не все так думают.

— Мир полон глупцов, — бросил Ульрик. — Я сражался против Бронзового Князя — он был славный воин и редкостный человек. Его одолевали сомнения, но он победил их. Он боролся со мной на стенах Дрос-Дельноха, располагая лишь жалкой горсткой людей, и я полюбил его за это. Он был боец и мечтатель — это большая редкость среди людей.

— Значит, ты встречался с ним?

— У них был еще воин — старый Друсс. Мы называли его Побратимом Смерти. Когда он пал, я велел отнести его тело в свой стан, и мы возложили его на погребальный костер. Врага — понимаешь ты это? Мы были накануне победы. И в ту же ночь Бронзовый Князь, мой злейший враг, явился в мой лагерь со своими военачальниками на погребальный пир.

— Безумный шаг! — сказал Тенака. — Ты мог бы захватить и его, и всю крепость.

— А ты бы взял его в плен, Тенака?

Тенака поразмыслил и сказал:

— Нет.

— Вот и я не взял. Поэтому не беспокойся за своих предков. Пусть глупцы скалят зубы — на то они и глупцы.

— Я не умер? — спросил Тенака.

— Нет.

— Тогда как я оказался здесь?

— Ты спишь. Эти гнусные Храмовники затащили сюда твой дух, но я помогу тебе вернуться.

— Что это за место и почему ты здесь?

— Сердце отказало мне во время войны с Вентрией, и я попал сюда. Это Пустота между мирами Истока и Темного Духа. Ни тот, ни другой не потребовал меня к себе, вот я и существую здесь вместе с моими сторонниками. Я всегда поклонялся только своему мечу и своему разуму — теперь я за это расплачиваюсь. Но я терплю — ведь я мужчина.

— Больше того — ты легенда.

— Легендой стать нетрудно, Тенака, — трудно жить с этим.

— Можешь ли ты предсказывать будущее?

— Отчасти.

— Добьюсь ли я... добьемся ли мы с друзьями успеха?

— Не спрашивай меня. Как бы я того ни желал, я не могу изменить твою судьбу. Это твой путь, Тенака, и ты должен пройти его до конца как мужчина. Для этого ты и рожден.

— Я понял тебя, повелитель. Мне не следовало спрашивать об этом.

— Спрос не беда, — улыбнулся Ульрик. — Теперь закрой глаза — тебе пора вернуться в мир живых.

Тенака проснулся. Была ночь, но его костер пылал все так же жарко, а сам он был укрыт одеялом. Тенака со стоном повернулся на бок и приподнялся на локте. По ту сторону костра сидел Ананаис в блестящей при свете пламени маске.

— Как ты себя чувствуешь? — спросил гигант.

— Хорошо. Отдых — как раз то, в чем я нуждался.

— Боль прошла?

— Да. Принес ты какой-нибудь еды?

— Конечно. И напугал же ты меня недавно. Побелел как смерть, и пульс почти не бился.

— Теперь все хорошо.

Тенака сел, и Ананаис бросил ему полотняный мешочек с вяленым мясом и сушеными фруктами. Они молча поели. Водопад сверкал при луне словно алмазы на черном бархате. Наконец Ананаис сказал:

— Четыреста легионеров согласились примкнуть к нам. Декадо говорит, они не обманут — его монахи будто бы прочли их мысли и отвели только троих. Двести решили вернуться к Цеске.

Тенака протер глаза.

— И что же?

— О чем ты?

— Что случилось с теми, кто решил вернуться?

— Я отпустил их.

— Ани, друг мой, я снова здесь. Все в порядке. Говори же.

— Я приказал перебить их в устье долины. Это было необходимо, иначе они рассказали бы о том, сколько нас тут.

— Это и так известно, Ани: Храмовники наблюдают за нами.

— Пускай — зато в недалеком будущем к нам явится на двести человек меньше.

Снова настало молчание. Ананаис приподнял маску и осторожно потрогал воспаленный шрам.

— Да сними ты ее, — сказал Тенака. — Пусть кожа проветрится.

Ананаис, помедлив, вздохнул и снял маску. В красном отблеске огня он казался каким-то страшным демоном. Голубые глаза впились в Тенаку, словно отыскивая у него на лице какие-нибудь признаки отвращения.

— Расскажи мне о сражении, как ты его видел, — сказал Тенака.

— Все шло как задумано. Я остался доволен людьми Райван, а ее сын Лейк — просто находка. Черный тоже дрался хорошо. Он превосходный воин. Будь у меня год, я создал бы из этих скодийцев новый «Дракон».

— Но у нас нет года, Ани.

— Я знаю. От силы месяца два.

— Больше нам таким способом не победить, Ани.

— У тебя есть какой-то план?

— Есть, только тебе он не понравится.

— Если в итоге нам светит победа, мне что угодно понравится, — заверил Ананаис. — Ну, так что же?

— Я хочу привести сюда надиров.

— Ты прав — мне это не нравится. Честно говоря, твой план смердит, как тухлое мясо. Если Цеска плох, то надиры еще хуже. Боги, приятель, — с Цеской мы по крайней мере остаемся дренаями. Рехнулся ты, что ли?

— Это все, что нам остается, мой друг. У нас здесь около тысячи человек. Скодию нам такими силами не удержать — нас сомнут при первой же атаке.

— Послушай меня, Тани! Ты знаешь, я никогда не ставил тебе в вину твое происхождение. И любил тебя крепче, чем брата. Но надиров я ненавижу больше всего на свете, и в этом я не одинок. Никто здесь не станет сражаться бок о бок с ними. Ну, положим, приведешь ты их сюда — что будет потом, когда мы победим? Они что, тихо-мирно отправятся к себе домой? Дренайская армия будет разбита, хозяевами страны останутся они — и мы окажемся перед лицом новой кровавой войны.

— Я на это смотрю по-другому.

— И каким манером ты хочешь провести их сюда? Через горы дорог нет, даже сатулийские перевалы тут не помогут. У всякой армии, идущей с севера, есть только один путь — через Дельнох, и даже сам Ульрик не сумел войти в его ворота.

— Я попросил Муху взять Дрос-Дельнох.

— Нет, Тани, ты и правда рехнулся! Это хлыщ и трус, ни разу не бывавший в бою. Когда мы спасали ту селянку, он лежал, зарывшись носом в траву. Когда мы встретили Басурмана, он остался с женщинами. Когда мы обсуждали вчерашнее сражение, он трясся как осиновый лист, и ты велел ему сидеть в городе. И он-то должен взять Дельнох?

Тенака подбавил дров в огонь и сбросил с плеч одеяло.

— Я все это знаю, Ани. Но ничего невозможного тут нет. Муха похож на своего предка, Бронзового Князя. Он сомневается в себе и всего боится. Но за этими его страхами, если разобраться, скрывается прекрасный человек — отважный и благородный. Да и ума ему не занимать.

— Значит, нам остается надеяться только на него?

— Нет. На мое суждение о нем.

— Не играй ты словами. Это одно и то же.

— Мне нужно, чтобы ты был со мной, Ананаис.

— А почему бы, собственно, и нет? Двум смертям не бывать, одной не миновать. Я с тобой, Тани. Что это за жизнь, если человек не может рассчитывать на своих друзей, когда сходит с ума?

— Спасибо тебе, Ани, — я говорю это от всего сердца.

— Знаю. Ох и устал же я — как собака. Надо поспать немного.

Ананаис лег, подложив под голову плащ. Ночной ветерок приятно холодил его искромсанное лицо. Ананаис устал — он не помнил, чтобы когда-нибудь прежде чувствовал такую усталость. Это от безысходности. План Тенаки ужасен, но другого выхода нет. Цеска держит страну когтями своих полулюдов, и победа надиров может в случае удачи избавить народ от его гнета. Но Ананаис не верил в удачу.

С завтрашнего дня он начнет гонять своих воинов так, как им и не снилось. Они будут бегать, пока не упадут, и драться, пока руки не отнимутся. Он сделает из них войско, способное противостоять не только полчищам Цески. Если судьба будет милостива и это войско уцелеет, ему предстоит сразиться с новым врагом.

С надирами Тенаки-хана.

Тела убитых сложили в наспех вырытый ров, забросав землей и камнями. Райван прочла молитву, и живые преклонили колени перед большой могилой, шепотом прощаясь с мертвыми — друзьями, братьями, отцами и родичами.

После похорон Тридцать ушли в холмы, оставив Декадо с Райван и ее сыновьями. Он не сразу заметил их отсутствие.

Он удалился от костра и пошел искать их, но долина была обширна, и скоро он понял, что дело это пропащее. Луна стояла уже высоко, когда он пришел к заключению, что они покинули его намеренно и не желают, чтобы их нашли.

Он сел у белого мраморного валуна и изгнал все мысли, погрузившись в шепчущие глубины своего разума.

Тщетно.

Гнев грыз его, не давая сосредоточиться, но Декадо заставил себя успокоиться и снова ушел в глубину.

На этот раз он услышал крик — сперва тихий, словно приглушенный, потом пронзительный и полный муки. Декадо прислушался, стараясь определить, кто кричит так, и понял, что это Абаддон.

Понял он также, куда отправились Тридцать: они хотят спасти своего настоятеля и даровать ему смерть. И это самое худшее, что они могли придумать. Декадо обещал Абаддону присмотреть за его подопечными — и не прошло и суток со смерти старика, как те отправились в безумное странствие, в обитель проклятых душ.

Великая печаль охватила Декадо — ведь он не мог последовать за ними. Он стал молиться, но ответа не было, да он и не ожидал, что получит ответ.

— Что же ты за бог? — в отчаянии воскликнул он. — Как ты поступаешь с теми, кто верит в тебя? Ты ничего не даешь им, а от них требуешь всего. С духами Тьмы по крайней мере можно как-то общаться. Абаддон умер за тебя и теперь страдает. Те же муки ждут и его учеников. Почему ты не отвечаешь мне? Или тебя вовсе не существует? Нет никакого праведного начала — есть только стремление человека к добру. Я отвергаю тебя. Не желаю больше иметь с тобой никакого дела!

Высказав это, Декадо успокоился и еще глубже ушел в себя. Где же та истина, которую обещал ему Абаддон в годы учения? Декадо и раньше пытался постичь ее, но никогда еще — с таким отчаянным упорством. Он погружался все глубже, пробираясь сквозь гул воспоминаний, вновь переживая битвы и стычки, страхи и промахи. Дальше, дальше, сквозь горькие годы детства к первым движениям в материнском чреве, а после распад: яйцо и семя, стремление, ожидание.

И Тьма.

Движение. Цепи спадают, легкость, свобода.

Свет.

Декадо плыл, влекомый чистым серебряным светом полной луны. Усилием воли он остановил свой полет и посмотрел вниз на красивый изгиб Улыбки Демона, но темное облако под ним заслонило пейзаж. Декадо увидел свое тело, нагое и белое в лунном свете, и радость наполнила его душу.

Но тот же мучительный вопль оледенил его. Он вспомнил о своей цели, и глаза его полыхнули холодным огнем. Однако не мог же он пуститься в путь нагим и безоружным. Закрыв мысленно глаза, он представил себя в доспехах, черных с серебром доспехах «Дракона».

И доспехи облекли его — но на боку не появилось меча, а в руке — щита.

Декадо попробовал еще раз — тщетно.

На память ему пришли давнишние слова Абаддона: «В своих духовных странствиях воин Истока вооружен мечом своей веры, и крепость веры служит ему щитом».

Верой Декадо похвалиться не мог.

— Будь ты проклят! — крикнул он во вселенскую ночь. — Ты так и норовишь помешать мне — а я ведь для тебя же стараюсь. — Он снова прикрыл глаза. — Если все дело в вере, то я верую. В себя, в Декадо, Ледяного Убийцу. И меч мне не нужен — у меня есть руки.

И он устремился, словно лунный луч, туда, откуда шел крик. Удаляясь с поразительной быстротой от мира людей, он мчался над темными горами и мрачными равнинами. Две голубые планеты висели над землей, и звезды казались тусклыми и холодными.

Внизу, на невысоком холме, он увидел замок с черными стенами. Декадо замедлил полет и стал парить над башнями. Темная тень бросилась на него, меч сверкнул рядом с его головой, но он увернулся. Правой рукой он перехватил запястье врага и ударил наотмашь ребром левой; шея противника хрустнула, и он исчез. Декадо обернулся как раз вовремя, чтобы встретить второго. Он отскочил, и вражеский меч описал сверкающую дугу рядом с его животом. Отмашка пришлась мимо шеи — Декадо нырнул под клинок и головой ударил врага в подбородок. Храмовник пошатнулся.

Декадо выбросил руку вперед и сгреб его за горло. Второй противник исчез, как и первый.

Впереди маячила полуоткрытая дверь, ведущая в глубокий лестничный колодец. Декадо ринулся туда, но тут же замер, почуяв неладное. Грохнув в дверь двумя ногами, он отбросил ее назад, и какая-то фигура со стоном сползла на пол. Декадо ударил упавшего ногой в грудь, переломив кость.

Прыгая через три ступеньки, он спустился в большой круглый зал. В центре тесным кружком стояли Тридцать, и Храмовники в черных плащах обступили их со всех сторон. Мечи сходились беззвучно, битва шла в полном безмолвии. Врагов было вдвое больше — Тридцать дрались не на жизнь, а на смерть, но явно терпели поражение.

Их могло спасти только одно — бегство. Поняв это, Декадо впервые заметил, что не может больше парить в воздухе: как только он ступил на эти мрачные камни, сила оставила его. Но почему? И Декадо вспомнил то, что сказал Абаддону: «Зло живет в грязной яме, и чтобы сразиться с ним, нужно валяться в грязи».

Здесь яма, и Свет здесь не так силен, как наверху, хотя силы Тьмы и отступают перед сердцами отважных.

— Ко мне! — крикнул Декадо. — Ко мне, Тридцать!

Храмовники обернулись на голос, и битва на миг прекратилась. Шесть черных фигур отделились от остальных и напали на Декадо. Аквас вырвался из схватки и повел Тридцать к лестнице.

Воины Истока прорубали себе дорогу, и их серебряные клинки сверкали во мраке, как факелы. На холодных камнях не оставалось тел — всякий, пронзенный мечом в этой бескровной битве, просто исчезал, как дым. Монахов осталось всего девятнадцать.

Декадо видел перед собой свою смерть. Как бы велико ни было его мастерство, безоружным с шестью врагами не справится никто. Ну что ж, придется попытаться. Покой снизошел на него, и он улыбнулся Храмовникам.

Два ослепительно сверкающих меча вдруг появились в его руках, и он бросился на врага с устрашающей быстротой. Выпад, отражение, взмах направо, тычок налево. Трое упавших Храмовников растаяли в воздухе. Оставшиеся трое отступили прямо под призрачные клинки Тридцати.

— За мной! — крикнул Декадо и побежал вверх по ступенькам на башню. Он вскочил на зубцы и посмотрел на острые камни далеко внизу. Тридцать вышли наверх вслед за ним.

— Летите! — приказал им Декадо.

— Мы упадем! — крикнул Балан.

— Я тебе упаду, сукин ты сын! А ну, вперед!

Балан бросился со стены, и шестнадцать уцелевших последовали за ним. Последним прыгал Декадо.

Сначала они падали, но, освободившись от притяжения замка, взмыли вверх и понеслись обратно в Скодийские горы.

Декадо вернулся в свое тело и открыл глаза. Он встал и медленно побрел к восточному перелеску, ведомый отчаянием, которое испытывали молодые священники.

Он нашел их в распадке между двумя холмами. Они сложили в ряд тела одиннадцати погибших и теперь молились, склонив головы.

— Встать! — скомандовал Декадо. Они молча повиновались. — Смех разбирает, на вас глядя! Несмотря на все свои дарования, вы просто малые дети. Как прошла ваша вылазка, детки? Освободили вы Абаддона? Может, отпразднуем ваш успех? Смотрите мне в глаза, черт бы вас побрал! — Он обернулся к Аквасу. — Ты, светлобородый, потрудился на славу. Ты сделал то, что не удавалось ни Храмовникам, ни солдатам Цески — загубил одиннадцать своих собратьев.

— Неправда! — со слезами на глазах крикнул Катан.

— Молчать! — прогремел Декадо. — Неправда? Я говорю то, что есть. Нашли вы Абаддона?

— Нет, — тихо ответил Аквас.

— А поняли, почему не нашли?

— Нет.

— Да потому, что они и не забирали его душу — такое им не под силу. Они заманили вас в ловушку обманом — вот на это они мастера. Теперь одиннадцать ваших братьев убиты, и вина за это лежит на вас.

— А сам-то ты? — выпалил, трясясь от гнева, кроткий Катан. — Где был ты, когда мы в тебе нуждались? Что ты за вождь? Ты не веришь в то, во что верим мы. Ты убийца — вот и вся твоя суть! У тебя нет сердца, Декадо. Ты Ледяной Убийца. Мы по крайней мере сражались за свою веру, мы хотели умереть за человека, которого любим. Да, мы заблуждались, но после смерти Абаддона некому стало руководить нами.

— Надо было прийти ко мне, — примирительно сказал Декадо.

— Прийти? Ты — наш глава и не должен был покидать нас. Мы много раз хотели обратиться к тебе — но ты, даже открыв в себе дар, о котором мы молились, никогда не присоединялся к нашим молитвам. Никогда не предлагал свою помощь. Разве ты когда-нибудь преломлял с нами хлеб, разве разговаривал с нами? Ты и спал один, подальше от костра. Ты не наш, ты чужой. Мы пришли сюда, чтобы умереть за Исток. Зачем ты здесь?

— Чтобы победить, Катан. Если хочешь умереть, падай на свой меч — и дело с концом. А не то попроси меня — я тебе помогу и мигом прекращу твою жизнь. Вы здесь для того, чтобы сражаться за Исток и не позволить Злу восторжествовать на этой земле. А теперь разговор окончен. Я ваш глава, избранный вами, и не требую от вас ни клятв, ни обещаний. Те, кто согласен подчиняться мне, явятся ко мне утром. Мы вместе преломим хлеб и вместе помолимся. Тем же, кто хочет идти своим путем, вольная воля. Я оставляю вас — хороните ваших мертвых.

Население встретило победоносную армию в полумиле от южной городской заставы, и крики «ура» сопровождали повстанцев до самого города, где наспех выстроили казармы. Но радостным возгласам недоставало силы. Всех мучил вопрос: что будет дальше? Когда сюда явится Цеска со своими полулюдами?

Тенака, Райван, Ананаис, Декадо и другие командиры новой армии собрались в зале совета. Сыновья Райван Лейк и Лукас представили карты местности на юг и восток от города.

После целого дня жарких споров стало ясно, что оборона большей части Скодии попросту невозможна. Улыбку Демона можно загородить стеной и выставить там защиту, но шесть других перевалов к северу и югу обеспечивают врагу свободный доступ к долинам и лугам.

— Все равно что кроличий садок оборонять, — сказал Ананаис. — Цеска и без полулюдов может бросить в бой армию, в пятьдесят раз превышающую наши силы. И они могут ударить на нас из шестнадцати разных мест. Нас просто не хватит, чтобы поспеть всюду.

— Наша армия будет расти, — возразила Райван. — Люди уже и теперь спускаются с гор. Когда о нашей победе узнает вся Скодия, народ валом повалит к нам.

— Да, — согласился Тенака, — но в этом есть и дурная сторона. У Цески появится прекрасная возможность подослать к нам своих шпионов.

— Тридцать помогут выявить предателей, — сказал Декадо. — Но если их будет слишком много, всех мы не выловим.

— Тогда нужно распределить Тридцать по заслонам, выставленным на перевалах, — решил Тенака.

Так оно и шло. Многие горцы хотели вернуться домой, чтобы засеять свои поля, другие просились просто повидаться с родными. Лейк жаловался на то, что съестные припасы на исходе. Галанд докладывал о драках между скодийцами и влившимися в армию легионерами.

Начальники дотемна искали ответы на все эти вопросы. Наконец сошлись на том, что половину войска отпустят по домам — с тем чтобы они поработали и за тех, кто остается. В конце месяца первая половина вернется в армию, а домой отправится вторая.

— А с учениями как же? — ощетинился Ананаис. — Как я, черт побери, сумею подготовить их к войне?

— Это же не регулярные войска, — мягко заметила Райван. — Они работники, им семьи кормить надо.

— А как обстоит дело с городской казной? — осведомился Муха.

— То есть? — не поняла Райван.

— Сколько в ней денег?

— Понятия не имею.

— Значит, надо посчитать. Раз Скодией правим мы, то и деньги наши. На них мы сможем купить у вагрийцев провизию и оружие. Нас они через границу не пропустят, но от наших денег не откажутся.

— Ну и дура же я! — воскликнула Райван. — Конечно, ты прав. Лейк, немедленно ступай в казначейство — если его уже не разграбили дочиста.

— Мы выставили там охрану, мать, — напомнил Лейк.

— Все равно, ступай и посчитай, сколько там всего.

— У меня на это вся ночь уйдет. — Мать метнула на Лейка сердитый взгляд, и он вздохнул: — Ладно, Райван, иду. Но знай: как только закончу, я разбужу тебя и сообщу итог своих подсчетов.

Райван усмехнулась и повернулась к Мухе:

— У тебя голова хорошо варит — может, ты и поедешь в Вагрию закупить все, что нам надо?

— Он не может, — сказал Тенака, — у него другое задание.

— Да неужто? — буркнул Ананаис.

— Тогда сделаем перерыв на ужин, — предложила Райван. — Я так проголодалась, что лошадь бы съела. А завтра соберемся опять.

— Завтра я уезжаю из Скодии, — сказал Тенака.

— Уезжаешь? — изумилась Райван. — Ты же наш генерал.

— Я должен — мне нужно собрать армию. Но я вернусь.

— Какую такую армию?

— Свою, надирскую.

В зале совета воцарилась грозная тишина. Люди беспокойно переглядывались, и только Ананаис спокойно откинулся на спинку стула, задрав на стол ноги в сапогах.

— Объясни, — проговорила Райван.

— Я думаю, вы меня и без того поняли, — холодно ответил Тенака. — Единственный народ, где хватит воинов, чтобы свалить Цеску, — это надиры. И если мне повезет, я наберу свою армию.

— И приведешь этих свирепых дикарей в Дренай? Да они хуже полулюдов Цески! — воскликнула, вскочив на ноги, Райван. — Ну нет — только через мой труп войдут эти варвары в Скодию.

Мужчины в знак согласия застучали по столу кулаками.

Тенака встал и поднял руки, призывая к молчанию.

— Я понимаю чувства всех присутствующих. Я вырос с надирами и знаю их обычаи. Однако младенцев они не едят и с демонами не совокупляются. Они обыкновенные люди — но люди, которые живут войной. И знают, что такое честь. Я не собираюсь защищать их — я просто хочу дать вам шанс пережить это лето. Вы думаете, что одержали большую победу? Это даже не бой был — так, переделка. Когда придет лето, Цеска бросит против вас пятьдесят тысяч человек. Чем вы ему ответите? И если вас побьют, что станет с вашими семьями? Цеска обратит Скодию в пустыню — там, где стояли деревья, будут виселицы, и мертвые тела усеют землю.

Я не могу обещать, что соберу среди надиров войско. Для них я полукровка, испорченный круглоглазыми, — стало быть, не человек. В этом они ничем не отличаются от вас. Надирских детей воспитывают на рассказах о ваших зверствах, и наши легенды повествуют о совершенных вами избиениях невинных жертв.

Я не спрашиваю вашего позволения на то, что задумал. По правде говоря, мне на него наплевать! Завтра я уезжаю.

Он сел на место среди общего молчания, и Ананаис сказал ему:

— Зачем столько околичностей — говорил бы прямо.

Райван невольно фыркнула, и у нее вырвался приглушенный смешок.

Напряжение, царящее вокруг стола, разрядилось смехом. Тенака сидел, скрестив руки, с суровым, горящим румянцем лицом. Наконец Райван сказала:

— Не по душе мне твой план, друг мой. Думаю, что говорю это от имени всех присутствующих. Но ты играл с нами в открытую, и без тебя мы уже превратились бы в падаль для ворон. — Она вздохнула и облокотилась на стол, положив ладонь на руку Тенаки. — Тебе не так уж наплевать на наше согласие, иначе тебя бы здесь не было, и если ты заблуждаешься, так тому и быть. Я на твоей стороне. Приводи своих надиров, если сможешь, и я расцелую первого же вонючего козлоеда, который въедет сюда с тобой.

Тенака перевел дух и впился долгим взглядом в ее зеленые глаза.

— Ты необыкновенная женщина, Райван, — прошептал он.

— Не забывай же об этом, генерал.

13

Ананаис выехал из города в сумерках. Он устал от бесконечного шума и суеты. Когда-то он любил городскую жизнь, все эти бесконечные приемы, балы и охоты. Много красивых женщин, которых он любил, много отважных мужчин, с которыми мерился силами в борьбе на руках или фехтовании. Ручные соколы, турниры, танцы — самая цивилизованная страна западного мира наслаждалась жизнью.

Тогда он был Золотым Воином, и о нем слагались легенды...

Ананаис приподнял черную маску, чтобы ветер охладил воспаленный шрам. Въехав на ближний холм, где росла рябина, он слез с седла и сел, глядя на горы. Тенака прав — не нужно было убивать легионеров. Что с того, если они захотели вернуться? Это их долг. Но ненависть — мощная сила, и она слишком глубоко въелась в сердце Ананаиса. Он ненавидел Цеску за то, что тот сделал со страной и народом, и ненавидел народ за то, что тот допустил такое. Он ненавидел цветы за то, что они красивы, и воздух за то, что им дышат.

Но больше всего он ненавидел самого себя за то, что не находил мужества прекратить свою жалкую жизнь.

Что знают эти скодийские крестьяне о нем, о причинах, побудивших его связаться с ними? Ему кричали «ура» в день битвы и при въезде в город. Его называют «Черная Маска» и видят в нем героя, созданного по образу и подобию бессмертного Друсса.

Что знают они о его горе?

Он посмотрел на свою маску. Даже здесь не обошлось без тщеславия — маска сделана так, будто под ней есть нос. С тем же успехом можно было прорезать две дырки.

Он — человек без лица и без будущего. Лишь прошедшее он вспоминает с удовольствием — но и с болью тоже. У него осталась только его чудовищная сила, да и та покидает его. Ему уже сорок шесть, и время неумолимо.

В тысячный раз он вспомнил свой бой с полулюдом. Был ли какой-то иной способ убить эту тварь? Мог бы он, Ананаис, отделаться меньшими увечьями? Он заново проиграл в памяти весь поединок. Нет, другого способа не было — зверь был вдвое сильнее его и намного проворнее. Чудо, что Ананаис вообще его убил.

Лошадь заржала, прядая ушами, и повернула голову. Ананаис надел маску и стал ждать. Скоро его острый слух уловил мягкий переступ копыт.

— Ананаис! — послышался из мрака голос Валтайи. — Ты тут? — Он тихо выругался, не испытывая нужды ни в чьем обществе.

— Тут, на холме.

Она подъехала к нему и соскользнула с седла, бросив поводья на шею коня. Ее золотистые волосы при луне казались серебряными, и в глазах отражались звезды.

— Чего тебе? — спросил он, отворачиваясь и садясь на траву.

Валтайя расстелила на земле свой плащ и села.

— Почему ты уехал один?

— Чтобы побыть одному. Мне есть о чем подумать.

— Если хочешь, я оставлю тебя.

— Да, так было бы лучше, — сказал он, но она не двинулась с места. Он знал, что так и будет.

— Я тоже одинока, — прошептала она, — но не хочу оставаться одна. А ты не допускаешь меня к себе.

— Мне нечего предложить тебе, женщина! — отрезал он грубым, хриплым голосом.

— Ты мог бы хоть посидеть со мной, — проговорила она, и шлюзы распахнулись: слезы хлынули у нее из глаз, она уронила голову и расплакалась навзрыд.

— Тише, женщина, не надо слез. О чем тебе плакать? У тебя нет причин быть одинокой. Ты очень привлекательна, и Галанд влюблен в тебя по уши. Он славный малый.

Валтайя продолжала рыдать, и тогда он обнял ее своей ручищей за плечи и притянул к себе.

Она прижалась головой к его груди, и рыдания скоро сменились прерывистыми всхлипами. Он погладил ее по волосам, по спине; она обхватила его за пояс и тихонько уложила на свой плащ. Желание обожгло Ананаиса — ничего он еще не хотел так, как ее. Она приникла к нему всем телом, и он ощутил тепло ее грудей.

Она потянулась к маске, но он перехватил ее запястье с поразившей ее быстротой.

— Не надо! — взмолился он, отпустив ее руку. Но она медленно сняла с него маску, и он закрыл глаза, почувствовав на лице ночную прохладу. Ее губы коснулись лба, век, изуродованных щек. У него не было губ, чтобы ответить на ее поцелуи, и он заплакал. Она обняла его крепко и держала, пока он не успокоился.

— Я поклялся, — сказал он наконец, — что скорее умру, чем покажусь женщине в таком виде.

— Женщина любит мужчину, а лицо — это не он, все равно что нога или рука. Я люблю тебя, Ананаис, а твои шрамы — это часть тебя. Неужто ты не понимаешь?

— Любовь и благодарность — разные вещи. Я спас тебя, но ты ничем мне не обязана — ни сейчас, ни потом.

— Да, я благодарна тебе. Но я не стала бы отдаваться тебе из благодарности. Я не ребенок и знаю, что ты меня не любишь. Да и с чего бы? В Дренане ты мог бы выбрать себе любую красотку. Но я люблю тебя и хочу тебя — хотя бы на тот краткий срок, что у нас есть.

— Так ты знаешь?

— Конечно, знаю! Нам не победить Цеску — это было ясно с самого начала. Но это не имеет значения. Когда-нибудь он умрет, как и все люди.

— Ты не видишь смысла в том, что мы делаем?

— Нет, вижу. Всегда будут... должны быть... такие люди, которые дают отпор цескам этого мира. Пусть те, кто будет жить после нас, знают: всегда были герои, выступающие против Тьмы. Нам нужны такие, как Друсс и Бронзовый Князь, как Эгель и Карнак, как Бильд и Железный Засов. Они вселяют в нас гордость и чувство того, что жизнь не напрасна. Нам нужны такие, как Ананаис и Тенака-хан. Что из того, если Факелоносец не может победить, — пусть он хоть ненадолго рассеет мрак.

— Ты хорошо знаешь историю, Вал.

— Да, Ананаис, не такая уж я глупая.

Прильнув к нему, она осторожно прижала губы к его рту. Он со стоном обхватил ее руками.

Райван не спалось — в душном воздухе висела гроза. Скинув тяжелое одеяло, она встала с постели, накинула на массивное тело шерстяной халат и настежь распахнула окно. Бесполезно: горы не пропускали ни малейшего дуновения.

Ночь была бархатно-черна, летучие мыши шмыгали вокруг башни, скользили между фруктовыми деревьями сада. Барсук, попавший в луч лунного света, взглянул на ее окно и юркнул в траву. Райван вздохнула, завороженная красотой ночи. Какое-то движение привлекло ее взгляд, и она различила воина в белом плаще, преклонившего колени перед розовым кустом. Он встал, и по гибкости она признала Декадо.

Райван отошла от окна, тихо проделала длинный путь по коридорам и спустилась в сад. Декадо, прислонясь к низкой стене, смотрел на озаренные луной горы. Он услышал Райван и обернулся к ней с подобием приветливой улыбки на тонких губах.

— Упиваешься одиночеством? — спросила она.

— Просто думаю.

— Хорошее место для размышлений. Мирное.

— Да.

— Я родилась вон там, — сказала она, указав на восток. — У моего отца была усадебка чуть выше линии лесов — скот и горные лошадки. Хорошая была жизнь.

— Нам не удержать этих мест, Райван.

— Я знаю. Когда время настанет, мы уйдем выше, за узкие перевалы.

Он кивнул.

— Я не думаю, что Тенака вернется.

— Погоди списывать его со счетов, Декадо. Он человек хитроумный.

— Кому об этом и знать, как не мне — я шесть лет служил у него под началом.

— Он тебе нравится?

Внезапная улыбка омолодила лицо Декадо.

— Еще бы. Ближе друга у меня не было.

— А как же твои воины, твои Тридцать?

— О чем ты? — насторожился он.

— Разве они тебе не друзья?

— Нет.

— Почему же они тогда следуют за тобой?

— Кто их знает? Они мечтают об одном: умереть. Это выше моего понимания. Расскажи мне о своей усадьбе — ты была счастлива там?

— Да. Хороший муж, славные дети, плодородная земля под высоким небом — чего еще может желать женщина в промежутке между рождением и смертью.

— Ты любила своего мужа?

— Это еще что за вопрос? — вскинулась она.

— Я не хотел тебя обидеть. Но ты ни разу не назвала его по имени.

— Это вовсе не значит, что я его не любила. Все как раз наоборот. Когда я произношу его имя, то сразу вспоминаю о том, что потеряла. Я ношу его образ в сердце — понимаешь?

— Да.

— Почему ты до сих пор не женился?

— Никогда не испытывал желания разделить свою жизнь с женщиной. Мне неуютно с людьми, если они не соблюдают моих условий.

— Тогда ты правильно сделал, что не женился.

— Ты думаешь?

— Да. Знаешь, ты очень похож на своих монахов. Всем вам не хватает чего-то — вы ужасно грустны и очень одиноки. Неудивительно, что вы собрались вместе! Мы не такие — мы делим свою жизнь с другими, мы шутим и рассказываем байки, вместе смеемся и вместе плачем. Мы день за днем утешаем друг друга, как можем, и это помогает нам жить. Но таким, как вы, этого не дано, и вы можете предложить в дар только свою жизнь — и свою смерть.

— Не так все просто, Райван.

— Жизнь вообще штука непростая. Но я-то простая горянка и рисую все таким, как вижу.

— Ну, уж тебя-то простушкой не назовешь! Но предположим, что ты права. Думаешь, Тенака, или Ананаис, или я сам хотели стать такими, как мы есть? У моего деда была собака. Он хотел, чтобы она возненавидела надиров, и нанял одного старого кочевника, чтобы тот каждую ночь приходил к нему во двор и бил щенка прутом. В итоге пес возненавидел и этого старика, и прочих косоглазых. Можно ли винить его за это? Тенака-хан вырос в ненависти — и если не ожесточился сердцем, то отсутствие любви все же оставило на нем свой след. Он купил себе жену и излил на нее все свои чувства. Она умерла, и он остался ни с чем.

Ананаис? Стоит только посмотреть на него, чтобы понять, как он страдает. Но это не вся правда о нем. Его отец умер безумным — он лишился разума и убил мать Ананаиса на глазах сына. А еще прежде отец спал с сестрой Ани... и она умерла в родах.

Моя же история еще печальней. Так что избавь меня от своих горских прописей, Райван. Если бы мы выросли на склонах твоих гор, то стали бы, без сомнения, гораздо лучше.

Райван улыбнулась и взглянула на него, опершись на ограду.

— Глупый мальчишка! Я же не сказала, что вы плохие. Вы лучшие из людей, и я люблю вас, всех троих. Ты ничуть не похож на собаку своего деда, Декадо, — ты человек. А человек способен победить то, с чем вступил в жизнь, как побеждает он искусного противника. Смотри почаще вокруг, и ты увидишь, как люди проявляют свою любовь. Но не будь холодным наблюдателем. Не стой в стороне от жизни — принимай в ней участие. Есть люди, которые охотно полюбят тебя, и не нужно от них отворачиваться.

— Мы такие, какие есть, — не требуй от нас большего. Я рубака, Ананаис воин, Тенака несравненный полководец. Такими нас сделала жизнь — такими мы тебе и нужны.

— Возможно. Но вы могли бы добиться еще большего.

— Теперь не время пробовать. Пойдем, я провожу тебя в твои комнаты.

Муха сидел на широкой кровати, уставившись на закрытую дверь. Тенака ушел, но Муха до сих пор видел перед собой высокого надира и слышал его тихий властный голос.

Комедия, да и только — Муха угодил в ловушку, запутался в геройской паутине.

Взять Дрос-Дельнох?

Ананаис сумел бы — он атаковал бы крепость в одиночку, круша всех и вся сверкающим на утреннем солнце серебряным мечом. Тенака придумал бы какой-нибудь хитрый план с куском бечевки и тремя камешками. О таких-то и создаются легенды — боги посылают их в мир, чтобы они вдохновляли поэтов.

При чем тут он, Муха?

Он подошел к большому зеркалу у окна. На него смотрел высокий молодой человек с темными до плеч волосами под черной кожаной повязкой. Глаза яркие и умные, подбородок твердый, как у настоящего героя. Камзол из оленьей кожи сидит как влитой, и широкий пояс подчеркивает стройную талию. На левом боку висит кинжал. Штаны из самой мягкой темной кожи и сапоги до бедер по моде Легиона. Муха вложил свой меч в кожаные ножны и привесил к поясу.

— Дурачина! — сказало ему отражение. — Сидел бы лучше дома.

Муха пытался объяснить Тенаке, что не годится для этого дела, но тот только ласково улыбался и ничего не слушал.

«Твоя кровь, Арван, поможет тебе», — сказал Тенака. Слова, пустые слова. Кровь — это просто темная жидкость, она не содержит ни тайн, ни магии. Мужество — свойство души, его нельзя передать сыновьям по наследству.

Дверь отворилась. Вошел Басурман. Он улыбнулся и сел на широкий кожаный стул. При свете фонаря он казался огромным, и его плечи не уступали шириной спинке стула. Он под стать тем, другим, подумал Муха, ему бы горы двигать.

— Пришел проводить меня? — нарушил молчание молодой человек.

Чернокожий покачал головой.

— Я еду с тобой.

Муха испытал громадное облегчение, но виду не показал.

— Почему?

— А почему бы нет? Я люблю ездить верхом.

— Известно тебе, в чем состоит моя задача?

— Ты должен взять крепость и открыть ворота воинам Тенаки.

— Это не так просто, как кажется с твоих слов. — Муха сел на кровать. Меч запутался между ногами, пришлось его поправлять.

— Не беспокойся, ты что-нибудь да придумаешь, — ухмыльнулся Басурман. — Когда ты едешь?

— Часа через два.

— Не будь суров к себе, Муха, пользы от этого никакой. Я знаю, задача тебе предстоит нелегкая. В Дрос-Дельнохе шесть крепостных стен и замок. Там размещено больше семи тысяч воинов и с полсотни полулюдов. Но мы сделаем, что сможем. Тенака говорит, у тебя есть план.

— Как мило с его стороны! — хмыкнул Муха. — Он придумал этот план давным-давно и ждал, пока до меня тоже дойдет.

— Расскажи, в чем суть.

— Есть такой народ — сатулы. Обитающие в горах и пустыне, они свирепы и независимы. Веками они боролись с дренаями за права на Дельнохский хребет. Во время Первой Надирской войны они помогли моему предку, Бронзовому Князю, и взамен он отдал им эту землю. Я не знаю, сколько их всего. Может, тысяч десять, а может, и меньше. Но Цеска нарушил договор, и пограничные стычки начались снова.

— И ты хочешь обратиться к ним за помощью?

— Да.

— Но без особой надежды на успех?

— Верно подмечено. Сатулы всегда ненавидели дренаев, и доверия между нами нет. Хуже того — они и надиров не выносят. И даже если они согласятся помочь, каким манером я потом выставлю их из крепости?

— Все по порядку, Муха.

Муха встал и снова чуть не упал из-за меча. Отстегнув ножны, он швырнул их на кровать.

— По порядку? Ладно. Рассмотрим все по порядку. Я не воин и плохо владею мечом. Никогда не бывал солдатом. Война пугает меня, и я мало что смыслю в тактике. Я не вожак — мне стоило бы большого труда убедить голодных пойти со мной на кухню. Которую из этих трудностей будем решать первой?

— Сядь, мальчик. — Басурман подался вперед, положив руки на подлокотники стула. Муха сел, понемногу остывая. — А теперь послушай меня. У себя на родине я король. Я взошел на трон по трупам и первым из своего рода завладел Опалом. Когда я был молод и исполнен гордыни, один старый жрец сказал мне, что за свои преступления я буду гореть в аду. Я велел моим воинам сложить костер из множества древесных стволов. К нему нельзя было подойти ближе чем на тридцать шагов, и пламя его достигало небес.

Тогда я приказал воинам погасить огонь. Десять тысяч человек бросились в пламя и потушили его. «Если я и отправлюсь в ад, — сказал я жрецу, — мои люди пойдут со мной и погасят адское пламя». Мое королевство простиралось от великого Моря Душ до Лунных гор. Я пережил все: яд в вине и кинжал в спину, фальшивых друзей и благородных врагов, измену сыновей и чуму, приходящую каждое лето. И несмотря на все это, я иду за тобой, Муха.

Муха сглотнул, глядя, как пляшут блики фонаря на лице, словно вырубленном из черного дерева.

— Но почему? Почему ты это делаешь?

— Потому что так надо. Сейчас я скажу тебе великую истину, и если у тебя достанет мудрости, ты примешь ее в свое сердце. Все люди глупы. Они полны страха и неуверенности, и это делает их слабыми. Другой всегда кажется нам сильнее, увереннее и способнее. И это ложь худшего рода, ибо лжем мы самим себе.

Взять хоть тебя. Входя сюда, я был твоим черным другом Басурманом — большим, сильным и приветливым. А кто я теперь? Дикарский король, стоящий неизмеримо выше тебя? И тебе стыдно, что ты поделился со мной своими мелочными сомнениями? — Муха кивнул. — Но вправду ли я король? Правда ли я послал своих воинов в огонь? Ты не можешь этого знать! Ты прислушиваешься к голосу своего несовершенства и веришь мне — а стало быть, ты в моей власти. Если я сейчас выхвачу меч, ты умрешь!

Я же, глядя на тебя, вижу умного, отважного молодого человека, хорошо сложенного и в расцвете сил.

Ты мог бы быть князем убийц, самым опасным воином на свете. Мог бы быть императором, полководцем, поэтом...

Не вожак, говоришь? Вожаком может стать любой, ибо всякий человек хочет одного: чтобы его вели.

— Я не Тенака-хан, — сказал Муха. — Мы с ним разной породы.

— Повтори мне это через месяц — но до тех пор играй свою роль. Ты сам удивишься количеству людей, одураченных тобой. Не высказывай своих сомнений вслух! Жизнь — это игра, Муха, вот и играй.

— А почему бы и нет? — усмехнулся Муха. — Но скажи мне — ты правда послал своих людей в огонь?

— Скажи мне сам. — Черты Басурмана отвердели, и глаза поблескивали при свете лампы.

— Нет, не делал ты этого.

— Правда твоя! — осклабился Басурман. — Я велю приготовить лошадей на рассвете — тогда и увидимся.

— Смотри запаси побольше медовых коврижек, Белдер их любит.

— Старика мы не возьмем, — заявил Басурман. — От него нет никакого проку, и духом он ослаб. Пусть остается дома.

— Раз ты едешь со мной, так слушай, что тебе говорят, — рявкнул Муха. — Лошадей должно быть три, и Белдер отправится с нами.

Чернокожий вскинул брови и развел руками.

— Слушаюсь, — сказал он, открывая дверь.

— Ну как? — спросил Муха.

— Неплохо для начала. Увидимся утром.

Басурман вернулся к себе в мрачном расположении духа. Взвалив на кровать свой огромный мешок, он выложил оружие, которое собирался взять с собой: два охотничьих ножа, острых как бритвы; четыре метательных ножа, носимых на перевязи; короткий обоюдоострый меч и такой же топорик, который он приторочит к седлу.

Раздевшись донага, он взял флакон с маслом и стал натираться, погружая пальцы в бугры мускулов на плечах. Сырой воздух запада дурно сказывался на его костях.

Мысли его обратились к прошлому. Он снова чувствовал жар костра и слышал крики воинов, бросавшихся по его приказу в огонь.

Тенака спускался с горы на покатую вагрийскую равнину. Солнце вставало над его левым плечом, а над головой собирались тучи. Ветер развевал его волосы, и на душе был покой. Несмотря на громоздившиеся впереди трудности, он чувствовал себя свободным и ничем не обремененным.

Должно быть, это из-за надирской крови ему плохо в городе, среди высоких стен и закупоренных ставнями окон. Ветер подул сильнее, и Тенака улыбнулся.

Завтра смерть устремится к нему на конце стрелы, но сегодня... сегодня все чудесно.

Мысли о Скодии он выбросил из головы — пусть этим мучаются Ананаис и Райван. Муха теперь тоже отвечает за свою долю и едет навстречу своей судьбе. Все, что может сделать он, Тенака, — это выполнить свою часть задачи.

Он вернулся памятью к детству, проведенному в степях. Копье, Волчья Голова, Зеленая Обезьяна, Каменная Гора, Похитители Душ. Множество станов, множество земель.

Первенство племени Ульрика признавали повсюду: его воины были Владыками Степей, Зачинателями Войны. Волчья Голова славилась своей свирепостью в бою. Но кто правит волками теперь? Джонгир, конечно, давно умер.

Тенака вспомнил товарищей детских лет.

Острый Нож, скорый на гнев и неохотно прощающий, хитрый, находчивый и честолюбивый.

Абадай Всезнайка, скрытный и приверженный тайной науке шаманов.

Цзубой, прозванный Черепом с тех пор, как убил врага и поместил его череп на луку седла.

Все они — внуки Джонгира и потомки Ульрика.

Лиловые глаза Тенаки стали блеклыми и холодными, когда он припомнил эту троицу. Каждый из них в свое время усердно выказывал ненависть к полукровке.

Абадай, самый злобный, пытался даже отравить Тенаку на празднике Длинных Ножей. Шиллат, бдительная мать, заметила, как он подсыпал порошок в чашу ее сына.

Но никто не смел задирать Тенаку открыто, ибо к четырнадцати годам он заслужил прозвище Пляшущий Клинок и мастерски владел любым оружием.

Он просиживал долгие ночи у лагерных костров, слушая стариков, повествующих о былых войнах, и усваивая тонкости стратегии и тактики. В пятнадцать лет он знал на память все битвы и схватки в истории Волчьей Головы.

Тенака натянул поводья и посмотрел на далекие Дельнохские горы.

Мы надиры,
Вечно юные,
Сталью пытаны,
Кровью писаны,
Победители.

Он рассмеялся и пришпорил коня. Мерин фыркнул, сорвался в галоп и помчался по равнине, гремя копытами в утренней тишине.

Тенака, дав ему ненадолго волю, перевел его сперва на крупную, потом на мелкую рысь. Впереди еще много миль, и незачем утомлять коня, хотя он резв и вынослив.

Боги, как, однако же, хорошо уехать подальше от людей! Даже от Рении.

Она красива, и он любит ее, но ему необходимо побыть в одиночестве и обдумать свои планы на свободе.

Она молча выслушала его слова, что он поедет один. Он ожидал вспышки, но ничего подобного не произошло. Она только обняла его, и они предались любви без страсти, с великой нежностью.

Если он переживет свое безумное приключение, он примет ее в свое сердце и в свой дом. Если переживет? По его прикидке, это произойдет в одном случае против нескольких сотен, а то и тысяч. Внезапная мысль поразила его. Да ведь он просто глупец! У него есть Рения и целое богатство в Вентрии — зачем он все ставит на карту?

Из любви к дренаям? Он поразмыслил, прекрасно понимая, каковы его чувства на самом деле. Здесь его всегда недолюбливали — даже в бытность генералом «Дракона». А дренайская земля хоть и красива, не может сравниться с диким простором степей. В чем же дело?

Смерть Иллэ выбила его из колеи еще и потому, что последовала сразу за истреблением «Дракона». Стыд за то, что он отверг своих друзей, горе от потери Иллэ... Ему стало казаться, что ее смерть послана ему в наказание за пренебрежение своим долгом. Только смерть Цески — и собственная смерть — могла искупить его позор. Но теперь все изменилось.

Ананаис будет держаться стойко, веря, что Тенака вернется. А дружба — нечто куда более крепкое и выносливое, чем любовь к той или иной земле. Тенака-хан был готов сойти в глубины преисподней и претерпеть самые жестокие муки, лишь бы выполнить обещание, данное Ананаису.

Он оглянулся на Скодийские горы. Скоро там начнут умирать. Войско Райван брошено на наковальню истории и отважно ждет встречи с молотом Цески.

Ананаис выехал с ним из города перед рассветом. Они остановились на вершине холма.

— Погляди-ка назад, ты, надир, хлебающий помои! И ты, дренай, взгляни на свои долины. Серьезно, Тани, побереги себя. Собирай свою армию и скорее возвращайся назад. Долго мы не протянем. Мне сдается, они пошлют сюда дельнохский гарнизон, чтобы размягчить нас перед приходом главных сил.

— Да — они будут наносить удары и отходить, изматывая вас. Используй Тридцать — в предстоящие дни им цены не будет. Придумал ты что-нибудь относительно второго опорного лагеря?

— Да, мы доставим припасы в горы к югу от города. Там есть два узких перевала, которые можно удержать. Но уж если нас оттеснят туда, нам конец. Бежать будет некуда.

Они пожали друг другу руки и обнялись.

— Я хочу, чтобы ты знал... — начал Тенака, но Ананаис перебил его:

— Знаю, парень! Ты, главное, поторопись. Старина Черная Маска будет держать форт до последнего.

Тенака усмехнулся и поехал к Вагрийской равнине.

14

Шесть дней на восточной границе Скодии не замечалось никаких вражеских войск. Зато в горы потоком шли беженцы, принося вести о пытках, голоде и прочих ужасах. Тридцать по мере своих сил проверяли пришедших, отсеивая лжецов или тайных сторонников Цески.

Число беженцев росло день ото дня. В нескольких долинах устроили лагеря для них, и Ананаис ломал голову над тем, как бы прокормить их и уберечь от болезней. Райван взяла это на себя — под ее руководством артели беженцев рыли сточные канавы и строили укрытия для больных и престарелых.

Молодые люди записывались в армию — с ними разбирались Галанд, Парсаль и Лейк, но добровольцы каждый раз спрашивали Черную Маску, гиганта в темных одеждах. Его называли Пагубой Цески, и барды, бывшие среди беженцев, пели о нем ночью у костров.

Ананаиса это раздражало, но он не показывал виду, понимая, как могут пригодиться эти легенды в ближайшем будущем.

Каждое утро он выезжал в горы, оглядывая долины и склоны, отыскивая перевалы и прикидывая на глаз расстояния и углы атаки. Он снаряжал людей на постройку земляных стен, рытье траншей и возведение заслонов из камней. Устраивались тайники, где складывались копья и стрелы, а мешки с провизией подвешивались высоко на деревьях, за густой листвой. Каждому начальнику отряда было известно по меньшей мере три таких тайника.

В сумерках Ананаис собирал командиров к своему костру и расспрашивал их об итогах дня, поощряя высказывать свои мысли и планы. Он отличал тех, у кого такие мысли были, и приглашал их остаться, когда отпускал других. Лейк при всем своем пылком идеализме соображал хорошо и с умом отвечал на вопросы. Притом он превосходно знал местность, и Ананаис использовал его вовсю. Галанд, тоже далеко не дурак, пользовался уважением своих бойцов и был надежным, преданным человеком. Его брат Парсаль умом похвастаться не мог, зато его мужество не вызывало сомнений. К ним Ананаис добавил еще двоих: Турса и Торна. Оба этих молчаливых горца прежде промышляли тем, что угоняли скот и лошадей с вагрийских земель, продавая свою добычу в восточных долинах. Турс был молод и полон огня; его брата и двух сестер убили в том самом набеге, который положил начало восстанию. Торн, постарше, был крепкий, как старая кожа, и по-волчьи поджарый. Скодийцы уважали их обоих и прислушивались к их словам.

Именно Торн на седьмой день после отъезда Тенаки принес весть о посланнике.

Ананаис осматривал восточные склоны горы Кардулл и, выслушав Торна, спешно поскакал с ним на восток.

На взмыленных конях они добрались до Рассветной долины, где уже ждали Декадо и шестеро из Тридцати. Вокруг них, перед выходом на равнину, заняли позиции около двухсот скодийцев.

Ананаис влез на выступ скалы. Под ним стояли шестьсот воинов в красных дельнохских плащах. На белом коне сидел пожилой человек в ярко-голубых одеждах, с длинной седой бородой. Ананаис узнал его и невесело усмехнулся.

— Кто это? — спросил Торн.

— Брейт. Его прозвали Долгожителем — и ничего удивительного: он ходит в советниках уже сорок лет.

— Он, должно быть, человек Цески?

— Он ничей человек, но Цеска поступил умно, прислав сюда этого высокородного дипломата. Если он скажет тебе, что волчицы несут яйца, ты ему поверишь.

— Может, Райван привести?

— Нет, я сам поговорю с ним.

В это время к престарелому советнику подъехали шестеро — в черных доспехах и черных плащах. Они обратили свои взоры на Ананаиса, и кровь заледенела в его жилах.

— Декадо! — в страхе позвал он. Декадо и шестеро его воинов оградили Ананаиса силой своего духа, и тепло их дружбы согрело его.

В гневе он приказал Брейту приблизиться. Старик заколебался, но один из Храмовников склонился к нему — тогда Брейт послал коня вперед и неуклюже въехал на крутой склон.

— Достаточно! — сказал Ананаис, подходя к нему.

— Это ты, Золотой Воин? — глубоким звучным голосом спросил Брейт. В его карих глазах светилось искреннее дружелюбие.

— Я. Говори, что должен сказать.

— Нам нет нужды ссориться, Ананаис. Разве не я первым поздравил тебя, когда ты удостоился почестей за свою воинскую доблесть? Разве не я помог зачислить тебя в «Дракон»? Вспомни — я был поверенным твоей матери!

— Все это так, старик! Но теперь ты стал прислужником тирана, и прошлое мертво.

— Ты неверно судишь о моем господине Цеске — он болеет душой о благополучии дренаев. Тяжелые теперь времена, Ананаис, жестокие времена. Враги ведут против нас скрытую войну, желая уморить нас голодом. Ни одно сопредельное государство не хочет, чтобы свет, зажегшийся над Дренаем, продолжал гореть — ведь это означает конец их собственной мерзости.

— Избавь меня от этих вздорных речей, Брейт! Я не желаю спорить с тобой. Чего ты хочешь?

— Я вижу, как ожесточило тебя твое страшное увечье, и скорблю об этом. Я привез тебе августейшее прощение! Мой повелитель глубоко оскорблен твоими действиями против него, но твои прошлые заслуги завоевали тебе место в его сердце. Ради тебя он прощает и всех скодийских мятежников. Более того — он обещает лично рассмотреть все твои жалобы, истинные или ложные. Возможно ли большее великодушие?

Брейт повысил голос так, чтобы его слышали повстанцы, и обвел взглядом их ряды, ища ответа.

— Цеска не понял бы, что такое великодушие, даже если бы это слово выжгли ему на заднице. Это змея в человеческом образе! — отрезал Ананаис.

— Я понимаю тебя, Ананаис: ведь ты изуродован, превращен в чудовище, вот и ненавидишь всех и вся. Но хоть что-то человеческое в тебе осталось? Почему из-за своей озлобленности ты обрекаешь на жестокую смерть тысячи невинных душ? Ведь победы вам не видать! Уже созывают полулюдов, и нет на свете армии, способной устоять против них. Неужто ты подвергнешь своих людей такому страшному испытанию? Загляни в свое сердце!

— Я не стану спорить с тобой, старик. Вон там стоят твои солдаты и среди них — Храмовники, которые пьют кровь младенцев. В Дренае собираются ваши полузвери, а в наш маленький бастион свободы что ни день приходят тысячи добрых людей. Все это доказывает лживость твоих слов. Я даже не сержусь на тебя, Брейт Долгожитель! Ты продал свою душу за шелковый тюфячок, но я не осуждаю тебя — ты просто напуганный старик, который и не жил-то никогда, потому что не смел жить.

Здесь настоящая жизнь — в наших горах, где воздух слаще вина. Правда твоя — против полулюдов мы вряд ли выстоим. Мы сами это знаем — мы ведь не дураки. Победа нам не светит, но мы мужчины, рожденные от мужчин, и ни перед кем не склоним колен. Почему бы тебе не примкнуть к нам и не изведать наконец, что такое свобода?

— Свобода? Ты заперт в клетке, Ананаис. На востоке вагрийцы, которые не пропустят вас в свои земли, а на западе поджидаем мы. Ты сам себя обманываешь. Какова цена твоей свободы? Еще несколько дней — и эту равнину займет армия императора. Ты уже встречался с полулюдами Цески — так вот, здесь их будет много. Громадные зверюги, созданные из больших восточных обезьян, северных медведей, южных волков. Они быстры как молния и питаются человечьим мясом. Твое жалкое войско сметут, как пыль. Скажи мне о свободе тогда, Ананаис. Мне не нужна свобода за гробом.

— И все-таки она придет к тебе, Брейт, — она и теперь с тобой, в каждом твоем седом волосе, в каждой морщине. Скоро она подкрадется к тебе и закроет твои глаза своими холодными руками. Тебе не уйти! Ступай, жалкий человек, — твой путь окончен.

Брейт распростер руки и воззвал к защитникам:

— Не позволяйте этому безумцу обманывать вас! Мой господин Цеска — человек чести и сдержит свое слово.

— Ступай домой и умри! — Ананаис отвернулся от посланника и пошел к своим.

— Смерть придет к тебе раньше, чем ко мне, — провизжал Брейт, — и она будет жестока! — Он повернул коня и затрусил рысью под гору.

— Мне сдается, что война начнется завтра, — промолвил Торн.

Ананаис кивнул и подозвал к себе Декадо.

— Что скажешь?

Тот пожал плечами:

— Мы не можем пробить заслон, поставленный Храмовниками.

— А они ваш заслон не пробили?

— Нет.

— Тогда мы на равных. Они не сумели опутать нас словами — теперь в ход пойдут мечи, и они попытаются подорвать наш дух внезапной атакой. Вопрос лишь в том, где они ударят и что нам предпринять в ответ.

— Великого Тертуллиана однажды спросили, что бы он стал делать, если б на него напал человек сильнее, проворнее и гораздо искуснее, чем он сам.

— И что же?

— Он сказал, что снес бы ему голову за столь наглое вранье.

— Хорошо сказано, — вставил Торн, — но от слов нам сейчас проку, что от прошлогоднего снега.

— Правда твоя, — усмехнулся Ананаис. — И что же ты нам предложишь, горец?

— Известно что — снести им головы!

Хижину наполнял мягкий красный свет догорающего огня. Ананаис лежал на постели, опустив голову на руку. Валтайя втирала масло в его плечи и спину, массируя мускулы, разминая тугие узлы вдоль позвоночника. Медленные, мерные движения ее сильных пальцев успокаивали. Ананаис вздохнул и впал в полудрему, грезя о былом.

У Валтайи заломило пальцы — она дала им отдых, пустив в ход ладони. Дыхание Ананаиса стало глубоким и ровным. Она укрыла его одеялом, придвинула к постели стул и села, глядя на изуродованное лицо воина. Воспаленный шрам под глазом как будто немного побледнел и подсох; Валтайя бережно помазала его маслом. Дыхание спящего со свистом вырывалось из овальных дыр на месте носа. Валтайя откинулась назад, охваченная растущей печалью. Он славный человек и не заслужил такой судьбы. Целуя его, она использовала всю свою недюжинную выдержку и даже теперь не могла смотреть на него без отвращения — а ведь она любила его.

Жизнь так жестока и бесконечно печальна.

Ей доводилось спать со многими мужчинами — и по влечению, и по роду деятельности. Попадались среди них и уроды — с ними она научилась скрывать свои чувства. И хорошо, что научилась: когда она сняла маску с Ананаиса, ее ожидало двойное испытание. Ужас перед его исковерканным лицом и невыразимая тревога в его глазах. Несмотря на всю свою силу, в тот миг он был прозрачен, как хрусталь. Валтайя перевела взгляд на его волосы — тугие золотистые завитки, прошитые серебром. Золотой Воин! Как красив, должно быть, он был когда-то. Словно бог. Она провела рукой по собственным светлым волосам, убрав их с глаз.

Потом устало поднялась и выпрямила спину. Окно было приоткрыто, и она распахнула его настежь. Долина тихо спала под светом полумесяца.

— Хотела бы я снова стать молодой, — прошептала она. — Я вышла бы замуж за того поэта.

Катан парил над горами, сожалея о том, что тело его в отличие от духа не умеет летать. Вкусить бы этот воздух, ощутить на коже свежий ветер. Скодийские горы торчали внизу, словно наконечники копий. Он поднялся повыше, и горы приобрели иной облик. Катан улыбнулся.

Сходия превратилась в каменную розу с острыми лепестками, лежащую на зеленом поле. Неровные гранитные кольца переплетались, создавая гигантский цветок.

На северо-востоке виднелась Дельнохская крепость, на юго-востоке мерцали дренайские города.

Как красиво. Отсюда не видно ни жестокости, ни мук, ни ужаса. Здесь нет места людишкам со скудным разумом и безграничным честолюбием.

Катан снова обратился к Скодийской розе. Во внешнем кольце лепестков прятались девять долин, через которые мог пройти враг. Катан внимательно изучил их, их очертания и наклон, воображая идущую по ним конницу и пехоту. Закрепив все это в памяти, он перешел ко второму кольцу гор. Здесь были только четыре большие долины, зато три предательских перевала открывали дорогу к верхним пастбищам и лесам.

В середину розы можно было попасть только двумя путями — через долины, именуемые Тарск и Магадон.

Пожалуй, все. Катан вернулся и доложил Декадо о своих неутешительных наблюдениях.

— Во внешнем кольце гор имеется девять широких долин и множество узких. И даже во внутреннем кольце вокруг Кардулла существуют две возможных линии атаки. Нам не удержать даже одну из них. Нельзя планировать оборону, если она может иметь успех лишь в одном случае из двадцати — под успехом я разумею отражение врага.

— Никому ни слова об этом, — приказал Декадо. — Я поговорю с Ананаисом.

— Как угодно, — холодно молвил Катан.

— Извини, — улыбнулся Декадо.

— За что?

— За то, что я такой.

Декадо поднялся по склону до места, откуда открывался вид на несколько расходившихся в разные стороны долин. Славная земля — все здесь дышит миром и уединением. Почва не так богата, как на Сентранской равнине к северо-востоку от гор, но заботливо возделанные усадьбы процветают, и скот тучнеет на высокогорных лугах.

Семья Декадо когда-то крестьянствовала далеко к востоку от этих мест — должно быть, любовь ко всему, что растет, передалась ему в самый миг зачатия. Он присел и зарылся в землю своими сильными пальцами. Это суглинок, и трава на нем растет густая и сочная.

— Можно я посижу с тобой? — спросил Катан.

— Сделай одолжение.

Они помолчали, глядя на стада, пасущиеся на дальних склонах.

— Мне недостает Абаддона, — сказал внезапно Катан.

— Да, он был хороший человек.

— Он был провидец — но не обладал ни терпением, ни истинной верой.

— Как ты можешь говорить такое? Его веры достало на то, чтобы заново возродить Тридцать.

— Вот именно! Он верил, что зло можно побороть только силой, — наша же вера утверждает, что лишь любовь может победить зло.

— Бессмыслица какая-то. А как же быть с врагами?

— Превращать их в друзей. Разве это не наилучший способ?

— Красивые слова, но обманчивые. Нельзя стать другом Цески — ты либо делаешься его рабом, либо умираешь.

— Так что же? — улыбнулся Катан. — Исток правит всем сущим, и что наша жизнь в сравнении с вечностью?

— Значит, умирать не страшно?

— Конечно, нет. Исток примет нас к себе и даст нам вечную жизнь.

— А если никакого Истока нет?

— Тогда смерть еще более желанна. Я не питаю ненависти к Цеске — я жалею его. Он построил свою империю на страхе, и чего он этим достиг? Каждый день приближает его к могиле. Разве он доволен? Разве испытывает любовь хоть к чему-нибудь на свете? Он окружает себя воинами, чтобы защититься от убийц, а за этими воинами надзирают другие, выискивающие предателей. Но тогда за надзирателями тоже кто-то должен надзирать? Что за жалкая участь!

— Так, стало быть, Тридцать — вовсе не воины Истока?

— Воины, если верят в это.

— Придется выбрать что-нибудь одно, Катан.

— Пожалуй, — усмехнулся монах. — А ты как стал воином?

— Все мужчины — воины, ведь жизнь — это битва. Крестьянин бьется с засухой, наводнением, падежом и болезнями. Моряк — с морем и бурей. Мне недостало для этого силы, поэтому я сражался с людьми.

— А с чем сражается священник?

Декадо взглянул в серьезные глаза Катана.

— С самим собой. Он не может переспать с женщиной, не почувствовав вины. Не может напиться. Не может наслаждаться красотой мира без мысли о том, что ему необходимо совершить какое-нибудь доброе дело.

— Для монаха ты придерживаешься не слишком высокого мнения о своих собратьях.

— Напротив — очень высокого.

— Ты был чересчур суров с Аквасом. Он ведь искренне верил, что спасает душу Абаддона.

— Я знаю, Катан, и восхищаюсь им, как и всеми вами. Это я на себя злился. Мне приходится нелегко — ведь у меня нет вашей веры. Для меня Исток — тайна за семью печатями. И все-таки я обещал Абаддону, что доведу его дело до конца. Вы чудесные молодые ребята, а я всего лишь старый вояка, влюбленный в смерть.

— Не будь и к себе слишком суров. Ты избран. Это великая честь.

— Игра случая! Я пришел в монастырь, и Абаддон усмотрел в этом больше, чем следовало бы.

— Нет. Подумай сам: ты пришел в день смерти одного из наших братьев. И ты не просто воин, а, быть может, величайший боец нашего времени. Ты в одиночку одержал победу над Храмовниками. Более того — ты развил в себе дар, которым мы, остальные, наделены от рождения. Ты явился в Замок Пустоты и спас нас. Разве все это не делает тебя нашим вождем? И если ты таков... то что привело тебя к нам?

Декадо лег на спину, глядя на собирающиеся вверху тучи.

— Похоже, дождь будет.

— Пробовал ты молиться, Декадо?

— Непременно будет — вон какие тучи.

— Пробовал или нет?

Декадо сел, тяжело вздохнув.

— Конечно, пробовал — но ответа так и не получил. Пробовал и в ту ночь, когда вы отправились в Пустоту... но Он не захотел мне ответить.

— Как ты можешь так говорить? Разве в ту ночь ты не взлетел? Разве не отыскал нас в туманах безвременья? Думаешь, это само собой у тебя получилось?

— Да, я так думаю.

— Стало быть, ты сам ответил на собственную молитву?

— Да.

— Ну так продолжай молиться, — улыбнулся Катан. — Кто знает, каких еще высот ты этим достигнешь!

Декадо усмехнулся в свой черед.

— Ты смеешься надо мной, молодой Катан! За это молитву сегодня вечером будешь вести ты — Аквасу пора отдохнуть.

— Почту за удовольствие.

В поле Ананаис пустил галопом своего вороного. Пригнувшись к шее коня, он погонял его, и копыта вовсю стучали по сухой земле. На несколько мгновений он забыл обо всем, отдавшись азарту скачки. Позади голова в голову скакали Галанд и Торн, но их кони не могли сравниться с вороным. Ананаис доскакал до ручья, опередив их корпусов на двадцать, соскочил с коня, потрепал его по шее и стал выхаживать, не подпуская пока к воде. Двое других, подъехав, спешились тоже.

— Так нечестно! — сказал Галанд. — Твой конь на несколько ладоней выше и притом породистый.

— Но вешу-то я больше, чем вы оба, вместе взятые.

Торн ничего не сказал, только усмехнулся криво и покачал головой. Ему нравился Ананаис, и он приветствовал перемену, происшедшую в их полководце с тех пор, как светловолосая женщина перешла жить в его хижину. Ананаис будто ожил и стал лучше ладить с миром.

Такая уж это штука — любовь. Торн много раз бывал влюблен и даже в свои шестьдесят два года смотрел в будущее с надеждой. Есть одна вдова, живущая в своем хуторке на безлюдном северном высокогорье, — он частенько заворачивает к ней позавтракать. Он еще не расшевелил ее, но со временем расшевелит — Торн знал толк в женщинах. Спешка тут ни к чему. Учтивый разговор — вот в чем сила. Расспроси ее о том о сем, прояви свой интерес. Почти все мужики рвутся завалить женщину, как только она согласится. Экая дурь! Ты поговори сперва. Узнай ее. Потом потрогай, тихонько, нежно. А уж потом люби, только без спешки. Торн рано обучился всему этому, потому что никогда не был красавцем. Другие мужчины завидовали его успеху, но опыт его перенять не стремились. Ну и дураки!

— Утром из Вагрии опять пришел караван, — сказал, почесывая бороду, Галанд. — Но золота в казне мало осталось. Треклятые вагрийцы взвинтили цены вдвое.

— На этом рынке все решает продавец, — заметил Ананаис. — Что они привезли?

— Наконечники для стрел, железо, мечи — а в основном муку и сахар. Да, еще кожи и шкуры, как Лейк заказал. На месяц у нас еды хватит... но не больше.

Сухой смешок Торна прервал повествование.

— Что тут смешного?

— Если через месяц мы будем еще живы, я и поголодать согласен!

— Что, беженцы все еще поступают? — спросил Ананаис.

— Да, — кивнул Галанд, — но уже в меньшем числе. Думаю, мы справимся. В армии у нас теперь почти две тысячи, правда, оборона все равно получается жидкая. Не по душе мне это — сидеть и ждать, что будет. «Дракон» всегда наносил удар первым.

— Выбирать нам не из чего, — сказал Ананаис, — ведь ближайшие несколько недель нам придется оборонять возможно более широкий рубеж. Если мы отступим, они просто двинутся следом — а так они пока не знают, что предпринять.

— Ребята становятся беспокойны, — доложил Торн. — Трудно сидеть вот так, сложа руки, — разные мысли да фантазии так и лезут в голову. Райван творит чудеса — ездит из долины в долину, зажигает в них мужество и величает их героями. Только не знаю, достаточно ли этого. Победа вскружила всем голову, Ананаис, но теперь тех, кто участвовал в бою, стало меньше, чем новичков. Люди еще не испытаны, вот и тревожатся.

— И что же ты предлагаешь?

Торн усмехнулся своей кривой ухмылочкой.

— Я не генерал, Черная Маска. Предлагать — твоя забота!

15

Кафас отошел от палаток и расстелил свой черный плащ на сухой земле. Он снял черный шлем и опустился на землю. Звезды светили ярко, но Кафас не видел их. Прохлада и покой ночи вызывали в нем ненависть. Он тосковал по Храму, по оргиям в чаду дурмана. По музыке застенка и сладостным мольбам жертвы. Веселья — вот чего недоставало ему в этой пустыне.

Между палачом и жертвой возникают особые отношения. Сперва вызов и ненависть. Потом слезы и вопли. Потом мольба. И наконец, когда дух уже сломлен, рождается нечто вроде любви. Кафас громко выругался и встал, возбужденный и злой. Из сумки на боку он достал длинный лист лорассия, скатал его в комок, сунул в рот и стал медленно жевать. Скоро сок ударил в голову, и Кафас поплыл, проникая в сны спящих солдат и тягучие голодные мысли барсука, затаившегося в подлеске. Кафас отгородился от всего этого и направил память к недавнему прошлому, когда в застенок привели маленькую девочку...

Но тут ему стало не по себе, и он рывком вернулся к действительности, вперив глаза в лесной мрак.

Впереди возник яркий огонек — он мерцал, постепенно принимая очертания воина в серебряных доспехах. Дуновение Духа слегка шевелило полы его белого плаща.

Кафас закрыл глаза и вылетел из тела, вооруженный черным призрачным мечом и темным щитом. Воин отразил его удар и отступил на шаг.

— Поди сюда и умри, — бросил Кафас. — Двенадцати вашим уже конец — ступай же вслед за ними.

Воин молчал, и сквозь прорезь его серебряного забрала виднелись только голубые глаза. Их спокойная уверенность проникла в сердце Кафаса, и щит Храмовника съежился.

— Ты не можешь тронуть меня! — визгливо прокричал Кафас. — Дух сильнее Истока. Ты бессилен! — Воин покачал головой. — Будь ты проклят! — Щит исчез совсем, и Кафас, взмахнув мечом, бросился вперед.

Аквас с легкостью отразил удар и погрузил свой меч в грудь Храмовника. Черный рыцарь ахнул, когда ледяной клинок рассек его призрачную плоть, и душа его погасла, как свеча, а за ней умерло и тело.

Аквас вернулся в собственное тело, которое ожидало его в двух сотнях шагов от места схватки, и повалился на руки Декадо и Катана.

— Все Храмовники, несущие караул, мертвы, — сказал он.

— Молодец! — похвалил Декадо.

— Зло, исходящее от них, изнурило меня. Даже прикосновение к ним навлекает на человека проклятие.

Декадо молча отошел к Ананаису, стоявшему наготове с сотней воинов. Слева ждал, присев на корточки, Торн, справа — Галанд. Пятьдесят воинов были из числа легионеров. Ананаис не очень-то полагался на них. Он доверял чутью Декадо, но к прозорливости Тридцати по-прежнему относился скептически. Нынче ночью он проверит, насколько надежны эти легионеры. Пока что в их вооруженном соседстве он чувствовал себя неуютно.

Он вывел свой отряд на опушку. Впереди виднелись сто палаток дельнохского гарнизона, на шесть человек каждая. За ними — огражденный веревками загон для лошадей.

— Брейт нужен мне живым — и лошади тоже нужны, — прошептал Ананаис. — Возьми полсотни человек, Галанд, и уведи коней. Остальные — за мной!

Низко пригнувшись, он двинулся вперед, и воины в темных доспехах последовали за ним.

У палаток отряд разделился — бойцы тихо приподнимали входные полотнища и проникали внутрь. Кинжалы рассекали глотки спящих, и они умирали, не издав ни звука. Какой-то солдатик, вышедший по нужде, увидел прямо перед собой гиганта в черной маске, а за ним еще двадцать человек. Солдат вскрикнул... и умер.

Из палаток стали выскакивать дельнохцы с мечами. Закипела схватка. Ананаис срубил двоих и выругался. Шатер Брейта был прямо перед ним — белый конь на синем шелке, эмблема дренайского посла.

— Ко мне, Легион! — взревел Ананаис и бросился вперед. Он увернулся от копья, выставленного ему навстречу, и, описав мечом крутую дугу, сокрушил ребра копейщика. Отдернув полотнище, он шагнул в палатку. Брейт спрятался под кроватью, но Ананаис выволок его за волосы и швырнул наружу. К ним подбежал Торн.

— У нас небольшое затруднение, Черная Маска.

Пятьдесят легионеров сомкнулись вокруг палатки Брейта, а на них напирали дельнохские воины, ожидающие только приказа, чтобы вступить в бой. Ананаис вздернул Брейта на ноги и вывел вперед.

— Прикажи своим людям сложить оружие, не то я перережу твою хилую глотку.

— Хорошо, хорошо, — пролепетал старик, воздев руки. — Люди Цески, сложите оружие. Моя жизнь имеет слишком большую ценность, чтобы бросаться ею. Дайте им уйти. Я приказываю!

Вперед вышел Черный Храмовник.

— Что проку от тебя, старик? Ты должен был выманить этих псов из их логова, но потерпел неудачу. — Он взмахнул рукой, и черный кинжал, пролетев по воздуху, вонзился Брейту в горло. Старик пошатнулся и рухнул на колени. — Взять их! — вскрикнул Храмовник, и дельнохцы ринулись в бой. Ананаис рубил направо и налево — враги вились вокруг него, точно мотыльки вокруг свечи. Оба его меча мелькали так, что глаз не успевал уследить. Легионеры тоже держались стойко, и старина Торн умело орудовал клинком.

Грохот копыт внезапно заглушил лязг стали — в схватку вступили свежие силы, и дельнохцы дрогнули. Отряд Галанда, обратившийся в конницу, обрушился на них сзади. Ананаис, дав своим команду наступать, ринулся вперед. Чей-то клинок вонзился ему в бок. Он зарычал и ответным ударом сбил с ног противника. Декадо направил коня к Ананаису, протягивая левую руку. Ананаис ухватился за нее и вскочил на лошадь позади друга. Легионеры следовали его примеру, и скодийцы галопом покидали лагерь. Ананаис оглянулся, ища Торна, и увидел его за спиной у Галанда.

— Молодчага старик! — крикнул Черная Маска.

Декадо промолчал. Он только что получил сообщение от Балана, в чью задачу входило вести наблюдение за Дренаном на предмет выступления главных сил Цески.

Новости не сулили ничего хорошего — Цеска не терял времени даром.

Полулюды уже двинулись в поход, и Тенака-хан явно не успеет до их прихода привести своих надиров.

По словам Балана, армия прибудет к долинам Скодии через четыре дня.

Тенака сможет разве что отомстить за товарищей — нет такой силы на свете, которая способна сдержать чудовищ Цески.

***

Ананаис въехал в город, прямо держась в седле, хотя усталость камнем давила на него. День и две ночи он провел в разговорах со своими помощниками и командирами отрядов. Многие начальники, извещенные о броске Цески, советовали скрыть это от бойцов, опасаясь паники и дезертирства, но Ананаис никогда не был сторонником подобного образа действий. Люди, идущие на смерть, имеют право знать, что их ожидает.

Как же он, однако, устал.

Прошло всего два часа, как рассвело, и в городе было тихо, но дети уже играли на улицах и глядели во все глаза на Черную Маску. Его конь поскользнулся на мокром булыжнике — Ананаис вздернул голову вороного вверх и потрепал его по шее.

— Что, парень, притомился не хуже меня?

Из палисадника вышел лысый коренастый человек с красным сердитым лицом.

— Эй ты! — окликнул он.

Ананаис придержал коня, и старик подошел к нему, сопровождаемый стайкой ребятишек.

— Ты хочешь мне что-то сказать, приятель?

— Я тебе не приятель, проклятый мясник! Я хочу только, чтобы ты посмотрел на этих вот детей.

— Уже посмотрел — славные ребятишки.

— Славные, да. И отцы у них были славные, а теперь вот гниют в Улыбке Демона. А чего ради? Чтобы дать тебе поиграть своим блестящим мечом?

— Ты все сказал?

— Черта с два! Что будет с этими детьми, когда придут полулюды? Я был солдатом и знаю: этих тварей остановить нельзя — они придут сюда, в город, и никого не оставят в живых. Что будет тогда с этими детьми?

Ананаис тронул коня каблуками, и тот двинулся вперед.

— Вот-вот! — завопил старик. — Уехать проще, чем ответить. Но запомни их лица — слышишь?

По кривым, узким улочкам Ананаис доехал до здания совета. Юноша принял у него коня, и Черная Маска взошел на мраморные ступени.

Райван сидела одна в зале заседаний, привычно глядя на облупленную мозаику. За последние дни она похудела. На ней снова была кольчуга, подпоясанная широким ремнем, свои темные волосы она связала на затылке.

Увидев Ананаиса, Райван улыбнулась и показала ему на стул рядом с собой.

— Здравствуй, Черная Маска. Если ты с дурными вестями, погоди немного. Мне и своих хватает.

— Что случилось? — спросил он.

Она махнула рукой и закрыла глаза, не в силах говорить. Потом сделала глубокий вдох и медленно выдохнула.

— Как там, солнце светит?

— Светит.

— Люблю смотреть на солнце над горами. Посмотришь, и жить хочется. Ты уже ел?

— Нет.

— Пойдем тогда на кухню, поищем чего-нибудь. А поедим в висячем саду.

Они сели в тени пышного цветущего куста. Райван прихватила с кухни черный каравай и сыр, но они не спешили приняться за еду — хорошо было просто посидеть в молчании.

— Я слышала, тебе повезло, — сказала наконец Райван. — Как твой бок?

— На мне все заживает быстро. Рана неглубокая, и шов держит хорошо.

— А мой сын Лукас ночью умер. Гангрена... пришлось отнять ему ногу, но это не помогло.

— Мне очень жаль, — пробормотал Ананаис.

— Он был храбрый мальчик. Теперь у меня остались только Лейк и Равенна... а скоро не останется никого. Как же мы дошли до этого, Черная Маска?

— Мы допустили к власти безумца.

— К власти? Мне думается, правитель имеет ровно столько власти, сколько мы ему позволяем. Может ли Цеска двигать горы? Может ли он погасить звезды или велеть дождю пролиться? Он всего лишь человек — и если бы все перестали его слушаться, он пал бы. Но люди слушаются его, верно? Говорят, у него в армии сорок тысяч человек. Дренаев, готовых воевать с другими дренаями. В надирских войнах мы хотя бы знали, кто наш враг. А теперь врагов нет — только бывшие друзья.

— Что я могу тебе ответить? Ничего. Тебе бы с Тенакой поговорить, а я только воин. Учитель когда-то говорил мне, что у всех хищников глаза смотрят вперед: у львов, у коршунов, у волков и у людей. А у тех, кем они питаются, глаза расположены по бокам, чтобы лучше замечать охотников. Он говорил, что человек ничем не отличается от тигра. По натуре мы убийцы, и нам всегда мало. Все герои, которых мы помним, служат примером нашей любви к войне. Друсс, на изображение которого ты смотришь в зале совета, был величайшей убойной машиной всех времен.

— Что ж, это верно. Но есть разница между Друссом и Цеской. Друсс всегда сражался за свободу.

— Не обманывай себя, Райван. Друсс дрался, потому что любил это дело, — у него это хорошо получалось. Вспомни его историю. На востоке он сражался за тирана Горбена, стирая с лица земли города, селения и целые народы. И даже не думал оправдываться за это — не оправдывайся и ты.

— По-твоему, нет на свете истинных героев?

— Какие там, к черту, герои! Райван, зверь сидит в каждом из нас. Как бы мы ни старались, мы то и дело бываем подлыми, мелочными или ненужно жестокими. Мы не хотим этого, но так уж мы устроены. Почти все герои памятны нам как раз потому, что они победили, — а побеждает лишь тот, кто не знает жалости и думает только о себе. Таким был и Друсс — и друзей у него не было, только почитатели.

— Сможем ли победить мы, Ананаис?

— Нет. Но мы можем задать Цеске такого жару, чтобы победить смог кто-то другой. Мы не доживем до возвращения Тенаки. Цеска уже в пути — но мы можем связать ему руки, порядком измотать его и поколебать славу, которой он окружил своих полулюдов.

— Даже «Дракон» не выстоял против этого зверья.

— «Дракона» предали, выманив его на открытое поле, и многие его воины тогда уже состарились. Пятнадцать лет — долгий срок. Это был уже не тот «Дракон». Настоящий «Дракон» — это мы, и, клянусь богами, мы им покажем!

— Лейк придумал какой-то самострел и хочет показать его тебе.

— Где он?

— В старой конюшне на южной стороне. Но отдохни сперва — ты совсем измучен.

— Ладно. — Он встал, пошатнулся и рассмеялся. — Старею я, Райван. — Он прошел несколько шагов, потом вернулся и положил свою огромную руку ей на плечо. — Я не мастер выражать сочувствие, но мне очень жаль Лукаса. Он был хороший парень и делал тебе честь.

— Ступай отдохни. Времени все меньше, и нам нужна твоя сила. Я полагаюсь на тебя — мы все на тебя полагаемся.

Когда он ушел, она стала у стены и устремила взгляд на горы.

Смерть подошла совсем близко, но Райван было все равно.

***

Тенаку-хана трясло от ярости. Он стоял, прикрученный сыромятными ремнями к стволу вяза. Пятеро мужчин, сидя у костра, рылись в его седельных сумках. Небольшой запас золота уже лежал около вожака — одноглазого и коренастого. Тенака сморгнул кровь, натекшую в правый глаз, стараясь не думать о боли в избитом теле.

Он был слишком занят своими мыслями, когда ехал через лес, и камень из пращи, попав в висок, выбил его из седла. В полубеспамятстве он все-таки вытащил меч и убил одного разбойника, но остальные повалили его и принялись молотить дубьем. Последнее, что он слышал перед погружением во мрак, было: «Он убил моего брата. Стойте — он нужен мне живым».

И вот он привязан к дереву всего в четырех днях пути от Скодии, накануне мучительной смерти. Досада терзала его, и он вился в своих путах, но они держали крепко. Ноги болели, спина горела огнем.

Одноглазый подошел к дереву. Лицо его свела судорога гнева.

— Хряк надирский, ты убил моего брата! — Тенака молчал. — Ничего, ты за это поплатишься. Я изрежу тебя на куски, поджарю твое мясо на огне, а потом тебе же и скормлю. Что скажешь на это?

Тенака молчал, и разбойник двинул его кулаком. Тенака напряг мышцы живота, но боль от удара была жестока. Он опустил голову, и вожак ударил его в лицо.

— Отвечай, дерьмо надирское!

Тенака сплюнул кровью и облизнул распухшую губу.

— Ничего, заговоришь еще! Будешь мне петь всю ночь до рассвета.

— Выколи ему глаза, Бальдур! — крикнул кто-то из разбойников.

— Нет. Я хочу, чтобы он все видел.

— Тогда один выколи.

— Один? Это можно. — Бальдур вытащил кинжал. — Ну как, надир, повесим тебе глаз на щеку?

Высокий нечеловеческий вопль пронизал ночь.

— Что это такое, во имя семи преисподних? — вскричал, оглянувшись, Бальдур. Другие, сделав знак Хранящего Рога, схватились за оружие.

— Это где-то близко, — сказал коротышка с рыжеватой бороденкой.

— Кошка, поди. Дикая кошка, — решил Бальдур. — Подбавьте-ка дров в огонь. — Двое бросились собирать хворост, а Бальдур снова повернулся к Тенаке: — Ты слыхал когда-нибудь такой звук, надир?

Тенака кивнул.

— И кто же это?

— Лесной демон.

— Брось! Я всю жизнь провел в лесу, а такого не слыхал.

Тенака пожал плечами.

— Что бы это ни было, оно мне не нравится. Поэтому я не буду убивать тебя медленно — просто распорю тебе брюхо и выпущу из тебя кровь. Оставайся на съедение своему демону!

Бальдур отвел руку назад...

Стрела с черным оперением вонзилась ему в горло, и какой-то миг он еще стоял, будто остолбенев. Потом выронил нож и медленно ощупал древко. Глаза его расширились, колени подогнулись, и он упал. Вторая стрела мелькнула над поляной и вошла в правый глаз бородатому коротышке. Он с криком повалился. Остальные трое, побросав оружие, бросились в лес. Еще через несколько мгновений из-за деревьев появилась невысокая фигура с луком в руке.

На ней были камзол и штаны из светло-бурой кожи, зеленый капюшон покрывал волосы. На боку висел короткий тонкий меч.

— Как поживаешь, Тенака? — умильно спросила она.

— Я поистине счастлив тебя видеть. Развяжи меня.

— Развязать? — Рения присела на корточки у костра. — Такого большого сильного мужчину? Неужто тебе понадобилась женская помощь?

— Не время шутить, Рения. Развяжи меня.

— А если развяжу, ты возьмешь меня с собой?

— Ну конечно, — ответил он, понимая, что выбора нет.

— Ты уверен, что я тебе не помешаю?

Тенака скрипнул зубами, перебарывая гнев, а Рения зашла за дерево и перерезала мечом его путы. Тенака упал, и она помогла ему добраться до костра.

— Как ты меня нашла?

— Это было нетрудно, — уклончиво сказала она. — Как ты?

— Жив, но и только. Придется мне быть поосторожнее, когда мы перевалим через горы.

Рения вскинула голову и раздула ноздри.

— Они возвращаются.

— Черт! Подай мне мой меч! — Но Рения уже исчезла за деревьями.

Он выбранился, с трудом поднялся на ноги и отыскал свой меч по ту сторону костра. Боец из него, однако, был никакой.

Снова раздался жуткий вой, заледенивший Тенаке кровь, — и Рения вышла на поляну, улыбаясь во весь рот.

— Они теперь бегут так быстро, что, пожалуй, до самого моря не остановятся. Может, поспишь немного?

— Как это у тебя получается?

— От природы.

— Я недооценивал тебя, женщина, — сказал Тенака, растянувшись у огня.

— Так говорят все мужчины от начала времен, — проворчала Рения.

Когда вновь настала ночь, Рения с Тенакой увидели вдалеке стоящую в тени Дельнохских гор заброшенную крепость Дрос-Кортсвейн. Построенная во дни Эгеля, первого Бронзового Князя, для защиты от вагрийского вторжения, крепость уже лет сорок как опустела. Опустел и выросший вокруг нее городок.

— Жуткое место, правда? — Рения направила свою серую кобылу поближе к Тенаке.

— Дрос-Кортсвейн вообще не следовало строить, — сказал Тенака, глядя снизу на мрачные стены. — Единственная ошибка Эгеля. Единственная дренайская крепость, где не произошло ни одного сражения.

Они подъехали к главным воротам, и стук копыт эхом отдался в ночи. Деревянные створки давно уже сгнили, каменный проем зиял, словно беззубый рот.

— Может, заночуем под открытым небом? — сказала Рения.

— Там водятся лесные демоны, — ответил Тенака, уворачиваясь от оплеухи.

— Стой! — раздался чей-то дребезжащий голос, и Тенака сощурился.

В воротах стоял старик в заржавелой кольчуге, со сломанным копьем в руке. Тенака осадил коня.

— Назови свое имя, всадник! — потребовал старик.

— Пляшущий Клинок. Со мною моя жена.

— Друзья вы или враги?

— Мы не делаем зла тому, кто не делает зла нам.

— Тогда входите. Ган разрешает.

— Это ты — ган Дрос-Кортсвейна?

— Нет. Вон он, ган. — Старик указал в пустоту позади себя. — Разве ты не видишь?

— Ну конечно. Прошу прощения. Мой привет твоему командиру.

Тенака въехал в ворота и спешился. Старик, ковыляя, подошел к нему. На вид старцу было за восемьдесят, и его жидкие волосы липли к желтому черепу, словно горный туман. Щеки ввалились, под водянистыми глазами залегли синие тени.

— Не делай лишних движений, — предостерег он. — Взгляни — на стенах стоят лучники, следящие за каждым твоим шагом.

Тенака посмотрел вверх — никого, кроме спящих голубей.

— Очень предусмотрительно. А еда у вас найдется?

— Для желанных гостей — всегда.

— А мы желанные гости?

— Ган говорит, ты смахиваешь на надира.

— Да, я надир, но имею честь служить в дренайской армии. Я Тенака-хан из «Дракона». Не представишь ли меня своему гану?

— У нас их двое. Это Оррин — он первый ган, а Хогун отвечает за разведку.

Тенака отвесил низкий поклон.

— Я много слышал о гане Оррине и о том, как храбро он защищал Дрос-Дельнох.

— Ган просит вас пожаловать к себе. Я его адъютант. Меня зовут Сиалл — дун Сиалл.

Отложив свое сломанное копье, старик побрел к темному замку.

Тенака ослабил подпругу и пустил коня на поиски травы. Рения последовала его примеру, и они оба направились за дуном Сиаллом.

— Он сумасшедший, — сказала Рения. — Ведь тут больше никого нет.

— Ничего, он, похоже, безобиден. И у него должна быть еда. Нам лучше поберечь припасы. Между прочим, люди, на которых он ссылается, — это настоящие ганы Дрос-Дельноха. Они служили там в те времена, когда мой прадед сражался с Ульриком, и командовали крепостью, пока Рек не стал Бронзовым Князем. Ты не перечь старику — это доброе дело.

В жилище гана Сиалл накрыл стол на троих. В середине красовался кувшин красного вина, в горшке над огнем бурлило жаркое. Старик трясущимися руками наполнил тарелки, вознес молитву Истоку и взялся за деревянную ложку. Тенака попробовал жаркое — пересолено, но вполне съедобно.

— Они все умерли, — проговорил Сиалл. — Я не сумасшедший — я знаю, что они умерли, и все-таки они здесь.

— Конечно, здесь, раз ты их видишь, — согласилась Рения.

— Не поддакивай мне, женщина! Да, я вижу их, и они рассказывают мне истории... чудесные истории. Они простили меня. Люди не прощают, но призраки лучше людей. Они больше знают. Они знают, что человек не может все время быть сильным. Знают, что порой он не может совладеть с собой и бежит. Они простили меня, сказали, что я могу остаться солдатом, и доверили мне смотреть за этой крепостью.

Внезапно Сиалл сморщился и схватился за бок. Рения посмотрела вниз и увидела, что из-под ржавой кольчуги на скамью сочится кровь.

— Ты ранен, — сказала она.

— Ничего. Мне не больно. Теперь я хороший солдат — они так сказали.

— Сними кольчугу, — мягко сказал Тенака.

— Нельзя. Я на посту.

— Снимай, тебе говорят! — гаркнул Тенака. — Я тоже ган, к твоему сведению, — и наведу у вас тут порядок!

— Слушаюсь, — пролепетал Сиалл, возясь со старинной застежкой. Рения пришла к нему на помощь, и наконец они сняли кольчугу. Старик не издал ни звука, хотя его спина была в кровь исполосована кнутом. Рения, порывшись в шкафах, нашла старую рубашку.

— Пойду принесу воды, — сказала она.

— Кто тебя так, Сиалл? — спросил Тенака.

— Всадники... вчера приехали. Искали кого-то. — Глаза старика блеснули. — Никак тебя, надирский князь.

— Вероятно.

Рения вернулась с медным котелком, полным воды. Она бережно обмыла старику спину, разорвала рубашку на полосы и забинтовала самые глубокие раны.

— За что они тебя? Они думали, ты знаешь, где я?

— Нет, — грустно ответил старик. — По-моему, им это просто доставило удовольствие. Призраки ничего не могли поделать — но потом они пожалели меня и сказали, что я стойко держался.

— Как ты здесь оказался, Сиалл? — спросила Рения.

— Я бежал, девушка. Бежал от надиров — и деваться было некуда, кроме как сюда.

— И сколько же ты здесь прожил?

— Долго, очень долго. Много лет. Тут хорошо, есть с кем поговорить. Они меня простили — и я занимаюсь очень важным делом.

— Каким? — спросил Тенака.

— Охраняю камень Эгеля. Он лежит у ворот, и на нем написано, что Дренайская империя падет, когда в Кортсвейне не останется больше людей. Эгель много чего знал. Он тоже побывал здесь, но меня к нему не допустили: в ту пору я прожил здесь недолго, и призраки еще не доверяли мне.

— Ступай поспи, Сиалл, — сказал Тенака. — Тебе надо отдохнуть.

— Пойду сперва спрячу ваших лошадей. Всадники еще вернутся.

— Я сам их спрячу. Рения, уложи его.

— Я не могу спать здесь — это постель гана.

— Ган говорит, что можно, — он нынче заночует у Хогуна.

— Он хороший человек. Я горжусь, что служу под его началом. Они все хорошие, хотя и мертвые.

— Отдыхай, Сиалл. Утром поговорим.

— Ты тот самый надирский князь, который побил вентрийцев около Пурдола?

— Тот самый.

— Ты тоже прощаешь меня?

— Да, прощаю. А теперь спи.

Тенака проснулся от стука копыт по холодному камню двора. Скинув одеяло, он разбудил Рению, и они вместе прокрались к окну. Внизу собралось около двадцати всадников в красных дельнохских плащах и блестящих бронзовых шлемах с черными лошадиными плюмажами. Рядом с высоким командиром, носившим расчесанную натрое бороду, ехал один из разбойников, захвативших в плен Тенаку.

Сиалл выполз во двор со своим сломанным копьем.

— Стойте! — воскликнул он. Его появление разрядило атмосферу, и всадники покатились со смеху.

Командир поднял руку, останавливая их, и пригнулся к шее коня.

— Мы ищем двух верховых, старик. Они здесь?

— Вам никто не разрешал входить в крепость. Ган приказывает вам удалиться.

— Как видно, ты плохо усвоил вчерашний урок, дуралей?

— Что же, вас силой заставить уйти? — не сдавался Сиалл.

Разбойник прошептал что-то на ухо командиру. Тот кивнул и обернулся назад.

— Следопыт говорит, они здесь. Заставьте старика говорить.

Двое солдат стали слезать с седел. Сиалл с боевым кличем ринулся вперед, и сломанное копье вонзилось в бок сидящему вполоборота офицеру. Тот завопил и едва не упал с коня. Сиалл выхватил копье и замахнулся снова, но солдат слева от него тронул коня и пронзил старика пикой, подняв его на воздух. Древко переломилось. Сиалл упал на камни.

Офицер оправился на седле.

— Поехали отсюда — я истекаю кровью!

— А как же те двое? — спросил следопыт.

— К черту их! Расставим людей цепью отсюда до Дельноха, и они не проскочат. Поехали! — Следопыт взял под уздцы офицерского коня, и все тронулись рысью обратно к воротам. Тенака выскочил во двор и опустился на колени рядом со смертельно раненным Сиаллом.

— Ты молодец, дун Сиалл, — сказал он, приподняв голову старика.

— Теперь сбудется то, что там написано. На камне.

— Ты все равно останешься здесь. С ганом и остальными.

— Да. Ган передает тебе что-то, но я не понимаю ни слова.

— Что он говорит?

— Велит тебе найти Царя Каменных Врат. Ты понимаешь, о чем он?

— Да.

— Была у меня когда-то жена... — прошептал Сиалл. И умер.

Тенака закрыл старику глаза, поднял на руки хрупкое тело, отнес в тень надвратной башни и уложил под камнем Эгеля. В руку старику он вложил сломанное копье.

— Вечером он молился Истоку, — сказал Тенака. — Я не верю толком ни в каких богов, но если ты есть — прими его душу к себе на службу. В нем не было зла.

Рения ждала его во дворе.

— Бедняга, — сказала она.

Тенака обнял ее и поцеловал в лоб.

— Пора ехать.

— Ты же слышал, что он сказал, — они расставят людей повсюду.

— Сначала они должны нас заметить — а потом поймать. До гор всего час езды — и туда, где пойду я, они не полезут.

Они ехали все долгое утро, стараясь держаться под деревьями, и с большой осторожностью передвигались по открытому месту, чтобы не маячить на горизонте. Дважды они замечали вдали всадников. К полудню они достигли подножия Дельнохских гор, и Тенака начал подниматься вверх. К сумеркам кони выбились из сил. Всадники, спешившись, стали присматривать место для ночлега.

— Ты уверен, что мы сумеем перейти на ту сторону? — спросила Рения, кутаясь в плащ.

— Да — но не знаю, сможем ли мы перевести лошадей.

— Как холодно.

— Будет еще холоднее. Нам придется подняться еще тысячи на три футов.

Всю ночь они жались друг к другу под одеялами. Тенака спал чутко. Задача, которую он поставил перед собой, внушала ему страх. С какой стати надиры пойдут за ним? Они ненавидят его еще больше, чем дренаи. Воин двух миров! Он открыл свои лиловые глаза и стал смотреть на звезды, дожидаясь рассвета.

Заря залила небо багровым огнем, словно гигантская рана разверзлась на востоке. Наскоро позавтракав, они снова отправились в путь, поднимаясь все выше.

Трижды за утро они спешивались, чтобы дать отдых лошадям, и вели их за собой по лежащему пятнами снегу. Далеко внизу Рения заметила красные плащи дельнохских кавалеристов.

— Они нашли нас! — крикнула она.

Тенака оглянулся.

— Они слишком далеко. Не тревожься.

За час до сумерек они вышли к обрыву. Узкая тропа уходила влево вдоль отвесной ледяной стены — в самом широком месте она насчитывала не больше шести футов.

— Мы что, пойдем здесь? — спросила Рения.

— Да. — Тенака направил своего коня вперед. Конь тут же поскользнулся, но выправился. Тенака задирал его голову вверх и что-то тихо приговаривал, успокаивая животное. Правая нога Тенаки висела над пропастью, левая касалась скалы; он не смел оглянуться на Рению, чтобы не нарушить равновесия. Конь продвигался медленно, прижав уши и испуганно расширив глаза. В отличие от надирских и сатулийских лошадок он не привык к горам.

Тропа вилась вдоль скалы, то расширяясь, то опасно суживаясь, — и наконец путники добрались до места, где ее покрывал лед. Тенака изловчился слезть, стал на колени и ощупал лед. Сверху тропу присыпал свежевыпавший снег, но внизу она была скользкой, как стекло.

— Может, вернемся? — сказала Рения.

— Тут негде развернуть лошадей, да и солдаты уже, наверное, добрались до тропы. Надо идти вперед.

— По льду?

— Лошадей поведем за собой, но если твоя начнет скользить, не удерживай ее, понятно?

— Мы совершаем глупость, — сказала она, глядя на скалы в сотнях футов под собой.

— Полностью с тобой согласен, — криво усмехнулся он. — Держись у скалы и не наматывай поводья на руку. Пошли! — И Тенака шагнул на покатую наледь, осторожно ступая по рыхлому снегу.

Он потянул за узду, но лошадь уперлась. Тенака обнял ее за шею и зашептал на ухо:

— Это не страшно, благородное сердце. Ты ведь храбрый, я знаю. Это просто скользкая тропа, и я буду с тобой. — Тенака говорил так несколько минут, оглаживая и трепля стройную шею. — Доверься мне, братец. Пойдем со мной.

Он снова потянул за повод — на сей раз конь последовал за ним.

Лошадь Рении поскользнулась, но выровнялась. Тенака слышал это, но оглянуться не мог. До конца наледи оставалось всего несколько дюймов, но тут его конь тоже оступился и в ужасе заржал. Правой рукой Тенака вцепился в поводья, левой ухватился за выступ скалы. Лошадь скользила к обрыву, и Тенаке казалось, что мышцы спины сейчас порвутся, а руки вывернет из суставов. Он не мог отпустить узду: в начале перехода он безотчетно обмотал ее вокруг запястья, теперь, если лошадь упадет, она неминуемо увлечет его за собой.

Внезапно конь нашел опору и с помощью Тенаки вернулся на тропу. Тенака привалился к скале. Конь ткнулся в него мордой, и Тенака погладил его. Запястье, истертое ременным поводом, кровоточило.

— Глупо так рисковать, — сказала Рения, выводя свою лошадь на твердую почву.

— Не стану отрицать — но все прошло хорошо. Теперь тропа станет шире, и особой опасности уже не будет. Не думаю, что дренаи последуют за нами по этой дороге.

— А я думаю, что ты родился в рубашке, Тенака-хан. Смотри только не расходуй всю свою удачу — прибереги немного для надирских земель.

Они остановились на ночлег в гроте, покормили лошадей и разложили костер из хвороста, который везли притороченным к седлам. Сняв с себя кожаный камзол, Тенака лег на одеяло у огня, и Рения растерла его поврежденную спину. Борьба с падающей лошадью не прошла даром: Тенака почти не мог шевельнуть правой рукой. Рения осторожно ощупала лопатку и опухшие мышцы.

— Хорош, нечего сказать. Весь в синяках.

— Тебе смотреть страшно — а мне-то каково?

— Стар ты становишься для таких дел, — поддразнила она.

— Мужчине столько лет, на сколько он себя чувствует!

— И на сколько же ты себя чувствуешь?

— Лет на девяносто, — сознался он.

Она укрыла его одеялом и села, вперив взор в темноту. Как здесь мирно и спокойно — ни войны, ни разговоров о ней. Если честно, Рении до Цески не было никакого дела — зато до Тенаки-хана было, и еще как. Мужчины такие глупые — они ничего не понимают в жизни.

Любовь — вот все, что имеет значение. Любовь одного человека к другому. Соприкосновение рук и сердец. Теплое чувство принадлежности, радость разделенности. Тираны будут всегда — похоже, человечество просто не способно обходиться без них. Ведь без тиранов не было бы и героев — а без героев человек уж точно не может жить.

Рения плотнее закуталась в плащ и подбросила в огонь последний хворост. Тенака спал, положив голову на седло.

— Что бы ты делал, не будь на свете Цески, любимый? — спросила она, зная, что он ее не слышит. — Пожалуй, в нем ты нуждаешься больше, чем во мне.

Он открыл свои лиловые глаза и пробормотал сонно:

— Неправда.

— Лгун, — шепнула она, укладываясь рядом с ним.

16

Муха, Белдер и Басурман, лежа на животах, смотрели на дренайский лагерь внизу. Двадцать солдат расположились вокруг пяти костров. Пленные сидели спина к спине посередине лагеря, и их охраняли часовые.

— Ты уверен, что это необходимо? — спросил Белдер.

— Уверен, — сказал Муха. — Если мы освободим этих двух сатулов, нам легче будет просить о помощи их соплеменников.

— Уж очень бдительно их стерегут, — проворчал старик.

— Это верно, — согласился Басурман. — Один часовой стоит в десяти шагах от пленных, еще двое прохаживаются по опушке, а четвертый расположился в лесу.

— Сможешь ты снять этого четвертого?

— Само собой, — ухмыльнулся Басурман. — Но как быть с остальными тремя?

— Найди того, что в лесу, и принеси мне его доспехи, — сказал Муха.

Басурман отполз прочь, а Белдер придвинулся к Мухе.

— Уж не собираешься ли ты туда, к ним?

— Конечно. Это ведь хитрость, а на них я мастак.

— Ничего у тебя не выйдет. Нас всех сцапают.

— Пожалуйста, Белдер, без хвалебных речей — я могу зазнаться.

— Я, во всяком разе, с тобой не пойду.

— Никто и не просит.

Прошло добрых полчаса, прежде чем вернулся Басурман. Он принес одежду часового, завернув ее в красный плащ.

— Тело я спрятал, как сумел. Когда у них смена караула?

— Через час, а то и меньше, — ответил Белдер. — Нам не поспеть.

Муха развязал узел и надел на себя панцирь. Великоват, но лучше уж такой, чем слишком тесный.

— Ну, как я выгляжу? — спросил он, водрузив на голову шлем с плюмажем.

— Смехотворно, — сказал Белдер. — Никого ты этим не обманешь.

— Старик, — прошипел Басурман, — ты у меня в печенках сидишь! Мы всего три дня провели вместе, а я уже видеть тебя не могу. Закрой-ка свой рот.

Белдер уже готовил уничтожающий ответ, но, посмотрев в глаза чернокожему, сразу умолк. Такой и убить может! Старик весь похолодел и отвернулся.

— Что ты задумал? — спросил у Мухи Басурман.

— Часовых трое, но около пленных стоит только один. Я сменю его.

— А те двое?

— Про них я еще не думал.

— Лиха беда начало. Если все пойдет как надо и третий уберется, двигайся к двум остальным. Держи нож наготове и будь готов помочь мне, когда придет время.

Муха облизнул губы. Нож? Он не был уверен, что сумеет вонзить его в живое тело.

Вдвоем с Басурманом они проползли сквозь кусты поближе к лагерю. Луна светила ярко, но случайное облако закрыло ее, погрузив поляну во мрак. Костры почти догорели, люди спали крепко.

Басурман приложил губы к уху Мухи и прошептал:

— Отсюда до первого спящего около десяти шагов. Когда облако набежит опять, ползи туда и ложись. А когда станет светло, сядь и потянись. Пусть часовой тебя видит.

Муха кивнул.

До нового облака прошло несколько напряженных минут. Муха устремился вперед и улегся как раз в тот миг, когда луна вышла снова. Он сел, сладко потянулся и помахал часовому. Потом встал, огляделся, взял копье около спящего солдата, вздохнул полной грудью и пошел, зевая, через поляну.

— Не спится, — сказал он часовому. — Сыро очень.

— Постоял бы тут, так узнал бы, где лучше, — буркнул солдат.

— А что, и постою. Ступай поспи, а я покараулю.

— Спасибо за услугу — но меня и так скоро сменят.

— Как хочешь, — сказал Муха, зевая во весь рот.

— Что-то я тебя раньше не видел. Кто твой начальник?

— Представь себе бородавчатую свинью, соображающую, как не слишком умный голубь.

— Дун Гидеус? Не повезло тебе, парень!

— Я и худших знавал.

— А я нет. Тут, наверное, дураков нарочно разводят. Ну зачем надо было нападать на сатулов? Точно у нас в Скодии мало хлопот. В голове не укладывается!

— У меня тоже. Ну, покуда жалованье платят...

— А ты что, получил? Я своего четыре месяца не вижу, — взъярился солдат.

— Да шучу я. Откуда?

— Ты такие шуточки брось. И без них тошно.

К ним подошел второй часовой.

— Что, Кел, никак смена?

— Да нет, ему просто не спится.

— Пойду разбужу их. Хватит, настоялись.

— Не дури, — посоветовал первый. — Проснется Гидеус — всем нам порки не миновать.

— Говорю тебе, иди отдыхай, — вмешался Муха. — Я постою — все равно ведь не сплю.

— А, черт, и впрямь пойду, — сказал первый. — Я уже ног под собой не чую. Спасибо, друг. — Он хлопнул Муху по плечу, отошел от пленных и лег с остальными.

— А ты, если хочешь, прикорни в лесу — я разбужу тебя, как будет смена, — предложил Муха второму.

— Нет, спасибо. В последний раз, когда часового застали спящим, Гидеус велел его повесить. Ублюдок! Я своей шкурой рисковать не желаю.

— Как знаешь, — с деланным безразличием сказал Муха. Сердце у него бешенно колотилось.

— Опять отпуска отменили, сволочи. Четыре месяца не видел жену и ребятишек. — Муха потихоньку вынул нож. — И дела на усадьбе идут неважно с этими сволочными налогами. Ну да ладно — жив, и то хорошо.

— Да, это уже немало, — согласился Муха.

— А с другой стороны, на кой такая жизнь? Того и гляди в Скодию пошлют — опять своих убивать. Свинская жизнь, одно слово.

— Да уж. — Муха, держа нож за спиной, перехватил его покрепче, готовясь вогнать в горло собеседнику.

— Пожалуй, я все-таки воспользуюсь твоим предложением, — выбранившись, согласился вдруг солдат. — Третью ночь подряд в караул назначают. Обещай только, что разбудишь!

— Обещаю, — с великим облегчением сказал Муха.

Но тут из мрака вышел Басурман и перерезал горло третьему часовому. Муха не колебался ни минуты — его клинок, войдя в шею солдата пониже челюсти, проник прямо в мозг. Часовой упал, не издав ни звука, но Муха успел перехватить его взгляд и отвернулся.

Басурман подбежал к нему.

— Молодец. Освободим пленных и уберемся отсюда.

— Он был хорошим человеком, — прошептал Муха.

Басурман схватил его за плечи.

— В Скодии тоже полегло немало хороших людей. Возьми себя в руки... надо спешить.

Двое пленных молча наблюдали за происходящим. Оба были в просторных сатулийских одеждах, и накидки с капюшонами наполовину скрывали их лица. Басурман перерезал их путы. Муха заглянул в лицо первому — тот откинул капюшон и сделал глубокий вдох. Лицо смуглое, волевое, с крючковатым носом над густой черной бородой. Глубоко сидящие глаза при луне тоже казались черными.

— Зачем это? — спросил он.

— После поговорим, — сказал Муха. — Лошади ждут вон там — только тихо.

Вместе с сатулами они углубились в лес и скоро нашли Белдера с лошадьми.

— А теперь скажи, зачем это тебе? — повторил сатул.

— Я хочу, чтобы ты проводил меня в свой лагерь. Мне нужно поговорить с сатулами.

— Ты не можешь сказать ничего такого, что мы захотели бы выслушать.

— Как знать.

— Я знаю, что ты дренай, и этого довольно.

— Ты ничего не знаешь. — Муха снял шлем и зашвырнул его в кусты. — Но сейчас не время спорить. Садись на коня и веди меня к своим.

— С какой стати?

— С такой, что ты у меня в долгу.

— Ничего я тебе не должен. Я не просил освобождать меня.

— Речь не об этом. Слушай меня, сын своего отца! Я вернулся с Гор Смерти, пройдя через туманы времен. Посмотри мне в глаза. Разве ты не видишь в них ужасов Шеола? Там я делил трапезу с Иоахимом, величайшим из сатулийских князей. Проводи меня в горы, и пусть твой вождь решит дело. Клянусь душой Иоахима, уж этим-то ты мне обязан!

— Легко тебе клясться великим Иоахимом, — настороженно сказал сатул, — ведь он умер больше ста лет назад.

— Он не умер. Дух его жив, и трусость сатулов удручает его. Он просил меня дать вам шанс вернуть свое — теперь дело за вами.

— Но кто ты такой?

— Ты найдешь мое изображение в вашей усыпальнице рядом с Иоахимом. Взгляни на мое лицо и скажи мне сам, кто я.

Сатул облизнул губы, недоверчивый, охваченный суеверным страхом.

— Бронзовый Князь?

— Да, я Регнак, Бронзовый Князь. А теперь веди меня в горы!

Всю ночь они ехали по Дельнохскому хребту через многочисленные перевалы, ведущие в сердце гор. Четыре раза их останавливали сатулийские дозоры, но каждый раз пропускали дальше. Когда утро перешло в день и солнце достигло зенита, они въехали в белый каменный город в тысячу домов, стоящий в чаше укромной долины. Все здания были одноэтажные, кроме одного — дворца правителя.

Муха никогда не бывал здесь — не многим дренаям это выпало на долю. Дети сбежались поглядеть на чужих, а когда путники добрались до дворца, вдоль дороги уже выстроилось человек пятьдесят воинов в белых одеждах, с кривыми саблями в руках. У дворцовых ворот, скрестив руки на груди, стоял человек, высокий и плечистый, с гордым лицом.

Муха остановил коня перед воротами и стал ждать. Человек разнял руки и вышел вперед, пристально глядя на Муху темно-карими глазами.

— Ты выдаешь себя за мертвеца? — спросил он. Муха молчал. — Тогда ты не будешь возражать, если я проткну тебя мечом?

— Я могу умереть так же, как всякий человек, — ответил Муха. — Со мной это уже однажды случилось. Но ты меня не убьешь, а потому оставь эти игры. Следуй своим же законам гостеприимства и предложи нам угощение.

— Ты хорошо играешь свою роль, Бронзовый Князь. Сойди с коня и следуй за мной.

Хозяин провел путников в западное крыло дворца и оставил совершить омовение в огромном мраморном бассейне. Юноши, прислуживавшие им, лили в воду ароматические жидкости. Бедлер хранил молчание.

— Нам нельзя задерживаться здесь надолго, князь, — сказал Басурман. — Сколько времени ты отведешь им?

— Не решил еще.

Басурман с головой погрузился в теплую воду. Муха подозвал слугу и попросил мыла. Тот с поклоном подал хрустальный сосуд. Муха вылил содержимое на голову и вымыл волосы, потом спросил бритву с зеркалом и побрился. Он устал, но после ванны почувствовал себя человеком. Когда он вышел по мраморным ступеням из воды, слуга накинул ему на плечи широкое одеяние и проводил его в спальню, где Муха нашел свою вычищенную одежду. Взяв из сумки свежую рубашку, Муха быстро оделся, расчесал волосы и привычно скрепил их повязкой. Потом, внезапно передумав, сорвал кожаную ленту и достал серебряный обруч с опалом в середине. Он водрузил обруч на лоб, и слуга подал ему зеркало. Муха поблагодарил, с удовлетворением отметив почтение на лице прислужника.

Подняв зеркало повыше, он оглядел себя.

Ну как, сойдет он за Река, Князя-Воителя?

Эту мысль подал ему Басурман, сказав, что люди всегда верят, будто другие сильнее, проворнее и способнее их. Все дело в том, кем себя вообразишь. А Муха, мол, может сойти и за принца, и за наемного убийцу, и за полководца.

Так почему бы не сделаться умершим героем?

В конце концов, кто докажет обратное?

Когда Муха вышел из комнаты, сатул с копьем склонился перед ним и пригласил следовать за собой. Они пришли в зал, где Муха увидел человека, с которым говорил у ворот, двух освобожденных из плена сатулов и старика в выцветших бурых одеждах.

— Добро пожаловать, — сказал хозяин дворца. — Кое-кто очень хочет побеседовать с тобой. — Он указал на старца. — Это Раффир, святой человек. Он потомок Иоахима и великий знаток истории. У него к тебе много вопросов относительно осады Дрос-Дельноха.

— Буду счастлив ответить ему.

— Уверен, что будешь. У Раффира есть и другой, весьма ценный талант — он говорит с духами умерших. Нынче вечером он погрузится в транс, и тебе, я думаю, приятно будет присутствовать при этом.

— Разумеется.

— Что до меня, я жду этого с особенным удовольствием. Я много раз слышал голос духовного наставника Раффира и часто вопрошал его. Но привилегия свести вместе столь старых друзей наполняет меня великой гордостью.

— Говори яснее, сатул. Мне недосуг разгадывать твои загадки.

— Тысяча извинений, мой досточтимый гость. Дело в том, что духовный наставник Раффира — не кто иной, как твой друг, великий Иоахим. С восторгом жду случая услышать вашу беседу.

***

— Брось паниковать! — сказал Басурман мечущемуся по комнате Мухе. Слуг они отпустили, а перепуганный Белдер удалился в розовый сад.

— Как же не паниковать, когда все рухнуло!

— Ты уверен, что старик не врет?

— Да какая разница? Если он врет, значит, князь подучил его разоблачить меня. Если нет, меня разоблачит дух Иоахима. Куда ни кинь, всюду клин!

— Ты мог бы сам изобличить старика в обмане, — не слишком убежденно сказал Басурман.

— Изобличить их святого в его собственном храме? Навряд ли. Этого никакое гостеприимство не выдержит.

— Не хочу повторять Белдера, но ты сам это придумал. Надо было обдумать все хорошенько.

— Не повторяй Белдера.

— Да перестань ты метаться! На вот, съешь. — Басурман бросил Мухе яблоко, но тот не стал его ловить.

Белдер, войдя, мрачно изрек:

— Ну и влипли мы в историю.

Муха упал в широкое кожаное кресло.

— Да, ночка предстоит недурная.

— Разрешат нам взять оружие? — спросил Басурман.

— Думаю, что да — но не знаю, как ты пробьешь себе дорогу через тысячу сатулов.

— Я не хотел бы умереть безоружным.

— Смелая речь. Где это яблоко? Не хочу умирать без куска яблока во рту. Может, не будем о смерти? Мне очень не по себе от таких разговоров.

Так они говорили без всякого толку, пока слуга, постучав в дверь, не пригласил всех следовать за собой. Муха, попросив его подождать, посмотрелся в большое зеркало и с удивлением увидел улыбку на своем лице. Он картинно накинул плащ на плечо и поправил опаловый обруч на лбу.

— Не покидай меня, Рек, — сказал он. — Мне очень понадобится твоя помощь.

Все трое вышли за слугой из дворца и вступили во врата храма, где слуга с поклоном оставил их. Муха вошел под холодные своды. Все сиденья были заняты молчаливыми сатулами, князь и Раффир восседали рядом на помосте, и справа от Раффира был приготовлен третий стул. Муха гордо прошествовал по проходу, взошел на помост и старательно расправил на спинке своего стула снятый плащ.

Князь, встав, поклонился, и Муха уловил зловредный огонек в его темных глазах.

— Приветствую нашего досточтимого гостя. Ни один дренай не входил еще в этот храм. Но этот человек утверждает, будто он — Пагуба надиров, живое воплощение Бронзового Князя и кровный брат великого Иоахима. Посему он обладает полным правом встретиться с Иоахимом в этом священном месте. Мир да снизойдет в наши души, братья. Откроем сердца наши музыке Пустоты. Пусть Раффир вступит в общение с Тьмой.

Собравшиеся единодушно склонили головы, и Муха вздрогнул. Раффир откинулся назад. Его широко раскрытые глаза закатились. Муху замутило.

— Взываю к тебе, духовный брат! — воскликнул святой высоким, дребезжащим голосом. — Явись к нам из своих священных пределов и удели нам толику своей мудрости.

Пламя свечей заколебалось, словно ветер пронесся по храму.

— Приди, духовный брат, и просвети нас.

Свечи замигали снова — и многие погасли.

Муха облизнул губы. Нет, Раффир не врал.

— Кто звал сатула Иоахима? — спросил глубокий звучный голос.

Муха привскочил на стуле: голос шел из ветхого горла Раффира.

— Кровь от крови твоей, великий Иоахим, — сказал князь. — Здесь присутствует человек, выдающий себя за твоего друга.

— Пусть говорит он, — молвил дух. — Твой докучливый голос мне уже надоел.

— Ты слышал? Говори же, — сказал Мухе князь.

— Не смей приказывать мне, несчастный! — гаркнул Муха. — Я Рек, Бронзовый Князь, и я жил в те дни, когда сатулы были мужчинами. Иоахим был мужчиной — и моим братом. Скажи мне, Иоахим, как тебе нравятся сыновья твоих сыновей?

— Рек? Я ничего не вижу. Это ты?

— Я, брат мой. Я здесь, среди твоих бледных подобий. Почему ты не спустишься сюда, ко мне?

— Не знаю... Мне нельзя... Как много времени прошло, Рек, с нашей первой встречи. Помнишь, что ты сказал тогда?

— Да. Я спросил: «Дорого ли стоит твоя жизнь?» И ты ответил: «Цена ей — сломанная сабля».

— Да-да, я помню. Но были еще другие слова — те, что привели меня в Дрос-Дельнох.

— Я ехал в крепость на верную смерть и сказал тебе об этом. А после я сказал: «Впереди у меня только война — и мне хотелось бы верить, что позади я оставляю хотя бы немногих друзей». Так я сказал и протянул тебе руку.

— Рек, брат мой! Это ты! Как случилось, что ты снова оказался в числе живых?

— Мир не изменился, Иоахим, и зло по-прежнему заражает его, словно гной нечистую рану. Я веду войну, не имея союзников и располагая лишь горсткой друзей. И я пришел к сатулам, как в былые времена.

— В чем ты нуждаешься, брат?

— В людях.

— Сатулы не пойдут за тобой — да им и не подобает. Я любил тебя, Рек, ибо ты был великим мужем. Но кощунственно было бы дренаю возглавить избранный народ. Большая дерзость с твоей стороны даже просить об этом. Но в час твоей нужды я предлагаю тебе чейямов — пользуйся ими по своему усмотрению. О, Рек, брат мой, если бы я мог вновь оказаться рядом с тобой с моей верной саблей в руке! Я и теперь вижу, как лезут надиры на последнюю стену, слышу их полные ненависти крики. Мы были настоящими мужчинами, верно?

— Верно. Ты даже и раненый был несокрушим.

— Теперь все по-другому, Рек. Мой народ превратился в овнов, ведомых козлами. Располагай чеями, как тебе угодно, — и да благословит тебя Владыка Всего Сущего.

Муха сглотнул.

— Благословил ли он тебя, мой друг?

— Я получил то, что заслужил. До свидания, брат мой.

Великая грусть овладела Мухой — он упал на колени, и слезы потекли у него по щекам. Он не мог побороть рыданий. Басурман подбежал к нему и поднял его на ноги.

— Сколько скорби в его голосе, — прошептал Муха. — Уведи меня отсюда.

— Подождите! — вмешался князь. — Церемония еще не окончена.

Но Басурман, не слушая его, почти что вынес рыдающего Муху из храма. Ни один сатул не преградил им дорогу, и трое путников вернулись к себе. Басурман уложил Муху на широкое, застланное атласом ложе и подал ему в каменном кувшине холодной, приятной на вкус воды.

— Знакома ли тебе такая скорбь? — спросил Муха.

— Нет, — признался Басурман. — Слушая его, я стал ценить жизнь еще больше. Как ты это сделал? Несравненное представление, клянусь всеми богами.

— Очередной обман — и мне тошно от него! Какая доблесть в том, чтобы обманывать страдающего слепого духа? Боги, ведь он уже сто лет как мертв. После битвы они с Реком почти не встречались — они принадлежали к разным мирам.

— Но ты знал все нужные слова...

— Да — из записей Князя. Я ведь хорошо изучил историю. Сатулы устроили Реку засаду, и он вызвал Иоахима на поединок. Они боролись долго, а потом у сатула сломалась сабля. Но Рек пощадил его — это и стало началом их дружбы.

— Ты выбрал себе трудную роль — ведь из тебя боец неважный.

— А мне и не нужно быть бойцом — достаточно сыграть его. Посплю-ка я, пожалуй. Боги, как я устал... и как мне стыдно.

— Тебе нечего стыдиться. Но скажи мне — кто такие чейямы?

— Потомки Иоахима. Нечто вроде секты, так мне кажется. Дай поспать.

— Спи, Рек, спи — ты заслужил отдых.

— Нет надобности называть меня так без посторонних.

— Нет, есть — теперь мы все должны играть свою роль. Я ничего не знаю о твоем предке, но он, думаю, гордился бы тобой. Нужно железное самообладание, чтобы пройти через это.

Но Муха не оценил похвалы — он уже спал. Басурман вышел в смежную комнату.

— Как он там? — спросил Белдер.

— Все хорошо. Но мой тебе совет, старик: впредь никаких ехидных словечек! Отныне он Бронзовый Князь, и нужно обращаться с ним как подобает.

— Много ты понимаешь, черномазый! — огрызнулся Белдер. — Это не просто роль — он в самом деле Бронзовый Князь. По праву и по крови. Он думает, что это только игра, — ну и пусть себе думает. Ты видишь перед собой настоящего князя. Я всегда знал, что в нем это есть. Потому и злился так. Ехидные словечки? Я горжусь этим мальчиком — так горжусь, что готов запеть!

— Нет уж, не надо, — ухмыльнулся Басурман. — У тебя голос, как у больной гиены.

Муха проснулся оттого, что чья-то грубая рука зажала ему рот. Пробуждение не из приятных. Луна светила в открытое окно, и ветер вздувал кружевную занавеску — но пришельца нельзя было разглядеть.

— Ни звука, — предупредил он. — Ты в большой опасности! — Он убрал руку и сел на кровать. Муха тоже сел.

— В опасности? — шепотом переспросил он.

— Князь приказал убить тебя.

— Очень мило!

— Я пришел помочь тебе.

— Рад слышать.

— Теперь не до шуток, князь. Я Магир, предводитель чейямов, — а ты, если не примешь мер, снова окажешься в Чертогах Смерти.

— Что я должен делать?

— Покинуть город нынче же ночью. Наш лагерь расположен чуть выше в горах, там ты будешь в безопасности. — За окном послышался легкий шорох, словно веревка терлась о камень. — Поздно! — прошептал Магир. — Они уже здесь. Доставай меч!

Муха, пошарив впотьмах, извлек клинок из ножен. Темная тень возникла в окне, но Магир бросился ей навстречу с кривым кинжалом. Жуткий вопль разорвал ночную тишину. В комнату проникли еще двое убийц. Муха заорал во всю глотку и ринулся вперед, взмахнув мечом. Клинок вошел в чье-то тело, и человек упал без единого звука. Муха переступил через труп, и над головой у него сверкнул кинжал. Он упал на спину и вонзил меч в живот врага. Тот зарычал от боли, отшатнулся и выпал из окна.

— Великолепно! — сказал Магир. — Никогда не видел столь блестящего финта. Тебе бы чейямом быть.

Муха привалился к стене, выронив меч из онемевших пальцев.

В комнату вломился Басурман.

— Что тут такое, Рек? — Гигант воздвигся на пороге словно черная статуя, а дверь повисла на сорванных петлях.

— А просто открыть нельзя было? — поинтересовался Муха. — Ваши сценические замашки меня убивают.

— Кстати, — заметил Басурман, — я только что убил двоих у себя в комнате. Белдер мертв — ему перерезали горло.

Муха вскочил на ноги.

— Они убили Белдера? Но зачем?

— Ты опозорил князя, — сказал Магир. — Теперь он должен убить тебя, иного выхода у него нет.

— А как же дух Иоахима? Зачем было вызывать его?

— На это я не могу ответить, князь, — но тебе пора уходить.

— Уходить? Он убил моего друга — возможно, единственного, который у меня был. Белдер был мне как отец. Ступайте прочь и оставьте меня — оба!

— Не делай глупостей, — предостерег Басурман.

— Глупостей? А что же такое жизнь, если не глупая, тошнотворная комедия, разыгрываемая дураками? Так вот, один дурак уже сыт по горло. Убирайтесь!

Муха быстро оделся, застегнул пояс и взял в руку меч. Он подошел к окну и выглянул наружу. На ветру раскачивалась веревка, и Муха спустился по ней во двор.

Четверо часовых молча смотрели, как он спрыгнул на мраморные плиты. Он вышел на середину и поднял голову, глядя на окна княжеских покоев.

— Князь трусов, выходи! — крикнул он. — Покажись, князь лжи и обмана. Иоахим верно сказал — ты овца. Выходи!

Часовые переглянулись, но не двинулись с места.

— Я жив, князь. Бронзовый Князь жив! Твои убийцы мертвы, и скоро ты последуешь за ними. Выходи — или я сам найду тебя и выну из тебя душу. Выходи!

Занавески на окне шевельнулись, и показался князь, красный и разгневанный. Он облокотился на резной каменный подоконник и крикнул часовым:

— Убейте его!

— Иди и убей меня сам, шакал! — завопил Муха. — Иоахим назвал меня своим другом, и это правда. Ты слышал его в своем собственном храме и все же подослал ко мне убийц. Бесхребетная свинья! Ты позоришь своего предка и нарушаешь законы гостеприимства. Жалкая падаль. Спускайся вниз!

— Вы что, не слышите? Убейте его! — прокричал князь.

Часовые двинулись вперед с копьями наперевес. Муха опустил меч и устремил ярко-голубые глаза на переднего воина.

— Я не стану драться с вами. Но что мне сказать Иоахиму, когда я вновь увижусь с ним? И что скажете ему вы, когда сами отправитесь прямой дорогой в Шеол? — Воин заколебался. К Мухе подоспели Басурман, вооруженный двумя мечами, и Магир. Стража приготовилась к бою.

— Не трогайте его! — крикнул Магир. — Он князь и честно вызвал вашего господина на поединок.

— Спускайся, князь трусов, — подхватил Муха. — Твое время вышло!

Князь вылез на подоконник и спрыгнул с десятифутовой высоты на камни. Взметнулись белые одежды... Он взял у часового саблю и попробовал, как она уравновешена.

— Сейчас ты умрешь, — сказал он. — Я знаю — ты лжец. Ты не покойный князь, ты мошенник.

— Докажи! — бросил Муха. — Иди сюда. Я самый великий воин из всех, кто когда-либо жил на свете. Я обратил вспять надирские орды. Я сломал саблю Иоахима. Иди сюда и умри!

Князь облизнул губы, глядя в его сверкающие глаза. Пот прошиб правителя сатулов, и он понял, что обречен. Жизнь стала вдруг очень дорога ему — и надо же было выходить на бой с каким-то демоном из преисподней! У князя затряслись руки.

Он чувствовал на себе взгляды — во дворе собралось много сатулийских воинов, но он один, и никто не придет к нему на помощь. Надо атаковать — и это равносильно смерти. С диким воплем князь поднял саблю и ринулся вперед. Муха вонзил клинок ему в сердце, выдернул меч, и тело сползло на камни.

Магир шагнул к Мухе.

— Теперь надо уходить. Они не станут чинить тебе препятствий, но вскоре последуют за тобой, чтобы отомстить за князя.

— Мне все равно. Я пришел сюда, чтобы привлечь их на свою сторону. Без них мы пропадем.

— У тебя есть чейямы, мой друг. Они пойдут за тобой хоть в самый ад.

Муха взглянул на мертвого князя.

— Он даже не пытался биться со мной — просто ринулся навстречу смерти.

— Он был пес и сын пса. Я плюю на него! Он не ровня тебе, господин мой, хотя и был первым среди сатулов бойцом.

— Да ну? — изумился Муха.

— Это так. Но он знал, что ты сильнее его, и это знание убило его прежде твоего меча.

— Экий дурак. Если бы он только...

— Рек, — сказал Басурман, — нам пора. Я приведу лошадей.

— Нет. Прежде я хочу похоронить Белдера.

— Мои люди займутся этим, — сказал Магир. — Твой друг прав — я велю привести лошадей. До нашего лагеря всего час пути, там мы отдохнем и обсудим, что делать дальше.

— Магир!

— Да, мой господин.

— Спасибо тебе.

— Я исполняю свой долг, князь. Я думал, что мне это будет тяжело, ибо чейямы не питают любви к дренайским воинам, — но ты оказался достойным.

— Скажи мне — кто вы, чейямы?

— Мы Кровопийцы, сыны Иоахима. Мы поклоняемся лишь одному богу: Шалли, Владыке Смерти.

— Сколько вас здесь?

— Только сто человек, князь. Но не суди о нас по количеству — суди по числу убитых, которых мы оставляем за собой.

17

Человек был зарыт по шею в плотно утоптанную сухую землю. Муравьи ползали по его лицу, и солнце палило бритую голову. Он слышал стук приближающихся копыт, но повернуться не мог.

— Чума на тебя и на весь твой род! — крикнул он.

Кто-то спешился, и благодатная тень упала на него. Подняв глаза, он увидел перед собой высокую фигуру в черном кожаном камзоле и сапогах для верховой езды — лица не было видно. Женщина держала лошадей, а мужчина в черном присел на корточки.

— Мы ищем становище Волков, — сказал он.

Зарытый выплюнул заползшего в рот муравья.

— А мне-то что? Или ты думаешь, что меня вместо придорожного столба тут оставили?

— Я как раз подумываю, не выкопать ли тебя.

— Я бы на твоем месте не стал. В холмах позади тебя полным-полно Вьючных Крыс. Они тебя за это не похвалят.

«Вьючными Крысами» прозвали племя Зеленой Обезьяны лет двести назад, когда у них после одной битвы угнали лошадей и им пришлось тащить свои пожитки на себе. Другие племена не забыли об этом позоре и Обезьянам забыть не давали.

— Сколько их там? — спросил Тенака.

— Да кто их знает? Для меня они все на одно лицо.

Тенака поднес кожаную флягу с водой ко рту зарытого, и тот жадно напился.

— Ты сам-то чей? — спросил Тенака.

— Хорошо, что ты прежде напоил меня, а потом уж спрашиваешь. Я Субодай из Копья.

Тенака кивнул. Волчья Голова ненавидела Копье по той причине, что тамошние воины свирепостью и мастерством не уступали Волкам.

Уважение к врагу не входило в обычаи надиров. К более слабым питали презрение, к более сильным — ненависть. Копье, хоть ни в чем и не превосходило Волков, относилось к последней категории.

— Как же это Копье поддалось Вьючным Крысам? — осведомился Тенака.

— Такое уж везение. — Субодай выплюнул еще нескольких муравьев. — Лошадь сломала ногу, и они вчетвером накинулись на меня.

— Только вчетвером?

— Мне нездоровилось.

— Я, пожалуй, все-таки тебя откопаю.

— Напрасно, Волчья Голова, — вдруг мне придется тебя убить?

— Стану я опасаться человека, которого могут осилить каких-то четверо Вьючных Крыс. Откопай его, Рения.

Тенака сел, поджав ноги, на землю и стал смотреть на холмы. Никакого движения там не наблюдалось, но он знал, что за ним следят. Он выпрямил свою надорванную спину — за последние пять дней ей стало намного лучше.

Рения разгребла утоптанную землю, отрыла связанные за спиной руки Субодая и разрезала путы. Он оттолкнул ее и сам завершил работу по своему избавлению. Не сказав Рении ни слова, он подошел к Тенаке и сел на корточки рядом с ним.

— Я решил не убивать тебя.

— Для человека из Копья ты очень умен, — сказал Тенака, по-прежнему глядя на холмы.

— Да, это так. А твоя женщина, я вижу, дренайка — мягкая.

— Я люблю мягких женщин.

— Ну да, у них есть свои достоинства. Не продашь ли мне меч?

— А чем заплатишь?

— Уведу лошадь у Вьючных Крыс.

— Твоя щедрость сравнима только с твоей самоуверенностью.

— Я тебя знаю: ты Пляшущий Клинок, наполовину дренай. — Субодай снял подпоясанный меховой полушубок и стряхнул муравьев с плотно сбитого могучего тела. Тенака не потрудился ответить — он смотрел на холмы, где клубилась пыль и люди садились на коней.

— Их там больше четырех, — заметил Субодай. — Так как насчет меча-то?

— Они уезжают, — сказал Тенака. — Вернутся с подкреплением. — Он подошел к своей лошади и сел в седло. — Будь здоров, Субодай!

— Погоди! А меч?

— Лошадь-то ты мне не пригнал.

— Пригоню, дай срок.

— Не дам. Что еще ты можешь предложить?

Положение Субодая было безвыходным. Если его оставят здесь без оружия, он погибнет меньше чем через час. Он подумал, не напасть ли на Тенаку, но взглянул в его лиловые глаза и решил, что лучше не надо.

— Больше ничего. Зато ты, мне сдается, на этот счет что-то придумал.

— Ты поступишь ко мне в услужение на десять дней и проводишь меня к Волкам.

Субодай сплюнул.

— Все лучше, чем подыхать здесь. Десять дней, говоришь?

— Да.

— Считая нынешний?

— Да.

— Согласен. — Субодай протянул руку, и Тенака втянул его на лошадь позади себя. — Хорошо, что мой отец не дожил до этого дня, — проворчал надир.

Они тронулись рысью на север, и Субодай стал думать об отце. Сильный был человек и наездник отменный, но нрав имел бешеный.

Нрав-то его и погубил. После скачки, которую выиграл Субодай, отец обвинил сына в том, что тот ослабил подпругу его, отца, кобылы. Вслед за словами в ход пошли кулаки и ножи.

Субодай до сих пор помнил удивление на лице отца, когда нож сына вошел ему в грудь. Человек должен уметь сдерживать свой норов.

Надир перегнулся назад, уставив черные глаза на Рению. Хороша! Для степной жизни, может, и не годится — зато годится для другого.

Еще девять дней он послужит Пляшущему Клинку — а потом убьет его и заберет себе его женщину.

Да и кони тоже хороши. Субодай ухмыльнулся, вновь ощутив радость жизни.

Он возьмет себе женщину, возьмет лошадей и всеми натешится всласть.

Лейк, обливаясь путом, налегал на тяжелую деревянную рукоять — надо было отвести назад плечо самострела и насадить ременную тетиву обратно на крюк. Паренек в кожаном переднике подал ему неплотную связку из полусотни стрел, и Лейк поместил их в чашу. В тридцати футах от него двое помощников установили у стенки толстую деревянную дверь.

Ананаис сидел в углу, прислонясь спиной к холодной каменной стене старой конюшни. Пока что требовалось больше десяти минут, чтобы зарядить эту машину. Он приподнял маску и поскреб подбородок. Десять минут — и пятьдесят стрел! Любой лучник за половину этого времени может выпустить вдвое больше. Но Лейк очень старался, и Ананаис не хотел обескураживать его.

— Готовы? — спросил Лейк своих помощников. Они кивнули и укрылись за мешками с овсом и пшеницей.

Лейк взглянул на Ананаиса, ища его одобрения, и дернул за шнур. Массивное плечо вылетело вперед, и пятьдесят стрел вонзились в дубовую дверь — некоторые прошли насквозь и высекли искры из стены позади. Ананаис подошел, пораженный убойной силой оружия. Дверь полностью изрешетило в середине, куда попало более трети стрел.

— Ну, что скажешь? — с беспокойством спросил Лейк.

— Стрелы ложатся слишком кучно, — сказал Ананаис. — Если выстрелить ими в толпу полулюдов, идущих на приступ, убить можно будет не более двух зверей. Можешь ты сделать так, чтобы они летели больше вширь?

— Попробую. Но сам самострел тебе нравится?

— Есть у тебя свинец для пращи?

— Есть.

— Заряди чашу им.

— Чаша не выдержит. Она предназначена для стрельбы стрелами.

Ананаис положил руку на плечо молодому человеку.

— Она предназначена для того, чтобы убивать. Заряди ее свинцом.

Помощник принес мешок и загрузил в кожаную чашу несколько кусочков свинца с гальку величиной.

Ананаис сам взялся за рукоять, и они натянули ремень через четыре минуты.

Ананаис отступил вбок и потянулся к шнуру.

— Отойдите, — велел он остальным. — И за мешки больше не прячьтесь — выйдите за дверь.

Помощники шмыгнули вон, и Ананаис дернул. Рычаг вылетел, и свинец поразил мишень. Грохот ударил в уши, куски расколотой двери рухнули на пол. Кожаная чаша самострела лопнула.

— Это лучше стрел, молодой Лейк, — сказал Ананаис.

Юноша бросился осматривать чашу и натяжной ремень.

— Чашу я сделаю из меди, — сказал он, — и ускорю натяжение. Понадобится две рукоятки, по одной с каждой стороны. И свинец будет разлетаться во все четыре стороны.

— И как скоро ты сможешь сделать такой самострел?

— У меня их три. На переделку уйдет около дня — и станет четыре.

— Молодец, парень!

— Не знаю только, как доставить их в долины.

— Об этом не беспокойся — на первых порах они нам не понадобятся. Поднимешь их в горы — Галанд скажет, где поставить.

— Но они могли бы помочь нам продержаться, — гневно заспорил Лейк.

Ананаис взял его за руку и вывел из конюшни на свежий ночной воздух.

— Пойми, парень, ничто не поможет нам удержать первую линию обороны. У нас людей не хватит. Слишком много здесь перевалов и троп. Если мы будем упорствовать, нас возьмут в кольцо. Это хорошее оружие, и мы используем его — но позднее.

Гнев Лейка угас, сменившись тупой, усталой покорностью. Все эти дни он не давал себе отдыха, изыскивая способ повернуть течение вспять — но он был не дурак и понимал втайне, что это невозможно.

— Города нам не отстоять, — сказал он.

— Город можно построить заново.

— Но многие жители откажутся уходить — я не удивлюсь, если их будет большинство.

— Тогда они умрут, Лейк.

Молодой человек снял кожаный фартук и сел на перевернутую бочку. Передник он скомкал и швырнул себе под ноги. Ананаис понимал, что так же Лейк поступил и со своими мечтами.

— Черт возьми, Лейк, хотел бы я сказать тебе что-нибудь ободряющее. Я знаю, что ты чувствуешь... я сам чувствую то же самое. Когда все преимущества на стороне у врага, человеку начинает казаться, что в мире нет справедливости. Помнится, мой старый учитель говорил мне, что за каждой тучей солнце только и ждет, чтобы изжарить тебя до смерти.

— У меня тоже был учитель, — хмыкнул Лейк. — Чудной такой старикан, он жил в хижине у западного холма. Однажды он сказал, что есть три рода людей: победители, побежденные и борцы. Победители вызывают у него тошноту своей надменностью, побежденные — своим нытьем, а борцы — своей глупостью.

— К какой же категории он причислял себя?

— Он говорил, что испробовал все три, и ни одна ему не подошла.

— Что ж, он по крайней мере пытался. Большего от человека и требовать нельзя, Лейк. Попытаемся и мы. Мы будем бить их и изматывать. Мы навяжем им затяжную войну, действуя кулаками, лбами, сталью и огнем. И если удача будет на нашей стороне, мы сметем их с помощью надиров Тенаки.

— Похоже, удача нам не слишком благоприятствует.

— Мы сами творим свою удачу. Я не верю в богов, Лейк, и никогда не верил. Если они и существуют, судьбы простых смертных заботят их очень мало. Я верю в самого себя — и знаешь почему? Я ни разу не терпел поражения! Меня кололи копьем и кинжалом, травили ядом. Меня волокла за собой дикая лошадь, меня бодал бык и ломал медведь. Но я ни разу не терпел поражения. Полулюд сорвал с меня лицо, но я остался жив — и побеждать вошло у меня в привычку.

— За тобой трудно угнаться, Черная Маска. Я раз победил в беге и был третьим в вольной борьбе на Играх. Ага... еще меня в детстве ужалила пчела, и я плакал несколько дней подряд.

— Из тебя, Лейк, выйдет толк! Красиво врать я тебя уже научил — теперь пойдем обратно и займемся машиной, которую ты изобрел.

***

Три дня от рассвета до заката Райван и ее многочисленные помощники обходили город, уговаривая людей покинуть свои дома и подняться в горы. Неблагодарное это было занятие. Многие отказывались наотрез, да еще и смеялись над пугавшей их Райван. «С чего это Цеска будет брать город, — спрашивали они. — У него даже и стен нет, потому что поживиться тут нечем». Перед носом у посланников захлопывались двери. Райван терпела оскорбления и унижения, но продолжала свой обход.

Утром четвертого дня беженцы собрались на лугу к востоку от города с нагруженными повозками, в которые были запряжены мулы, мелкие лошадки и даже волы. Менее преуспевающие горожане тащили мешки на себе. Собравшихся было менее двух тысяч — вдвое больше горожан решило остаться.

Галанд и Лейк возглавили долгий и трудный подъем в горы, где в укромных долинах триста человек уже строили простые жилища.

Самострелы Лейка, укутанные в промасленную кожу, везли на шести повозках в голове колонны.

Райван, Декадо и Ананаис проводили караван взглядами. Райван покачала головой, выбранилась и молча направилась обратно в зал совета. Мужчины последовали за ней. Войдя в дом, она дала волю своему гневу.

— Что у этих людей в голове, во имя Хаоса? — бушевала она. — Неужто они еще не усвоили, на что способен Цеска? С некоторыми из них я дружила много лет. Это солидные, разумные, рассудительные люди. Им что, хочется умереть?

— Не так все просто, Райван, — сказал Декадо. — Они не знают, что такое настоящее зло, и у них в голове не укладывается, что Цеска способен перебить все городское население. Для них это полная бессмыслица. Ты спрашиваешь, неужто они еще не раскусили Цеску? Да нет, не раскусили. Они видели людей с отрубленными руками — но кто знает, вдруг те заслужили такую казнь? Они слышали, что в других краях господствует голод и чума, но у Цески на это всегда готов ответ. Он с поразительным искусством перекладывает все с больной головы на здоровую. А если правда, то люди просто не хотят знать. Для большинства из них жизнь ограничивается домом и семьей — они смотрят, как подрастают дети, и надеются, что будущий год окажется лучше этого. В южной Вентрии есть община, живущая на вулканическом острове. Каждые десять лет вулкан извергается, засыпая всю округу пеплом, заливая лавой и унося сотни жизней. Однако уцелевшие остаются на месте, говоря себе, что худшее уже позади. Не мучай себя, Райван. Ты сделала все, что могла. Больше, чем можно требовать.

Она, бессильно сгорбившись на сиденье, покачала головой:

— Нужно было постараться получше. Теперь здесь погибнут больше четырех тысяч человек. Ужасно! И все из-за того, что я начала войну, которую не могу выиграть.

— Чепуха! — сказал Ананаис. — Зачем ты клевещешь на себя, женщина? Война началась из-за того, что солдаты Цески вторглись в горы и стали убивать невинных. Ты только защищала то, что принадлежит тебе. Кем бы мы были, черт возьми, если бы молча терпели подобные бесчинства? Мне тоже не по нутру наше нынешнее положение — оно смердит хуже, чем дохлая свинья десятидневной давности в летнюю пору, но я в этом не виноват. И ты не виновата. Если уж тебе хочется кого-то винить, вини тех, кто отдал свои голоса за Цеску. Вини солдат, которые продолжают повиноваться ему. Вини «Дракон», который не сместил его, когда мог. Вини его мать за то, что родила его на свет. И довольно об этом! Каждый мужчина и каждая женщина в этом городе могли сделать свой выбор. Их судьба в их собственных руках. Ты за них не отвечаешь.

— Не хочу спорить с тобой, Черная Маска, но кто-то должен в эти страшные времена принять на себя ответственность. Ты говоришь, что войну начала не я. Но я сама вызвалась возглавить этих людей, и смерть каждого из них ложится на мою совесть. Не может быть по-иному, ибо все они дороги мне. Можешь ты это понять?

— Нет, — честно признался Ананаис. — Но принять могу.

— Я тебя понимаю, — сказал Декадо. — Но прибереги свою привязанность для тех, кто доверился тебе и ушел в горы. Вместе с теми, кто пришел из окрестностей Скодии, число беженцев составит теперь семь тысяч человек. Надо будет позаботиться об их здоровье и пропитании. Потребуется наладить сообщение, доставку провизии и лекарств. Всем этим нужно руководить, все это требует рук. И с каждым человеком, направляемым туда, оборона становится на одного воина слабее.

— Я займусь этим сама, — кивнула Райван. — Там найдется около двадцати женщин, на которых можно положиться.

— При всем моем уважении к вам, — сказал Ананаис, — мужчины вам тоже понадобятся. В такой скученности страсти легко разгораются, и некоторые могут возомнить, что получают меньше, чем им следует. Между мужчин, ушедших в горы, много трусов — а трусость часто порождает злобу. Начнутся кражи, да и женщинами кое-кто захочет попользоваться.

Зеленые глаза Райван вспыхнули.

— Я справлюсь со всем этим, Черная Маска. Поверь мне! Мне возражать никто не посмеет.

Ананаис ухмыльнулся под маской. Голос Райван гремел, квадратный подбородок воинственно выпятился вперед. Возможно, она и права, подумал он. Храбрецом должен быть тот, кто осмелится ей перечить, — а все храбрецы будут иметь дело с врагом пострашнее.

В последующие дни Ананаис делил свое время между маленькой армией, занимающей внешнее кольцо гор, и устройством временной крепости во внутреннем кольце. Узкие тропы заваливались, а главные входы — долины Тарск и Магадон — спешно перегораживались стенами из необработанного камня. Все светлое время суток выносливые скодийские горцы скатывали с высоты огромные валуны и устанавливали их в устье долин. Стены понемногу росли. Умелые строители поставили тали и деревянные леса — камни втягивались наверх веревками и скреплялись смесью из глины с каменной пылью.

Главным каменщиком, а заодно и зодчим, был выходец из Вагрии по имени Леппо — высокий, смуглый, лысый и неутомимый. Его сторонились, ибо он имел раздражающую привычку смотреть сквозь человека, не видя его и решая при этом какую-нибудь строительную задачу. Разрешив ее, он внезапно улыбался и делался как нельзя более приветливым. Не многие могли угнаться за ним в работе, и он не знал покоя до глубокой ночи — придумывал разные усовершенствования и заставлял других трудиться в поте лица при луне.

Перед концом работ Леппо придумал еще одну шутку и воздвиг на стенах укрепления из досок, а с внешней стороны бастионы гладко заштукатурили известью, чтобы врагу труднее было взбираться на них.

В середине каждой стены Леппо поставил по гигантскому самострелу Лейка; Лейк сам проверил их на дальность и быстроту и обучил двенадцать человек стрелять из них. У орудий сложили мешки со свинцовыми шариками и несколько тысяч стрел.

— Выглядит солидно, — сказал Торн Ананаису, — но все-таки это не Дрос-Дельнох.

Ананаис шел вдоль укреплений Магадона, намечая возможные линии атаки. Стены остановят кавалерию Цески, только полулюды взберутся на них без труда. Леппо сотворил чудеса, воздвигнув бастионы пятнадцатифутовой вышины, но этого недостаточно. Орудия Лейка будут сеять опустошение футах в тридцати от стен, но на более близком расстоянии станут бесполезны.

Торна Ананаис послал за две мили в долину Тарск. Торн ехал верхом, а следом за ним Ананаис отрядил двух бегунов. У Торна на дорогу ушло меньше пяти минут, у бегунов — около двенадцати.

Генерал находился в большом затруднении. Весьма вероятно, что Цеска одновременно нанесет удар по обеим долинам — и если падет одна, другая тоже будет обречена. Поэтому где-то между ними нужно поместить резерв, готовый заслонить собой намечающуюся брешь. Но стену можно проломить в одно мгновение, и подмога не успеет подойти. Сигнальные костры тут не годятся, ибо между двумя долинами высятся горы.

Леппо разрешил эту задачу, предложив трехсторонний способ сообщения. На горе поставили пост, который посредством зеркал или фонарей мог передавать сигналы в обе долины. Пятьсот человек, расположенные между долинами, получат сигнал и поскачут, как черти, в нужное место. Этот способ испытывали много раз, и днем и ночью, пока Ананаис не убедился, что лучшего добиться невозможно. После сигнала о помощи подкрепление прибывало на место через четыре минуты. Ананаис предпочел бы сократить этот срок вдвое, но был доволен и тем, что есть.

Валтайя отправилась в горы вместе с Райван — ее поставили заведовать лекарственными средствами. Ананаис страшно тосковал по ней и не мог избавиться от чувства обреченности. Он никогда не думал много о смерти — теперь эти мысли преследовали его. Прощаясь с Валтайей прошлой ночью, он чувствовал себя несчастным, как никогда в жизни. Он обнимал ее и не находил слов. Как передать ей всю глубину своей любви?

— Я... я буду скучать по тебе.

— Это ненадолго, — сказала она, целуя его в искореженную щеку и отводя глаза от безгубого рта.

— Ты смотри... береги себя.

— Ты тоже.

Он посадил ее на лошадь — тут к хижине подъехали другие путники, и он торопливо надел маску. Валтайя уехала, а он смотрел ей вслед, пока ночь не поглотила ее.

— Я люблю тебя, — с запозданием сказал он тогда. Он сорвал с себя маску и заревел во всю мочь: — Я ЛЮБЛЮ ТЕБЯ! — Слова эхом отдались в горах, и Ананаис упал на колени, молотя кулаками по земле.

— Черт, черт, черт! Я люблю тебя!

18

Тенака, Субодай и Рения опережали кочевников на час, и расстояние понемногу сокращалось: конь Тенаки, хоть и принадлежал к сильной дренайской породе, нес на себе двоих. На вершине холма Тенака заслонил глаза рукой и попытался сосчитать погоню, но это было нелегко, всадников окружало облако пыли.

— Мне сдается, их там не больше дюжины, — сказал он наконец.

— Могло быть и поменьше, — пожал плечами Субодай.

Тенака оглядывался, ища, где бы устроить засаду. В одном месте над тропой словно кулак навис каменный выступ. Тропа за ним сворачивала влево. Тенака встал ногами на седло и перескочил на камень. Недоумевающий Субодай пересел вперед и принял поводья.

— Езжай до того темного холма, а там сделаешь круг и вернешься опять сюда, — сказал ему Тенака.

— Что ты задумал? — спросила Рения.

— Добыть лошадку для моего раба, — усмехнулся Тенака.

— Поехали, женщина! — рявкнул Субодай и двинулся рысью вперед.

Рения переглянулась с Тенакой.

— Что-то мне не очень нравится быть покорной женщиной степей.

— Я тебя предупреждал, — напомнил он с улыбкой.

Она кивнула и поехала за Субодаем.

Тенака распластался на камне, наблюдая за погоней, — Субодай опережал их минут на восемь. Вблизи Тенака разглядел, что всадников девять, на них были козьи полушубки и круглые кожаные шлемы, отороченные мехом. Черные как ночь глаза на плоских желтых лицах смотрели с холодной жестокостью. У каждого — копье, за поясом — мечи и ножи. Тенака смотрел, ожидая, когда проедет последний.

Они проскакали по узкой тропе, замедлив ход у поворота. Тенака повис, поджав ноги, и камнем упал на последнего, ударив ему в лицо сапогами. Всадник вылетел из седла. Тенака свалился на землю, перевернулся, вскочил и поймал коня за узду. Конь застыл как вкопанный, раздув ноздри от испуга. Тенака огладил его и подвел к упавшему воину. Надир был мертв. Тенака надел на себя его полушубок, взял шлем, копье, прыгнул в седло и поскакал за остальными.

Тропа петляла то влево, то вправо, и всадники ехали не слишком кучно. Перед очередным поворотом Тенака подъехал поближе к тому, что скакал впереди.

— Эй, погоди-ка! — крикнул он. Тот натянул поводья, а остальные тем временем скрылись из вида.

— Чего тебе? — спросил надир.

Тенака поравнялся с ним и указал вверх. Тот задрал голову, кулак Тенаки врезался ему в шею, и он без звука выпал из седла. Впереди раздались торжествующие крики. Тенака с ругательством пришпорил своего конька, обогнул поворот и увидел Субодая и Рению лицом к лицу с семью надирами.

Тенака обрушился на врага, как гром, и копьем выбил одного из седла. Потом выхватил меч — и второй с криком свалился наземь.

Субодай с боевым кличем послал коня вперед и яростным ударом меча разрубил врагу ключицу. Надир зарычал, но не сдался и кинулся на Субодая. Тот пригнулся от взмаха меча и мастерски распорол противнику живот.

Двое всадников насели на Рению, вознамерившись хоть что-нибудь добыть в бою. Но она, свирепо оскалясь, прыгнула на первого, свалив его наземь вместе с конем. Она так быстро перерезала надиру горло, что он не почувствовал боли и не понял, отчего его вдруг одолела такая слабость. Рения взвилась на ноги с душераздирающим воплем, так напугавшим разбойников в Дренае. Кони в ужасе встали на дыбы, а ближний к Рении надир выронил копье и схватился за поводья обеими руками. Рения, прыгнув, стукнула его кулаком в висок; он выпал из седла, попытался подняться и в беспамятстве обмяк на земле.

Оставшиеся двое пустились наутек, а Субодай подъехал к Тенаке.

— Ну и баба у тебя, — прошептал он, постучав себя по виску. — Она ж бешеная, как дикая кошка.

— Я люблю таких.

— А ты скор на руку, Пляшущий Клинок! Пожалуй, в тебе больше от надиров, чем от дренаев.

— Не всякий счел бы это похвалой.

— Стоит ли печалиться о дураках! Сколько лошадей я могу взять себе? — Субодай оглядел шестерых лошадок.

— Бери всех.

— С чего это ты так расщедрился?

— Неохота тебя убивать. — Слова Тенаки пронзили Субодая ледяными ножами, но он изобразил на лице ухмылку и выдержал взгляд холодных лиловых глаз. В них Субодай прочел понимание, которое испугало его. Тенака знал, что Субодай замышляет ограбить его и убить, — знал так же верно, как то, что у коз есть рога. Субодай пожал плечами.

— Я бы подождал с этим до окончания срока моей службы, — сказал он.

— Я знаю. Ну, поехали.

Субодай содрогнулся — в этом выродке нем ничего человеческого. Потом окинул взглядом коней. Человек Тенака или нет, разбогатеть с ним можно.

Четыре дня ехали они на север, избегая поселений. На пятый день у них кончилась еда, и они завернули в становище у горной речки. Здесь было не больше сорока мужчин. Прежде здешние жители входили в племя Двойного Волоса, что кочует далеко на северо-востоке, но потом откололись и стали нотасами — не имеющими племени, легкой добычей для всех остальных. Они приветливо встретили путников, ведь за этими тремя могли ехать другие. Тенака прямо-таки читал их мысли: закон гостеприимства запрещает причинять зло гостю, пока он находится в твоем стане, — но тут, в глухой степи...

— Я вижу, ты далеко отъехал от своих, — сказал Тенаке вождь нотасов, крепкий воин с изрубленным лицом.

— Я никогда не удаляюсь от своего народа, — ответил Тенака, принимая чашу с виноградом и сушеными фруктами.

— Но твой человек из Копья.

— За нами гнались Вьючные Крысы. Мы убили их и взяли их коней. Печально это, когда надиры убивают надиров.

— Что делать, так уж повелось.

— Во дни Ульрика было не так.

— Ульрик давно умер.

— Говорят, что он еще воскреснет.

— О великих властителях всегда так говорят. Кости Ульрика давно уже истлели и обратились во прах.

— Кто теперь правит Волками? — спросил Тенака.

— Стало быть, ты из Волчьей Головы?

— Я — это я. Кто правит Волками?

— Ты — Пляшущий Клинок?

— Верно.

— Зачем ты вернулся в степи?

— А зачем лосось плывет вверх по течению?

— Чтобы умереть, — впервые улыбнулся вождь.

— Все живое умирает. Когда-то пустыня, посреди которой мы сидим, была океаном. Даже океан — и тот умер, когда вышел срок. Так кто же правит Волками?

— Череп объявил ханом себя. Но Острый Нож собрал армию из восьми тысяч человек, и в племени произошел раскол.

— Мало, выходит, того, что надиры убивают надиров, — теперь и Волки рвут Волков?

— Так уж повелось, — снова сказал вождь.

— Кто из них ближе?

— Череп — в двух днях на северо-восток.

— Я заночую у тебя, а завтра отправлюсь к нему.

— Он убьет тебя, Пляшущий Клинок!

— Убить меня не так просто. Скажи это своим молодым воинам.

— Я слышу тебя. — Вождь встал и направился к выходу из юрты, но остановился. — Ты вернулся, чтобы стать вождем?

— Я вернулся домой.

— Мне опротивело быть нотасом, — сказал вождь.

— Мой путь опасен. Ты верно сказал — Череп захочет моей смерти. У тебя мало людей.

— Когда начнется война, мы так или иначе погибнем. А вот ты — настоящий орел. Я пойду за тобой, если ты того пожелаешь.

На Тенаку снизошло умиротворение. Покой шел в него из земли, по которой он ступал, покоем веяло от далеких синих гор, о нем шелестела высокая трава. Тенака закрыл глаза и открыл уши музыке тишины. Каждой частицей своего тела внимал он зову степи.

Он дома!

На пятом десятке жизни Тенака-хан понял, что значит это слово.

Он открыл глаза. Вождь замер на месте, неотрывно глядя на него. Вождь не раз видел, как люди впадают в транс, и это зрелище всегда вызывало в нем благоговение, — но он грустил о том, что ему самому это недоступно. Тенака улыбнулся:

— Иди за мной — и я подарю тебе весь мир.

— Значит, мы станем Волками?

— Нет. Мы — Восход Надиров. Мы — Дракон.

На рассвете все сорок мужчин селения, кроме трех дозорных, расселись в два ряда у юрты Тенаки. За ними разместились дети — восемнадцать мальчиков и три девочки, а позади — пятьдесят две женщины.

Субодай стоял отдельно, ошарашенный таким поворотом событий. Он не видел в этом смысла. Кому нужно создавать новое племя накануне междоусобной войны? И на что Тенаке сдалась эта кучка козоводов?

Это превышало понимание воина Копья. Он ушел в пустую юрту и отрезал себе мягкого сыра с ломтем грубого черного хлеба.

Когда взойдет солнце, он попросит Тенаку освободить его от службы, заберет шесть своих лошадей и поедет домой. За четырех коней он купит себе хорошую жену и поживет, наслаждаясь жизнью, в западных холмах. Он поскреб подбородок, раздумывая о том, что же станется с самим Тенакой-ханом.

При мысли о скором отъезде Субодаю делалось как-то неуютно. В суровой степной жизни недоставало разнообразия. Война, любовь, продолжение рода, еда — эти четыре удовольствия могли в конце концов и надоесть. Субодаю было тридцать четыре года, и он покинул родное племя по причине, непонятной никому из его сверстников.

Он скучал!

Субодай вышел из юрты. Козы блеяли, стеснившись в кучу около лошадиного загона, и высоко в небе кружил ястреб-перепелятник.

Появился Тенака-хан и встал перед нотасами — непроницаемый, со сложенными на груди руками.

Вождь подошел к нему, опустился на колени, склонил голову и поцеловал ноги Тенаки. За ним последовали все прочие нотасы.

Рения наблюдала за этой сценой из юрты. Зрелище вселяло в нее беспокойство, как и та неуловимая перемена, которая произошла с ее возлюбленным.

Ночью под меховыми покрывалами Тенака любил ее — тогда-то в ней и зародились первые искры страха. Страсть, ласки и наслаждение, от которого захватывает дух, — все было прежним. Но в Тенаке появилось нечто новое, чего Рения не могла разгадать. Где-то глубоко в нем открылась одна дверь и закрылась другая. Любовь он запер на замок — но что заменило ее?

Церемония продолжалась, и Рения смотрела на человека, которого любила. Лица его она не видела, зато видела, как сияют лица его новых приверженцев.

Когда последняя из женщин, пятясь, отошла прочь, Тенака без единого слова вернулся в юрту — и искры, тлевшие в Рении, разгорелись огнем, ибо его лицо отразило его новую сущность. Тенака не был больше воином двух миров. Степь вобрала в себя его дренайскую кровь, сделав его чистой воды надиром.

Рения отвела глаза.

К полудню женщины свернули юрты и погрузили их на телеги.

Коз согнали в кучу, и новое племя двинулось на северо-восток. Субодай не стал просить о том, чтобы его освободили, он ехал рядом с Тенакой и нотасским вождем Гитаси.

Ночью они разбили лагерь на южной стороне гряды лесистых холмов. Ближе к полуночи, когда Тенака и Гитаси беседовали у костра, топот копыт выгнал кочевников из-под одеял, заставив схватиться за мечи и луки. Тенака остался сидеть у костра, скрестив ноги. Он шепнул что-то Гитаси, и старый воин бросился успокаивать своих людей. Стук копыт стал громче, и больше сотни всадников въехало в лагерь —

костер указал им дорогу. Тенака, не глядя на них, спокойно пережевывал полоску вяленого мяса.

Всадники осадили коней.

— Вы находитесь на землях Волчьей Головы, — сказал их предводитель, соскакивая с седла. На нем был отороченный мехом бронзовый шлем и черный лакированный панцирь с золотой каемкой.

Тенака поднял глаза. Воину было около полусотни лет, и многочисленные рубцы украшали его массивные руки. Тенака указал ему место рядом с собой, сказав учтиво:

— Добро пожаловать в мой стан. Садись и поешь.

— Я не ем с нотасами. Здесь земля Волчьей Головы.

— Сядь и поешь — не то я убью тебя на месте.

— Ты что, сумасшедший? — Воин покрепче перехватил свой меч. Тенака-хан молчал, и надир в бешенстве замахнулся мечом. Но Тенака зацепил его ногой, и он рухнул, а Тенака откатился вправо с ножом в руке, приставив острие к горлу противника.

Воины Волчьей Головы отозвались на это гневным ревом.

— Молчать, когда находитесь в обществе вождей! — крикнул им Тенака. — Так что же, Ингис, — будешь ты есть со мной?

Вождь заморгал, и Тенака убрал нож. Ингис сел и подобрал свой меч.

— Пляшущий Клинок?

— Вели своим людям спешиться и вести себя спокойно. Этой ночью кровопролития не будет.

— Зачем ты явился сюда? Это безумие.

— Мое место здесь.

Ингис покачал головой и приказал своим спешиться.

— Череп не будет знать, как поступить с тобой, — убить или сделать воеводой.

— Череп никогда не знал, как поступить. Я удивляюсь, что вы пошли за ним.

— Он воин, этого у него не отнять, — пожал плечами Ингис. — Значит, ты вернулся не затем, чтобы присоединиться к нему?

— Нет.

— Мне придется убить тебя, Пляшущий Клинок. Ты слишком могуч, чтобы иметь тебя врагом.

— Я не намерен служить и Острому Ножу.

— Зачем же тогда ты приехал?

— Скажи мне это сам, Ингис.

Воин заглянул в глаза Тенаке.

— Теперь я вижу, что ты и впрямь сумасшедший. На что ты надеешься? У Черепа восемьдесят тысяч воинов, у Острого Ножа — всего лишь шесть. А сколько у тебя?

— Вот они, все налицо.

— И сколько же их? Пятьдесят? Шестьдесят?

— Сорок.

— И с ними ты собираешься взять племя под свою руку?

— Неужто ты и впрямь считаешь меня безумцем? Ты знаешь меня, Ингис, я вырос на твоих глазах. Разве я когда-нибудь проявлял признаки сумасшествия?

— Нет. Ты мог бы стать... — Ингис выругался и плюнул в огонь. — Но ты уехал и сделался дренайским вельможей.

— Шаманы еще не собирались на совет? — спросил Тенака.

— Нет. Аста-хан назначил сбор на завтрашний вечер.

— Где?

— Близ гробницы Ульрика.

— Я буду там.

— Ты не понял, — шепнул, подавшись к нему, Ингис. — Мой долг — убить тебя.

— Почему? — спокойно спросил Тенака.

— Да потому, что я служу Черепу. Я совершаю измену, даже разговаривая с тобой.

— Ты сам видишь, Ингис, что мои силы очень малочисленны. Никакой измены ты не совершаешь. Подумай вот о чем: ты присягнул на верность хану Волков, но ведь хан будет избран только завтра.

— Не будем играть словами, Тенака. Я присягнул Черепу против Острого Ножа и не пойду на попятный.

— И не нужно — мужчине не подобает пятиться. Но я тоже выступаю против Острого Ножа, и это делает нас союзниками.

— Нет-нет! Ты идешь против них обоих, и это делает нас врагами.

— У меня есть мечта, Ингис, — та же мечта, что у Ульрика. Те люди, что со мной, прежде были Двойным Волосом. Теперь они мои. Тот силач у дальней юрты происходит из Копья. Теперь он мой. Нас всего сорок, но мы представляем целых три племени. Если мы объединимся, мир будет нашим. Я никому не враг — пока.

— У тебя всегда были хорошие мозги и твердая рука. Знай я, что ты вернешься, подождал бы с присягой.

— Завтра все прояснится. А пока что ешь и отдыхай.

— Я не могу есть с тобой, — сказал Ингис и встал. — Но и убивать тебя пока не стану. — Он сел на коня, его воины сделали то же самое, и он, махнув рукой, увел их за собой во мрак.

Субодай и Гитаси бросились к костру, где Тенака-хан спокойно доедал свой ужин.

— Почему? — спросил Субодай. — Почему они не убили нас?

Тенака усмехнулся и театрально зевнул.

— Я устал. Я буду спать.

В долине за холмами сын Ингиса Сембер задал отцу такой же вопрос.

— Не могу объяснить, — сказал Ингис. — Ты все равно не поймешь.

— Объясни так, чтобы я понял! Он полукровка, набравший по дороге нотасского отребья. Он даже не предложил тебе присоединиться к нему.

— Поздравляю, Сембер! Обычно подобные тонкости тебе недоступны, но на сей раз ты превзошел себя.

— Что это значит?

— Очень просто. Ты сам докопался до причин, по которым я его не убил. Вот человек без всяких видов на успех, которому противостоит военачальник с двадцатью тысячами воинов. Однако этот человек не просит меня о помощи. Почему?

— Потому что он дурак.

— Временами, Сембер, я подозреваю, что твоя мать изменяла мне с другим. Я гляжу на тебя и задаю себе вопрос, не был ли это один из моих козлов.

19

Тенака молча ждал во мраке. Когда в лагере все утихло, он выглянул наружу и посмотрел на часовых. Они всматривались в лес вокруг лагеря и не заботились о том, что происходит внутри. Тенака выбрался из юрты, держась в тени, которую отбрасывали при луне деревья, и углубился в густую тьму леса.

Он шел, осторожно ступая, несколько миль, пока не увидел вдали другую гряду холмов. Он вышел из леса часа за три до рассвета и начал медленно подниматься в гору. Далеко внизу, справа от него, стояла мраморная гробница Ульрика, и там же расположились армии Острого Ножа и Черепа.

Междоусобица была неизбежна, и Тенака надеялся убедить будущего хана, кто бы им ни стал, что помочь дренайским мятежникам будет выгодно. Золото мало ценилось в степях — но теперь будет подругому.

Тенака продолжал подниматься, пока не дошел до утеса с отверстиями многочисленных пещер. Однажды он уже побывал здесь — много лет назад, когда Джонгир-хан присутствовал на совете шаманов. Тенака сидел со всеми детьми и внуками Джонгира около пещер, пока хан совершал паломничество во мрак. Говорилось, что там, внутри, творятся омерзительные обряды и никто не может войти туда без приглашения. Пещеры, как утверждали шаманы, были преддверием ада, где человека на каждом шагу караулят демоны.

Тенака дошел до устья самой большой из пещер и помедлил, стараясь успокоиться.

Иного пути нет, сказал он себе — и вошел.

Внутри стоял кромешный мрак. Тенака двинулся вперед, спотыкаясь и вытянув руки перед собой.

Ход вел все дальше, петляя и переплетаясь с множеством других, а Тенака боролся с одолевающей его паникой. Это было все равно что пробираться по сотам. Так он и будет блуждать в этом мраке, пока не умрет от голода и жажды.

Он шел, придерживаясь за стену, но она внезапно оборвалась. Тенака двинулся дальше с вытянутыми руками. В лицо пахнуло холодом. Тенака остановился и прислушался. Ему казалось, что он вышел в какое-то широкое пространство, и он чувствовал людское присутствие.

— Я ищу Аста-хана, — гулко произнес он в пустоту.

Молчание.

Что-то зашуршало справа и слева от него, и он замер на месте, скрестив руки на груди. Чьи-то руки трогали его — десятки рук. Они извлекли из ножен меч и кинжал Тенаки, а после исчезли.

— Назови свое имя! — произнес голос, сухой и враждебный, словно ветер пустыни.

— Тенака-хан.

— Тебя долго не было с нами.

— Теперь я вернулся.

— Мы это видим.

— Я не по своей воле покинул степи. Мне приказали.

— Для твоего же блага. Здесь тебя убили бы.

— Возможно.

— Зачем ты вернулся?

— На это не так просто ответить.

— Тогда не спеши с ответом.

— Я пришел, чтобы собрать армию и помочь своему другу.

— Дренайскому другу?

— Да.

— И что же случилось потом?

— Я услышал голос земли.

— Что она сказала тебе?

— Слов не было. Была тишина, но она проникла мне в самую душу. Земля признала меня своим сыном.

— Явиться сюда без зова значило обречь себя на смерть.

— Кто может сказать, был зов или нет?

— Я.

— Тогда скажи мне, Аста-хан, — был ли я призван?

Мрак упал с глаз Тенаки словно пелена, и он увидел себя в огромном зале. На стенах горели факелы, и их гладкая поверхность переливалась кристаллами всевозможных цветов, а с высокого потолочного свода свисали сверкающие копья сталактитов. Огромная пещера была полна народа — здесь собрались шаманы всех племен.

Тенака заморгал, привыкая к свету. Факелы зажглись не вдруг. Они горели давно — он был слеп.

— Сейчас я покажу тебе кое-что, Тенака, — сказал Аста-хан, подводя его к краю пещеры. — Вот дорога, которой ты шел ко мне.

Тенака увидел перед собой бездонную пропасть, через которую вел узкий каменный мост.

— Ты перешел через этот мост вслепую — а стало быть, был призван. Следуй за мной!

Старый шаман перевел Тенаку обратно через мост в небольшой грот. Они сели на козью шкуру.

— Чего ты хочешь от меня? — спросил Аста-хан.

— Чтобы ты провел Испытание.

— Череп не нуждается в Испытании. Он намного сильнее своего противника и может победить его в обычном бою.

— Где погибнут тысячи наших братьев.

— Так уж заведено у надиров, Тенака.

— Если прибегнуть к Испытанию, умрут только двое.

— Говори прямо, юноша! Без Испытания тебе не получить власть. А с ним у тебя появляется один шанс из трех. Ты в самом деле стремишься предотвратить междоусобицу?

— В самом деле. Мечта Ульрика владеет мной. Я хочу, чтобы надиры стали едины.

— А как же твои дренайские друзья?

— Они останутся моими друзьями.

— Я не дурак, Тенака-хан. Я прожил много-много лет и умею читать в людских сердцах. Дай мне руку, и я прочту твое. Но знай: если я найду в нем обман, я убью тебя.

Тенака протянул старику руку. Тот подержал ее несколько минут и отпустил.

— Власть шаманов проявляется по-разному. Мы редко вмешиваемся напрямую в жизнь племен — понимаешь?

— Понимаю.

— Я решил удовлетворить твою просьбу. Но Череп, узнав об этом, вызовет тебя на поединок — это уж непременно. Сам он биться не будет, а выставит бойца.

— Я понял.

— Хочешь знать, кто будет драться с тобой?

— Нет. Это не существенно.

— Ты крепко уверен в себе.

— Я — Тенака-хан.

Долина Упокоения простиралась между двумя грядами чугунно-серых гор, именуемых Великанскими, и Ульрик сам назначил это место для своего погребения. Великого полководца тешила мысль о том, что вечные каменные стражи будут охранять его бренные останки. Гробница, выстроенная из песчаника, была облицована мрамором. Сорок тысяч рабов погибло при возведении этого мавзолея, имевшего вид короны, которую Ульрик так и не надел на себя. Шесть остроконечных башен окружали белый купол, и знаки, высеченные на каждой грани, оповещали весь мир и все последующие поколения, что здесь лежит Ульрик Завоеватель, величайший надирский полководец всех времен.

Но склонность Ульрика к иронии и после его кончины проявилась в этой мертвенно-бледной громаде. Единственное изваяние хана представляло его верхом на степной лошадке, с царской короной на голове. Статуя, поставленная в шестидесяти футах над землей, в глубине каменной арки, должна была изображать Ульрика под стенами Дрос-Дельноха — единственного места, где он потерпел поражение. Корона была измышлением вентрийских скульпторов, у которых в голове не укладывалось, как можно командовать несметными армиями, не будучи королем. Шутка вышла тонкой — Ульрик оценил бы ее.

К востоку и западу от гробницы расположились армии двух враждующих родичей: Ширрата Острого Ножа и Цзубоя Черепа. Более ста пятидесяти тысяч человек ждали, чем закончится Испытание.

Тенака тоже привел своих людей в долину. Он сидел на своем дренайском жеребце прямой как стрела, и Гитаси, ехавший рядом, пыжился от гордости. Он, Гитаси, больше не нотас — он снова стал человеком.

Тенака-хан сошел с коня южнее гробницы. Весть о его прибытии уже разнеслась по обоим лагерям, и сотни воинов стали стягиваться к месту его стоянки.

Женщины Гитаси поспешно ставили юрты, а мужчины, обиходив коней, рассаживались вокруг Тенаки-хана. Он сидел на земле, поджав ноги, и смотрел отсутствующим взглядом на гробницу, не замечая подходящих.

Внезапно на него упала тень. Он выждал, дав оскорбителю время, и плавным движением поднялся на ноги. Этот миг должен был настать — он служил начальным ходом в не слишком замысловатой игре.

— Ты и есть полукровка? — спросил стоящий рядом человек. Он был молод, лет двадцать пять — тридцать, и высок для надира.

Тенака окинул его холодным взглядом, отметив твердую стойку, узкие бедра и широкие плечи, мощные руки и выпуклую грудь. Он был бойцом, и от него веяло уверенностью. Он-то, должно быть, и будет поединщиком.

— Ты сам-то кто, дитя? — спросил Тенака-хан.

— Я чистокровный надирский воин, сын надирского воина. Мне не по нраву, когда тварь смешанной породы оскверняет гробницу Ульрика.

— Тогда уходи и гавкай в другом месте, — сказал Тенака.

Воин улыбнулся.

— К чему попусту тратить слова? Я пришел, чтобы убить тебя — это ясно всем. Так давай же начнем.

— Ты слишком молод, чтобы желать себе смерти. А я недостаточно стар, чтобы тебе в ней отказать. Как тебя зовут?

— Пурцай. Зачем тебе мое имя?

— Если уж приходится убивать брата, надо хоть имя его узнать. Глядишь, и помяну когда-нибудь. Доставай свой меч, сынок.

Толпа отхлынула назад, образовав около бойцов огромный круг. Пурцай вынул кривую саблю и кинжал, Тенака достал свой короткий меч и ловко поймал нож, брошенный ему Субодаем.

Поединок начался.

Среди кочевников Пурцай выделялся своим мастерством. Он превосходно владел ногами и обладал гибкостью, недостижимой для приземистых, коренастых надиров. Его проворство поражало, и хладнокровие никогда не изменяло ему.

Он умер через две минуты.

Субодай, присев и уперев руки в бедра, вытаращился на его труп. Потом пнул мертвеца и плюнул на него. Ухмыльнулся зрителям, плюнул еще раз и ногой перекатил тело на спину.

— А ведь это лучшее, что у вас имелось! — Он с насмешливым участием покачал головой. — Что же с вами-то будет?

Тенака, пригнувшись, вошел в свою юрту. Там на меховом ковре сидел Ингис и пил найис, хмельной напиток из козьего молока. Тенака сел напротив него.

— Ненадолго же ты задержался, — сказал Ингис.

— Он был молод — его бы еще учить да учить.

Ингис кивнул:

— Я не советовал Черепу посылать его.

— У Черепа не было выбора.

— Да, верно. Итак, ты здесь.

— А ты сомневался?

Ингис помотал головой, снял свой бронзовый шлем и почесал кожу под редеющими серо-стальными волосами.

— Весь вопрос в том, Пляшущий Клинок, как мне быть с тобой.

— Это тебя беспокоит?

— Да.

— Почему?

— Да потому что я оказался в ловушке. Я охотно поддержал бы тебя, ибо верю, что за тобой будущее, — но не могу: я уже присягнул Черепу.

— Задача не из легких, — согласился Тенака, налив себе найиса.

— Так что же мне делать? — спросил Ингис, и Тенака-хан взглянул в его твердое честное лицо. Стоит только попросить — и этот человек нарушит данную Черепу присягу, чтобы перейти к Тенаке со всеми своими воинами. Искушение было велико, но Тенака легко поборол его. Ингис, нарушивший клятву, будет уже не тот — вина за предательство будет преследовать его до конца дней.

— Нынче вечером, — сказал Тенака, — состоится Испытание. Ему подвергнутся те, кто стремится к власти, и Аста-хан назовет имя победителя. За ним ты и последуешь — а до тех пор будь верен Черепу.

— Но что, если он прикажет мне убить тебя?

— Тогда ты убьешь меня, Ингис.

— Все мы глупцы, — с горечью молвил воевода. — Разве Череп знает, что такое честь? Я проклинаю тот день, когда поклялся служить ему!

— Ступай и выброси эти мысли из головы. Мы все совершаем ошибки — так уж устроена жизнь. Порой мы поступаем глупо, но иначе нельзя. Мы люди слова лишь в том случае, если слова наши тверды как сталь.

Ингис с поклоном вышел. Тенака снова наполнил свой кубок и откинулся на мягкие подушки, разбросанные по ковру.

— Иди сюда, Рения! — позвал он.

Она вышла из полумрака спальной половины, села рядом и взяла его за руку.

— Я так испугалась, когда тот воин вызвал тебя.

— Мой срок еще не настал.

— Он сказал бы то же самое, — заметила она.

— И был бы не прав.

— А ты, выходит, теперь стал неуязвим?

— Я дома, Рения, и чувствую себя другим человеком. Не могу этого объяснить — я еще не думал об этом как следует. Но это чудесное чувство. До приезда сюда я был неполным. Одиноким. Здесь я обрел целостность.

— Понимаю.

— Не думаю, чтобы ты понимала. Тебе кажется, будто я в укор тебе говорю, что был одинок. Это вовсе не так. Я люблю тебя, и ты была для меня источником постоянной радости. Но я не знал своей цели и потому оправдывал имя, которое мне в детстве дали шаманы: Князь Теней. Я был тенью в твердокаменном мире. Теперь я больше не тень. У меня появилась цель.

— Ты хочешь стать королем, — с грустью сказала она.

— Да.

— Хочешь завоевать мир.

Он не ответил.

— Ты видел ужасы Цески и безумства, к которым приходит честолюбец. Видел бедствия войны. Теперь ты сам намерен принести в мир такое, что Цеске и не снилось.

— Я не намерен нести миру зло.

— Не обманывай себя, Тенака-хан. Тебе стоит только выйти из этой юрты. Они дикари, живущие лишь ради того, чтобы сражаться... и убивать. Не знаю, зачем я говорю тебе все это, — мои слова до тебя не дойдут. Ведь я только женщина.

— Ты моя женщина.

— Была — а теперь больше не твоя. Теперь у тебя другая женщина. Вместо грудей у нее горы, и она только и ждет, чтобы извергнуть в мир содержимое своего чрева. Ты герой, великий хан! Твой друг ждет тебя и в слепоте своей верит, что ты скоро явишься к нему на белом коне во главе своих надиров. Тогда зло погибнет, и дренаи станут свободны. Вот удивится он, когда ты надругаешься над его страной!

— Довольно, Рения. Я не предам Ананаиса и не стану вторгаться в Дренай.

— Сейчас, быть может, и не станешь. Но когда-нибудь у тебя не останется выбора. Некуда будет больше вторгаться.

— Я пока еще не хан.

— Ты веришь в силу молитвы, Тенака? — спросила вдруг она со слезами на глазах.

— Иногда верю.

— Так знай: я буду молиться за твое поражение, даже если оно приведет тебя к смерти.

— Непременно приведет, — сказал Тенака, но она уже ушла.

Старый шаман, сидя на корточках в пыли, неотрывно глядел на жаровню с тлеющими углями. Вокруг него расселись вожди племен и воеводы — весь цвет Орды.

Чуть поодаль в кругу из камней сидели трое родичей: Цзубой Череп, Ширрат Острый Нож и Тенака-хан.

Вожди разглядывали их с необычайным интересом. Череп, плотный и могучий, со свернутой на макушке косой и жидкой раздвоенной бородкой, был раздет до пояса, и его кожа лоснилась от масла.

Острый Нож, более стройный, связал свои прошитые сединой длинные волосы на затылке. Висячие усы делали его лицо еще длиннее и придавали ему скорбное выражение, но глаза смотрели остро и бдительно.

Тенака-хан сидел спокойно, устремив взор на гробницу, сияющую серебром при луне.

Череп шумно трещал пальцами и напрягал спину. Ему было не по себе. Он много лет замышлял стать владыкой Волков. И вот теперь, будучи гораздо сильнее брата, он вынужден поставить на кон все свое будущее. Такова уж власть шаманов. Череп не стал бы слушать Аста-хана, но его собственные воеводы, всеми уважаемые воины вроде Ингиса, побудили его обратиться к совету шаманов. Никто из них не хотел, чтобы волк терзал волка. И выбрал же время этот выродок Тенака, чтобы вернуться домой! Череп выругался про себя.

Аста-хан поднялся на ноги. Шаман был стар, старше всех в степи, и о его мудрости ходили легенды. Он медленно обошел круг и стал перед тремя испытуемыми. Он хорошо их знал, как знал их отцов и дедов, и видел, как много между ними сходства.

— Мы надиры! — воскликнул он, подняв правую руку. Его голос, не по возрасту мощный и звучный, пронесся над толпой, и люди подхватили клич. — Обратного пути вам нет, — сказал шаман, обращаясь к троим. — Вы родичи, и в каждом из вас течет кровь великого хана. Быть может, вы мирно договоритесь о том, кому отдать власть?

Он выждал несколько мгновений, но все трое молчали.

— Внемлете же мудрости Аста-хана. Вы полагаете, что вас ждет единоборство. Вы приготовили к нему свои тела и отточили свое оружие. Но боя не будет, и кровь не прольется. Вместо боя я пошлю вас в место, не принадлежащее этому миру. Тот, кто принесет шлем Ульрика, станет ханом. Смерть будет подстерегать вас, ибо вы отправитесь в ее обитель. Вы увидите страшные картины и услышите вопли погибших душ. По-прежнему ли вы желаете этого испытания?

— Давайте начинать! — бросил Череп. — Готовься к смерти, дворняга, — шепнул он Тенаке.

Шаман возложил руку на голову Черепа — тот закрыл глаза и поник. Следом настала очередь Острого Ножа и Тенаки-хана.

Аста-хан присел перед спящими, закрыл глаза сам и приказал им:

— Встаньте!

Они открыли глаза и поднялись, удивленно моргая. Они по-прежнему находились перед гробницей Ульрика, но теперь они были одни. Воины, юрты и костры — все пропало.

— Что это значит? — спросил Острый Нож.

— Это гробница Ульрика, — ответил Аста-хан. — Вы должны принести мне шлем спящего владыки.

Острый Нож и Череп бросились к усыпальнице. Но в ней не было дверей — только гладкий белый мрамор.

Тенака сел, и шаман опустился на корточки рядом с ним.

— Почему ты не последовал за своими родичами?

— Я знаю, где искать.

— А я знал, что ты вернешься сюда, — кивнул Аста-хан.

— Откуда?

— Так было написано.

Тенака выждал, когда двое других окажутся по ту сторону гробницы, неспешно встал и полез к куполу. Подъем был нетруден благодаря щелям между плитами мраморной облицовки. Он был уже на полпути к статуе Ульрика, когда другие заметили его. Череп выругался, и оба последовали за Тенакой.

Он достиг арки. Она была семь футов глубиной, и статуя скрывалась в ее недрах.

Царь Каменных Врат!

Тенака-хан продвигался вперед с осторожностью. Дверь была спрятана в глубине арки. Он толкнул ее, и она со скрипом отворилась.

Череп и Острый Нож взобрались наверх почти одновременно, позабыв о своей вражде из страха перед обогнавшим их Тенакой. Увидев открытую дверь, они ринулись туда, но Череп в последний миг замешкался, пропустив вперед Острого Ножа. Как только Острый Нож переступил через порог, раздался громкий треск, и три копья вонзились в грудь вошедшего, пробив его насквозь и выйдя из спины. Острый Нож обмяк. Череп, обойдя его, подметил, что копья приделаны к доске, а от доски тянется множество веревок. Затаив дыхание, Череп прислушался и уловил шорох стекающего на камень песка. Он опустился на колени и обнаружил на полу разбитую склянку — песок сыпался из нее.

Острый Нож, раздавив склянку, нарушил равновесие, и смертельная ловушка сработала. Но как избежал смерти Тенака? Череп с ругательством вошел внутрь. Если полукровка прошел здесь, пройдет и он. Как только Череп исчез за дверью, Тенака вышел из-за статуи хана. Он изучил ловушку, в которой погиб Острый Нож, и осторожно вступил в гробницу.

В коридоре, ведущем от входа, было бы совсем темно, если б не странный зеленый свет, испускаемый стенами. Тенака опустился на четвереньки и пополз, внимательно оглядывая стены по обе стороны от себя. Здесь должны быть еще ловушки — но где?

Коридор кончился у винтовой лестницы, ведущей вниз, в недра гробницы. Верхние ступеньки на вид казались прочными. Стена вдоль лестницы обшита кедром. Тенака присел на первую ступеньку. Зачем обшивать деревом лестничный колодец?

Он отодрал от стены дощечку и двинулся вниз, ощупывая каждую ступеньку. На полпути что-то сдвинулось под его правой ногой, и Тенака отдернул ее. Он положил на ступени кедровую дощечку, лег на нее и поднял ноги. Доска заскользила вниз, и Тенака услышал, как свистнул над головой стальной клинок. Доска летела все быстрее. На ее пути еще трижды встречались ловушки, но Тенака благодаря скорому скольжению остался невредим. Он уперся ногами в стенки, чтобы замедлить ход, — руки и ноги покрылись синяками от такой езды.

Лестница кончилась, и доска вылетела из-под Тенаки. Он свернулся в комок, и его швырнуло о дальнюю стену. С ворчанием переместившись на колени, он ощупал ребра. По меньшей мере одно было сломано. Тенака огляделся. Где же Череп? Ответ не заставил себя ждать: услышав на лестнице грохот, Тенака усмехнулся и отполз подальше. Мимо пролетел Череп — его доска раскололась в щепки, он взвился в воздух и шмякнулся о стену. Тенака поморщился.

Череп со стоном поднялся на ноги, увидел Тенаку и выпрямился.

— Я сразу сообразил, что ты задумал, полукровка!

— Ты меня удивил. Как ты сумел остаться позади?

— Спрятался за трупом.

— Ну, вот мы и пришли. — Тенака указал на саркофаг, стоящий на возвышении посреди подземелья. — Остается только взять шлем.

— Верно, — настороженно сказал Череп.

— Открой гроб, — улыбнулся Тенака.

— Сам открой.

— Полно, братец. Не можем же мы торчать тут до конца дней своих. Откроем его вместе.

Череп сощурился. Гроб наверняка снабжен смертельным механизмом, а умирать Черепу не хотелось. Но если позволить Тенаке открыть саркофаг, то он завладеет не только шлемом, но, что еще важнее, и мечом Ульрика.

— Ладно, — хмыкнул Череп. — Давай вместе.

Они навалились на мраморную крышку, и она со скрипом подалась. Еще усилие — и крышка свалилась на пол, расколовшись натрое. Череп потянулся за мечом, лежащим на груди у скелета. Тенака схватил шлем и отскочил на ту сторону гроба.

— И что же теперь, братец? — ухмыльнулся Череп.

— Шлем-то у меня.

Череп рубанул мечом, но Тенака увернулся.

— Этак мы весь свой век будем бегать вокруг этого гроба, — сказал он.

Череп сплюнул. Тенака прав — какой прок от меча, если он не достает до противника?

— Отдай мне шлем — тогда мы оба останемся живы. Ты поступишь ко мне на службу, и я сделаю тебя своим первым воеводой.

— Служить тебе я не стану, но шлем отдам — с одним условием.

— Назови его!

— Ты отпустишь со мной в Дренай тридцать тысяч всадников.

— Но зачем?

— После объясню. Ты клянешься?

— Клянусь. Давай шлем.

Тенака перебросил шлем через гроб. Череп поймал его и нахлобучил себе на голову, поморщившись, когда острый край оцарапал ему кожу.

— Ты дурак, Тенака. Разве не говорил Астахан, что вернется только один из нас? Теперь я владею всем!

— Ничем ты не владеешь, тупица. Ты уже мертв!

— Пустое, — осклабился Череп.

— Последняя шутка Ульрика! — засмеялся Тенака. — Никто не может носить его шлем. Разве ты не почувствовал, как отравленный шип пронзил твою кожу?

Меч выпал из руки Черепа, и ноги подогнулись под ним. Он попытался встать, но смерть увлекла его за собой в глубокую яму. Тенака забрал шлем и вернул меч в гроб.

Он медленно взошел по лестнице, сторонясь торчащих из стены клинков, вышел на воздух и сел, держа шлем на коленях. Бронза была оторочена белым мехом и украшена серебряной нитью.

Далеко внизу сидел, глядя на луну, Аста-хан, и Тенака спустился к нему.

— Привет тебе, Тенака-хан, повелитель народов! — сказал старик, не глядя в его сторону.

— Верни меня домой, — приказал Тенака.

— Не теперь еще.

— Почему?

— Есть человек, с которым ты должен увидеться.

Белый туман начал клубиться над землей, и из него выступила мощная фигура.

— Молодцом, — сказал Ульрик.

— Спасибо, мой повелитель.

— Ты сдержишь слово, данное своим друзьям?

— Да.

— И поведешь надиров помогать дренаям?

— Поведу.

— Так и дулжно. Человек должен быть верен своим друзьям. Но рано или поздно тебе придется покорить Дренай. Пока он существует, надиры не достигнут вершин.

— Я знаю это.

— И ты готов завоевать их... низвергнуть их империю?

— Готов.

— Хорошо. Следуй за мной в туман.

Тенака повиновался, и хан вывел его к берегу темной реки. Старик, сидевший там, обернулся к ним, и Тенака узнал Олена, бывшего служителя Истока, умершего в казармах «Дракона».

— Ты сдержал свое слово? — спросил он. — Позаботился о Рении?

— Да.

— Тогда присядь рядом, и я тоже сдержу свое.

Тенака сел, и старик откинулся назад, глядя на бурлящие темные воды.

— Я нашел много машин, принадлежавших Древним. Я изучал их книги и заметки. Я раскрыл почти все их тайны. Они знали, что их конец близок, и оставили множество ключей для будущих поколений. Известно ли тебе, что Земля — это шар?

— Нет.

— Тем не менее это так. На макушке этого шара лежит страна льдов, а под ней, у основания, — другая такая же. На середине шара стоит адская жара, и он вращается вокруг Солнца. Знал ты об этом?

— Олен, у меня нет времени. Что ты хотел сказать мне?

— Прошу тебя, воин, выслушай меня. Я так хотел поделиться с кем-нибудь этим знанием. Для меня это важно.

— Хорошо, говори.

— Земля вращается, и ее ледяные шапки растут. День ото дня они обрастают льдом — и так многие тысячи лет. В конце концов шар начинает вихляться на бегу — а после переворачивается. И когда это происходит, океаны заливают сушу, а лед расползается и покрывает целые континенты. Это и есть конец света. Именно это случилось с Древними. Видишь ли ты теперь, сколь тщетны человеческие мечты?

— Вижу. Что ты еще хотел сказать?

— Машины Древних действуют не так, как думает Цеска. Телесное слияние человека со зверем невозможно. Происходит скорее сопряжение их жизненных сил, между которыми должно тщательно соблюдаться равновесие. Непременным условием Древних было сохранение в подобных созданиях человеческого духа. Весь ужас полулюдов в том, что в них преобладает зверь.

— Чем это может помочь мне?

— Однажды я видел, как полулюд опять преобразился в человека и умер.

— Как это произошло?

— Он увидел нечто, что потрясло его.

— Что он увидел?

— Женщину, которая прежде была его женой.

— Ты это хотел мне сказать?

— Да. Может, это тебе пригодится?

— Не знаю. Возможно.

— Тогда я оставлю тебя и вернусь в Серые Сумерки.

Тенака посмотрел, как старик исчез в тумане, и снова обернулся к Ульрику.

— Война уже началась, — сказал хан. — Ты не успеешь вовремя, чтобы спасти своих друзей.

— Тогда я отомщу за них.

— Что там говорил этот старик о конце света?

— Толковал про какие-то льды. Я не запомнил.

Старый шаман велел Тенаке сесть, и новый хан повиновался. Его глаза закрылись. Открыв их, он увидел себя на том же месте перед гробницей, а вокруг него сидели рядами надирские воеводы. По левую руку Тенаки лежал Ширрат Острый Нож с пронзенной грудью, и кровь его впитывалась в пыль. По правую лежал Череп со струйкой крови на виске. Перед Тенакой стоял шлем Ульрика.

Аста-хан встал и повернулся к военачальникам.

— Старое кончилось, и началось новое. Отныне Тенака-хан правит Волками.

Шаман взял шлем, накинул на себя изодранный меховой плащ и удалился. Тенака остался на месте. Он оглядывал лица окружающих и чувствовал их враждебность. Эти люди приготовились воевать — кто за Черепа, кто за Острого Ножа. Никто из них не смотрел на Тенаку как на будущего хана. Теперь у них появился новый вождь, и Тенаке отныне придется вести себя очень осторожно. Надо будет, чтобы его пищу пробовали и его юрту охраняли. Слишком многие здесь желают его смерти.

Скорой смерти!

Ханом стать легко — трудно, сделавшись им, выжить.

В рядах возникло какое-то движение — Ингис встал и подошел к Тенаке. Вынув меч из ножен, он протянул его рукоятью вперед.

— Отныне я твой, — преклонив колени, сказал Ингис.

— Добро пожаловать, воин. Сколько братьев приводишь ты мне?

— Двадцать тысяч.

— Хорошо.

Воеводы один за другим начали подходить к новому хану. Забрезжил рассвет, когда отошел последний и снова приблизился Ингис.

— Семьи Черепа и Острого Ножа взяты под стражу. Они ждут около твоей юрты.

Тенака встал и потянулся. Он замерз и очень устал. В сопровождении Ингиса он удалился от гробницы.

Множество народу собралось поглядеть на казнь пленников. Те стояли на коленях тихими рядами, со связанными позади руками. Двадцать две женщины, шестеро мужчин и дюжина мальчиков.

— Ты желаешь убить их самолично? — спросил, выйдя вперед, Субодай.

— Нет.

— Тогда это сделаем мы с Гитаси, — обрадовался воин.

— Нет. — Тенака прошел дальше, оставив Субодая в полном недоумении.

Хан остановился перед женщинами, женами своих погибших родичей.

— Я не убивал ваших мужей, — сказал он им. — Между нами не было кровной мести. Однако их имущество перешло ко мне. Да будет так! Вы входите в это имущество и отныне становитесь женами Тенаки-хана. Освободите их!

Субодай, бормоча что-то под нос, двинулся вдоль шеренги. Молодая женщина, едва Субодай развязал ее, метнулась вперед и упала в ноги Тенаке.

— Если я твоя жена, что будет с моим сыном?

— Освободите и детей, — приказал Тенака.

Осталось только шестеро мужчин, близких родственников погибших.

— Настал новый день, — сказал им Тенака, — и я предлагаю вам выбор. Если пообещаете служить мне, будете жить, если откажетесь — умрете.

— Я плюю на тебя, полукровка! — крикнул один. Тенака протянул руку за мечом Субодая, и голова пленника упала с плеч.

Остальные пятеро хранили молчание, и Тенака убил их всех. Потом позвал к себе Ингиса и сел с ним в тени юрты.

Три часа хан излагал воеводе свои замыслы, а потом лег спать.

Когда он уснул, двадцать человек с мечами наголо встали на страже у его юрты.

20

Парсаль полз, продираясь сквозь высокую траву. Адская боль в изувеченной ноге перешла в тупую ломоту, которая порой усиливалась и заставляла его терять сознание. Ночь была прохладна, но с Парсаля градом лился пот. Он уже не понимал, куда ползет, и хотел одного: уйти подальше от этого кошмара.

Земля здесь была каменистая, и острый камушек вонзился ему в ногу. Парсаль со стоном перевернулся на спину.

Ананаис наказывал держаться до последнего, а потом отступить в Магадон. Сам генерал вместе с Галандом ушел в другую долину. События минувшего дня мелькали перед Парсалем, и он не мог отогнать их... Он ждал с четырьмястами человек на узком перевале. Первой на них налетела кавалерия с копьями наперевес. Лучники Парсаля разнесли конников в клочья. С пехотой управиться было труднее — солдаты все были в доспехах и прикрывались круглыми бронзовыми щитами. Парсаль владел мечом далеко не так хорошо, как его брат, но, видят боги, в грязь лицом он не ударил!

Скодийцы дрались, как тигры, и пехотинцы Цески откатились назад. Вот тогда-то и надо было дать своим людям приказ об отступлении!

Глупец, какой глупец!

Но где там — он был слишком горд. Он еще ни разу в жизни не командовал боевым отрядом. Когда брата приняли в «Дракон», его не взяли. А теперь он дал отпор могущественному врагу.

И Парсаль стал ждать следующей атаки.

Полулюды хлынули на них, точно демоны из преисподней. Доживи Парсаль хоть до ста лет, этой атаки ему не забыть. Как выли эти звери в своей жажде крови! Громадные чудища с мощными челюстями, красными глазами, острыми когтями и ярко сверкающими мечами.

Стрелы не брали их, и они расшвыряли скодийцев, как взрослые — расшалившихся ребятишек.

Парсаль не давал приказа отходить — в этом не было нужды. Мужество скодийцев ушло словно вода в песок, и они побежали. Парсаль в приступе отчаяния бросился на полулюда и ударил его мечом по голове, но клинок отскочил от толстого черепа, а зверь отшвырнул Парсаля и сомкнул зубы на его левой ноге, разодрав ее до кости. Какой-то отважный воин вскочил полулюду на спину и вогнал ему в шею длинный кинжал. Оторвавшись от Парсаля, зверь разорвал воину горло. Парсаль кувыркнулся в сторону и покатился вниз, в долину. С тех пор он полз, не зная отдыха.

Он знал теперь, что скодийцы не смогут победить. Нечего было и мечтать об этом. Против полулюдов никто не устоит. Лучше бы он остался в своей вагрийской усадьбе, подальше от этой безумной войны.

Кто-то схватил Парсаля за ногу — он сел и взмахнул кинжалом. Когтистая лапа выбила оружие из его руки, и трое полулюдов уселись вокруг него на корточки. Их глаза сверкали, из открытых пастей капала слюна.

Милосердный мрак беспамятства окутал Парсаля, и пиршество началось.

Басурман подобрался на сотню ярдов к западной окраине города. Лошадь он спрятал в лесу. Дым пожаров клубился над городом, и трудно было что-либо рассмотреть. Полулюды уволакивали человеческие тела, чтобы пожрать их на лугу за городской чертой. Басурман никогда прежде не видел этих чудищ и смотрел на них, как завороженный. Почти все они были больше семи футов ростом и поражали своей мощью.

Басурман не знал, как ему быть. Он вез Ананаису известие от Мухи — но где теперь искать Ананаиса? Жив ли еще Черная Маска? Идет еще война или уже кончилась? Если войне конец, Басурману придется изменить план своих действий. Он поклялся убить Ческу, и не тот он человек, чтобы швыряться своими клятвами. Где-то среди вражеского стана стоит шатер императора — нужно только найти его и выпустить кишки этому сукину сыну.

Вот и все!

Гибель соплеменников тяготила Басурмана, и он был полон решимости отомстить за них. Когда он убьет Цеску, душа императора отправится в Страну Теней служить убиенным. Достойная кара!

Басурман понаблюдал еще за пиршеством зверей, подмечая разные мелочи на случай боя. А боя — он знал — не миновать, рано или поздно этот час настанет. Человек против зверя, лицом к лицу. Спору нет, зверь силен, проворен и смертельно опасен. Но и король Катаскисана не напрасно заслужил титул Первого Воина. Он тоже силен, проворен и смертельно опасен — а кроме того, он хитер.

Басурман пробрался обратно в лес — и замер, раздувая широкие ноздри. Глаза его сузились, и он достал из ножен топор.

Лошадь стояла там, где он ее оставил, но ее била дрожь, она прижала уши и выкатила глаза.

Басурман извлек из-под кожаного камзола короткий и увесистый метательный нож, облизнул губы и обвел глазами подлесок. Здесь не так уж много мест для засады: в одном укрылся он сам, оставалось еще три. Стало быть, врагов не больше трех. Есть ли у них луки? Вряд ли — тогда им пришлось бы встать во весь рост и стрелять по быстро движущейся цели. Люди ли они? Тоже вряд ли — люди не нагнали бы на лошадь такого страха.

Значит, в кустах засели полулюды.

Приняв решение, Басурман встал и пошел к лошади.

Справа из кустов выскочил один полулюд, слева — другой. Двигались они с невероятной быстротой. Басурман повернулся на каблуках, взмахнул правой рукой, и нож вошел в правую глазницу первого зверя. Второй уже подступил вплотную, но человек упал на колени и подсек ему ноги. Полулюд повалился, и Басурман, откатившись, вогнал топор ему в бедро. Потом вскочил, рывком отвязал поводья от дерева и взлетел в седло. Раненый полулюд бросился на него. Басурман откинулся назад, натянул поводья — лошадь в ужасе взвилась на дыбы и ударила копытами прямо в морду зверю. Тот упал, а Басурман пришпорил лошадь и помчался через лес, пригибаясь под низкими ветвями. Выбравшись на открытое место, он поскакал на запад.

Боги были милостивы к нему, но рассчитал он плохо. Будь там три полулюда, а не два, он уже лежал бы мертвым. Он целил ножом в горло первому зверю, но тот оказался так скор, что Басурман чуть было не промахнулся.

Горящий город остался далеко позади, и он придержал лошадь.

В низинах, должно быть, кишат лазутчики Цески. Того и гляди нарвешься на опасность еще похуже той, от которой ушел. Он потрепал коня по шее.

Муху он оставил с чейями. Новоявленный Бронзовый Князь обрел уверенность в себе и придумал неплохой план взятия крепости. Как этот план осуществится на деле — другой вопрос, но Муха верит в успех. Басурман усмехнулся. Молодой дренай очень убедителен в своей новой роли — можно подумать, он и в самом деле тот легендарный князь.

Да, подумать так можно, снова усмехнулся Басурман.

На закате он подъехал к ручью с лесистыми берегами. Врагов поблизости заметно не было — но в небольшой лощине он наткнулся на нечто неожиданное.

Там вокруг тела мертвого человека сидело около двадцати детей.

Басурман спешился и привязал лошадь. Мальчик-подросток вышел вперед с кинжалом в руке.

— Попробуй тронь его — и я тебя убью!

— Я не трону его, — сказал Басурман. — Убери нож.

— Ты кто — полулюд?

— Нет, я человек.

— Люди такие не бывают — ты черный.

— Да, я черный, — торжественно кивнул Басурман. — А ты вот белый и совсем маленький. Я не сомневаюсь в твоей храбрости, но неужто ты вправду думаешь справиться со мной?

Мальчик облизнул губы, но не отступил.

— Будь я врагом, я уже убил бы тебя. Отойди-ка. — Басурман прошел вперед и опустился на колени у тела. Коренастый лысеющий человек лежал, сцепив большие руки на груди. — Что с ним случилось? —

спросил Басурман девочку, сидевшую ближе всех. Она отвернулась, и за нее ответил мальчик с ножом:

— Он привез нас сюда вчера. Сказал, что надо спрятаться, пока звери не уйдут. Утром он играл с Мелиссой, а потом схватился за грудь и упал.

— Это не я, — сказала Мелисса. — Я ничего не делала!

Басурман взъерошил русые волосы девчушки.

— Я знаю, что не ты. А еда у вас с собой есть?

— Есть, — ответил мальчик. — Она там, в пещере.

— Меня зовут Басурман. Я друг Черной Маски.

— Ты присмотришь за нами? — спросила Мелисса.

Басурман улыбнулся ей, встал и потянулся. Пешим, да еще с двадцатью детишками, ему от полулюдов не уйти. Он взошел на пригорок, заслонил рукой глаза и посмотрел на горы. До них не меньше двух дней пешего хода — и идти придется по открытому полю. Мальчик с ножом примостился на камне около него. Он был уже большой, лет одиннадцати, и довольно высокий.

— Ты так и не ответил Мелиссе, — сказал мальчик.

— Как тебя звать?

— Сеорл. Ты нам поможешь?

— Не знаю, смогу ли я.

— Один я не справлюсь. — Сеорл впился серыми глазами в лицо Басурмана.

Чернокожий сел на траву.

— Постарайся понять меня, Сеорл. Дойти до гор — дело почти несбыточное. Полулюды — точно лесные звери: они выслеживают добычу по запаху, бегают быстро и не знают устали. Мне нужно передать кое-что Черной Маске — это касается войны. Есть у меня и другое дело, которое я поклялся довести до конца.

— Отговорки! Вечные отговорки. Ладно, я сам доведу их.

— Я провожу вас немного. Только имей в виду: детская болтовня меня раздражает.

— Мелисса не может не болтать. Она маленькая и всего боится.

— А ты что — не боишься?

— Я мужчина и давно уже не плачу.

Басурман кивнул и быстрым движением поднялся на ноги.

— Давай возьмем еду — и в путь.

Вдвоем они собрали детей. Каждый нес мешочек с провизией и фляжку с водой. Басурман посадил Мелиссу и еще двух малышей на коня и вывел детей на равнину. Ветер дул им в спину, и это было хорошо... если полулюды не рыскали впереди. Сеорл оказался прав насчет Мелиссы: она болтала без умолку, и Басурман с трудом следил за ходом ее бесконечных рассказов. К ночи она стала клевать носом в седле, и Басурман взял ее на руки.

Они прошли так около трех миль. Потом Сеорл подбежал к Басурману и дернул его за рукав.

— Чего тебе?

— Они очень устали. Ариана села и не хочет больше идти — она засыпает.

— Ладно. Ступай приведи ее — заночуем здесь.

Басурман уложил Мелиссу на траву, и все остальные сбились в кучку вокруг него. Ночь была прохладная, но не холодная.

— Ты расскажешь нам сказку? — спросила девчушка.

И он стал тихо рассказывать им о лунной богине, которая сошла на землю по серебряной лестнице, чтобы пожить, как простая смертная. Она повстречала прекрасного воина, принца Анидиго. Он полюбил ее так, как ни один мужчина еще не любил женщину, но она была робка и убежала от него, поднявшись обратно на небо в круглой серебряной колеснице. Тогда принц пошел к мудрецу, и тот сковал ему колесницу из чистого золота. Анидиго поклялся, что не вернется, пока не завоюет сердце лунной богини. Его золотая колесница, тоже круглая, взмыла в небо словно огненный шар. Он погнался за богиней вокруг Земли, но она всегда опережала его — и по сей день опережает.

— Посмотри-ка вверх! — сказал Басурман. — Вон она едет — но скоро исчезнет с небес, убегая от Анидиго.

Ребятишки уснули крепким сном, а Басурман и Сеорл отошли в сторонку.

— Ты хорошо рассказываешь, — сказал мальчик.

— У меня много детей.

— Зачем же ты завел столько, раз они тебя раздражают?

— Это нелегко объяснить, — усмехнулся Басурман.

— Да понимаю я. Не маленький.

— Своих детей любишь, несмотря на то что они тебя раздражают. Я радовался рождению каждого из них. Один теперь заменяет меня дома и правит моим народом. Но я всегда нуждался в уединении — а дети этого не понимают.

— А почему ты черный?

— Вот тебе и умный разговор! Я черный потому, что у меня на родине очень жарко. Темная кожа защищает от солнца. Твоя кожа ведь тоже темнеет летом?

— А почему у тебя волосы такие курчавые?

— Не знаю, юноша. Не знаю я также, почему у меня нос приплюснут и губы толще твоих. Так уж я создан.

— Там, откуда ты приехал, все такие же, как ты?

— Нет, все разные.

— Ты умеешь драться?

— Как ты любишь задавать вопросы, Сеорл!

— Я хочу все знать. Умеешь?

— Как тигр.

— Тигр — это большая кошка, да?

— Да. Очень большая и очень злобная кошка.

— Я тоже умею драться.

— Уверен, что умеешь, — но будем надеяться, что тебе не придется это доказывать. Ложись-ка ты спать.

— Я не устал. Я покараулю.

— Делай, что велят. Завтра покараулишь.

Мальчик лег рядом с остальными и тут же уснул. Басурман посидел немного, думая о доме, а потом подошел к детям. Мелисса спала, прижимая к себе тряпичную куклу, старую-престарую: у нее не было глаз, а от волос остались только две желтые нитяные прядки.

Муха поделился с Басурманом своими верованиями: боги, мол, так стары, что впали в детство. Вот они и тешатся тем, что шутят над людьми, путают их жизни и заводят их в безвыходные положения.

Басурман готов был поверить в это.

Далекий вой нарушил тишину ночи. К первому голосу присоединился второй, потом третий. Басурман тихо выругался и достал меч. Вынув из поясной сумки точильный брусок, он поплевал на него и наточил лезвие, потом отцепил от седла топор и наточил его тоже.

Ветер переменился и нес запах путников на восток. Басурман ждал, медленно считая про себя. Он досчитал до восьмисот семи, и вой стал громче. Если принять во внимание, что ветер дует с разной скоростью, полулюды находятся в восьми—двенадцати милях от них — слишком близко.

Милосерднее всего было бы перерезать всем детишкам горло, пока они спят, и спасти их от настигающего сзади ужаса. Но Басурман знал, что может посадить трех малышей на коня.

Он взял кинжал и подполз к спящим.

Но которых выбрать?

С ругательством он вернул кинжал в ножны и разбудил Сеорла.

— Полулюды близко. Буди детей — мы уходим.

— Совсем близко? — в страхе раскрыл глаза мальчик.

— В лучшем случае им до нас час ходу.

Сеорл принялся расталкивать ребят. Басурман посадил Мелиссу на плечо. Она уронила куклу, он поднял ее и сунул себе за пазуху. Дети собрались вокруг него.

— Видишь вон ту гору? — сказал он Сеорлу. — Идите к ней. Я вернусь.

— Ты обещаешь?

— Обещаю. — Басурман сел в седло. — Посади двух самых младших позади меня. — Сеорл повиновался. — А теперь, малыши, держитесь крепко — сейчас поскачем.

Басурман пришпорил жеребца, и тот понесся к горам. Мелисса проснулась и заплакала, но Басурман достал куклу и сунул ей в руки. После нескольких минут быстрой скачки он увидел справа скалы и направил коня к ним. Узкая, не шире пяти футов, тропка вела в мелкую каменную чашу, куда нельзя было попасть иначе, чем по тропе.

Басурман ссадил детей, наказал им ждать его здесь и вернулся на равнину. Пять раз проделал он этот путь, а на шестой Сеорл и еще четверо старших мальчиков почти уже добрались до скал. Басурман спрыгнул с седла и вручил поводья Сеорлу.

— Отведи коня наверх и жди меня там.

— Что ты хочешь сделать?

— Делай, что велят!

Сеорл отступил на шаг.

— Я только хотел помочь.

— Ну, извини. Держи кинжал наготове. Я попытаюсь задержать их, но если они прорвутся, избавь малышей от мучений. Понимаешь меня?

— Я не смогу, — дрогнул Сеорл.

— Тогда поступай так, как подскажет тебе сердце. Удачи тебе, Сеорл!

— Я... я не хочу умирать.

— Я знаю. Ступай-ка наверх и успокой их.

Басурман отвязал от седла топор, лук и колчан со стрелами. Лук был сделан из вагрийского рога, и только очень сильный человек мог натянуть его. Чернокожий разместился на тропе, глядя на восток.

Говорят, будто властители Опалового Трона всегда знают, когда приходит их срок.

Знал и Басурман.

Он натянул лук, скинул камзол, подставив тело ночной прохладе, и низким голосом затянул Песнь Смерти.

Ананаис и его офицеры, собравшись в условленном месте, обсуждали итоги дня. Скодийские силы, оттесненные из внешнего кольца гор, раскололись на семь отрядов и уходили все выше, устраивая по пути засады наступающему врагу. Эти налеты изматывали армию Цески и затрудняли ее продвижение, потери же скодийцев были на удивление легкими, если не считать отряда Парсаля, из которого никто не ушел живым.

— Они движутся быстрее, чем мы предполагали, — сказал Катан. — И их стало еще больше благодаря дельнохскому гарнизону.

— На мой взгляд, их около пятидесяти тысяч, — сказал Торн. — Нечего и надеяться закрепиться где-либо, кроме Тарска и Магадона.

— Будем по-прежнему наносить им удары, — решил Ананаис. — Долго ли еще вы сможете сдерживать этих проклятых Храмовников, Катан?

— Думаю, они уже нашли лазейки в нашей обороне.

— Если так, то наши набеги равносильны самоубийству.

— Я это прекрасно понимаю, Черная Маска. Но здесь мы имеем дело не с точной наукой. Битва в Пустоте идет беспрестанно, однако нас теснят.

— Сделай все, что можешь, парень. Хорошо — будем нападать еще один день, а после все отойдем за стены.

— Не кажется ли тебе, что мы плюем против урагана? — спросил Торн.

— Возможно, — усмехнулся Ананаис, — но не все еще потеряно. Свободна ли дорога, Катан?

Монах на несколько минут закрыл глаза и вдруг широко распахнул их.

— Там, на севере. Надо ехать немедленно!

Катан вскочил и, спотыкаясь, бросился к лошади. Ананаис устремился за ним.

— Торн, — крикнул он, — ты со своими вернись в отряд! Остальные — за мной!

Катан во весь опор скакал на север, сопровождаемый Ананаисом и еще двадцатью воинами. Уже светало, и вершины гор справа от них озарились багрянцем.

Катан нещадно погонял коня, и Ананаис, скакавший за ним, рявкнул:

— Ты загубишь лошадь, болван!

Монах, низко пригибаясь к шее скакуна, не отвечал ему. Впереди показались скалы. Катан осадил коня около них, соскочил с седла и побежал вперед по узкой расщелине. Ананаис с мечом наголо последовал за ним.

Поперек тропы лежали два мертвых полулюда с черными стрелами в горле. Ананаис двинулся дальше. Еще одному зверю стрела попала в сердце. За поворотом слышалось рычание и сталь лязгала о сталь. Миновав еще три трупа, Ананаис с поднятым мечом обогнул скалу. Здесь лежали еще два убитых полулюда, третий нападал на Катана, и еще двое бились насмерть с кем-то, кого Ананаис не видел.

— Ко мне, «Дракон»! — проревел он.

Один из двух полулюдов обернулся к нему, но Ананаис отразил его свирепый удар и вспорол зверю брюхо. Тот взмахнул когтистой лапой, но тут подоспели воины, рубя направо и налево. Зверь пал под градом их ударов. Катан с замечательной легкостью прикончил своего врага и бросился на помощь неизвестному, но в этом уже не было нужды: Басурман рассек своим топором шею полулюда и сам повалился на тропу.

Ананаис, подбежав к нему, увидел, что он весь покрыт ранами. Мясо свисало клочьями с разодранной груди, левая рука была почти оторвана и лицо искорежено.

Чернокожий дышал прерывисто, но глаза его ярко блестели, и он попытался улыбнуться Ананаису, когда тот положил его голову себе на колени.

— Там, наверху, дети, — прошептал Басурман.

— Мы заберем их. Лежи спокойно!

— Почему я должен лежать?

— Так просто. Отдыхай.

— Скольких я уложил?

— Девятерых.

— Я рад, что ты пришел, — с оставшимися двумя мне пришлось бы... трудновато.

Катан опустился на колени, положил руку на окровавленную голову умирающего — и он перестал чувствовать боль.

— Я так и не довел свое дело до конца, — сказал Басурман. — Надо было мне разыскать Цеску там, в городе.

— Я сделаю это за тебя, — пообещал Ананаис.

— У детей все хорошо?

— Да, — заверил Катан. — Мы уже сводим их вниз.

— Не надо, чтобы они видели меня. Это их напугает.

— Не бойся, они не увидят.

— Да не забудьте Мелиссину куклу... девчушка без нее ни на шаг.

— Не забудем.

— Когда я был молод, я послал людей в огонь! А потом всю жизнь раскаивался. Что, Черная Маска, мы так и не узнаем с тобой, чем все это кончится, а?

— Я уже знаю. Я не смог бы свалить девятерых полулюдов. Не думал, что это возможно.

— Все возможно на свете, — чуть слышно ответил Басурман. — Кроме успокоения совести. — Он помолчал и добавил: — Муха придумал план.

— Как ты думаешь, получится у него?

— Все на свете возможно, — усмехнулся Басурман. — Он послал меня сюда с поручением, но теперь это уже утратило смысл. Я должен был передать тебе, что десять тысяч дельнохских солдат выступили в поход, — но они оказались здесь раньше меня.

Сеорл пробился к ним и со слезами на глазах опустился на колени.

— Почему? — спросил он. — Почему ты защищал нас?

Но Басурман уже умер. Ананаис взял парнишку за руку.

— Потому что он был настоящий мужчина и великий человек.

— Он даже и детей-то не любил.

— Думаю, здесь ты ошибаешься, мальчик.

— Он сказал, что мы его раздражаем. А сам погиб за нас. Почему?

Ананаис не нашел ответа, но Катан сказал:

— Потому что он был героем. Герои всегда поступают так — понимаешь?

Сеорл кивнул.

— Я не знал, что он герой, — он мне не сказал.

— Быть может, он и сам не знал, — промолвил Катан.

Галанд тяжело переживал смерть брата, однако виду не показывал. Он ушел в себя, и по его темным глазам не видно было, как он страдает. Со своими людьми он совершил несколько набегов на кавалерию Цески, нанося стремительные удары и столь же стремительно отступая. Несмотря на страстное желание отомстить, он остался дисциплинированным солдатом и не признавал бесшабашного риска. Потери среди трехсот его воинов были невелики — они отошли за стены Магадона, оставив позади только тридцать семь товарищей.

Ворот там не было — бойцы Галанда отпустили лошадей и взобрались наверх по веревочным лестницам, которые спустили им защитники. Галанд поднялся последним и оглянулся назад, на восток. Где-то там гниет в траве тело Парсаля — ни могилы, ни столба.

Война отняла у Галанда сперва дочь, потом брата.

«Скоро она приберет и меня», — подумал он.

Эта мысль почему-то не вызвала в нем никакого страха.

Сорок его людей было ранено. Он отправился вместе с ними в бревенчатый лазарет, где Валтайя с дюжиной других женщин лечила страждущих. Валтайя улыбнулась ему и вернулась к своему занятию — она зашивала мелкий разрез на бедре какого-то воина.

Галанд вышел на солнце, и один из его людей принес ему краюху хлеба и кувшин вина. Галанд поблагодарил и сел, прислонившись спиной к дереву. Хлеб был свежий, вино молодое. К нему подсел его взводный, молодой крестьянин по имени Оранда, с плотной повязкой на руке.

— Говорят, рана чистая — понадобилось всего шесть стежков. Авось щит удержу.

— Это хорошо, — рассеянно сказал Галанд. — Хочешь вина?

Оранда отпил глоток и сказал:

— Не выбродило еще.

— Так, может, дать ему отстояться месяц-другой?

— Намек понял. — Оранда снова припал к кувшину. Настало молчание, и Галанд напрягся, ожидая неизбежной фразы. — Мне жаль, что твоего брата больше нет.

— Все мы умрем.

— Да. Я уже потерял нескольких друзей. А стены на вид как будто крепкие, верно? Странно видеть их в этой долине. Я играл здесь ребенком и смотрел, как бегают дикие лошади.

Галанд промолчал. Оранда отдал ему кувшин, явно желая встать и уйти, но опасаясь показаться невежливым. Когда к ним подошла Валтайя, Оранда благодарно улыбнулся ей и улизнул. Галанд улыбнулся тоже.

— Какая же ты красавица. Просто картинка. — Она сняла свой окровавленный кожаный передник и осталась в легком платье из синего холста, красиво облегающем фигуру.

— У тебя, видно, в глазах помутилось, чернобородый. Волосы у меня сальные, а веки красные. Я чувствую себя хуже некуда.

— Это как посмотреть.

Она села рядом и положила ладонь ему на руку.

— Мне очень, очень жаль Парсаля.

— Все мы умрем. — Ему уже надоело это повторять.

— Но ты жив, и я этому рада.

— Вот как? — холодно сказал он. — Почему?

— Странный вопрос для друга!

— Я не друг тебе, Вал. Я влюбленный в тебя мужчина — это совсем другое.

— Мне жаль, Галанд, но что я могу сказать? Ты ведь знаешь, я живу с Ананаисом.

— Ты счастлива с ним?

— Конечно — насколько можно быть счастливой во время войны.

— Ну за что? За что ты его любишь?

— Я не могу на это ответить. Ни одна женщина не может. Вот ты за что меня любишь?

Он запрокинул кувшин, уходя от ответа.

— Хуже всего то, — сказал он, — что ни у кого из нас нет будущего. Даже если мы переживем этот бой. Ананаис никогда не станет степенным женатым человеком. Он не крестьянин, не купец... Он бросит тебя в каком-нибудь придорожном городе. А я никогда не вернусь в свою усадьбу. Не видать нам счастья.

— Не пей больше, Галанд. Вино нагоняет на тебя хандру.

— Моя дочка была веселой девчушкой и большой озорницей. Много раз я шлепал ее и много раз утирал ей слезы. Знай я, что она проживет так недолго... А теперь вот Парсаль. Я надеюсь, он умер быстро. Это себялюбие во мне говорит, — сказал он вдруг. — Ни в одном живом существе не течет больше моя кровь. Когда я умру, станет так, как будто меня и не было.

— Друзья будут вспоминать о тебе.

Он убрал руку из-под ее ласковых пальцев и сердито посмотрел на нее.

— Нет у меня друзей! Нет и не бывало.

21

Император сидел в своем шелковом шатре, окруженный своими офицерами. Командующий армией Дарик сидел с ним рядом. Огромный шатер был поделен на четыре отделения: то, где собрались теперь воины, могло вместить пятьдесят человек, их же было только двадцать.

Цеска с годами растолстел, и кожа его сделалась бледной и нечистой. Темные глаза светились кошачьим лукавством — говорили, будто он изучил науку Черных Храмовников и умеет читать мысли. Военачальники жили в постоянном страхе — он мог внезапно указать на кого-то и крикнуть: «Предатель!» Человек, с которым это случалось, умирал ужасной смертью.

Дарик был самым доверенным его лицом и хитроумнейшим полководцем — только легендарный Барис, командир «Дракона», мог бы с ним сравниться. Уже в начале шестого десятка Дарик, высокий, жилистый и чисто выбритый, казался моложе своих лет.

Выслушав доклады и отчеты о числе убитых, он сказал:

— Эти набеги на первый взгляд кажутся случайными, но я чувствую за ними единство замысла. А как по-вашему, Маймон?

Черный Храмовник кивнул.

— Мы почти прорвали их оборону, и кое-что видно уже и теперь. Они загородили стенами два перевала, именуемые Тарск и Магадон. И ждут помощи с севера, хотя и без особых надежд. Командует ими, как вы и полагали, Ананаис, но их духовный вождь — та женщина, Райван.

— Где она теперь? — спросил император.

— В горах.

— Можете вы пробиться к ней?

— Из Пустоты — нет. Она защищена.

— Но ведь всех ее друзей оградить нельзя? — заметил Цеска.

— Нельзя, государь, — подтвердил Маймон.

— Тогда овладейте душой кого-нибудь близкого ей. Я хочу, чтобы эта женщина умерла.

— Да, государь, — но сперва мы должны преодолеть призрачную стену Тридцати.

— А что Тенака-хан? — резко бросил Цеска.

— Уехал на север. Его дед Джонгир два месяца как умер, и там зреет междоусобица.

— Отправьте письмо коменданту Дельноха — пусть следит, не покажутся ли надиры.

— Да, государь.

— А теперь оставьте меня — все, кроме Дарика.

Военачальники с великим облегчением удалились в ночь. Вокруг шатра несли караул пятьдесят полулюдов — самые крупные и свирепые из всего войска. Генералы старались не смотреть на них.

Цеска, помолчав, сказал:

— Все они меня ненавидят. Мелкие людишки с мелкими мозгами. Чем бы они были без меня?

— Ничем, государь, — сказал Дарик.

— Верно. Ну а сам ты, генерал?

— Государь, вы читаете в людях, как в открытой книге. Вам открыты их сердца. Я предан вам, но в тот день, когда вы во мне усомнитесь, я без промедления лишу себя жизни.

— Ты единственный преданный человек во всей империи. Пусть в живых не останется никого. Пусть Скодия превратится в бойню, о которой будут поминать во веки вечные.

— Как прикажете, государь. Против нас они не устоят.

— Нам помогает Дух Хаоса, Дарик. Но ему нужна кровь. Много крови! Целые океаны. Ему всегда мало.

Глаза Цески приобрели затравленное выражение, и он умолк. Дарик сидел очень тихо. То, что император безумен, еще не беда — беда, что его безумие усиливается. Дарик был странным человеком. Его не занимало ничто, кроме войны и стратегических задач, — и все, что он сказал императору, было чистейшей правдой. В тот день — а он непременно настанет, — когда безумие Цески обратится против

Дарика, Дарик убьет себя. Ибо жить ему будет незачем. Дарик не любил ни одно человеческое существо, не поклонялся красоте. Живопись, поэзия, литература, горы и бурные моря не существовали для него.

Ремеслом его были война и смерть — но даже их он не любил, а только занимался ими.

Цеска внезапно издал смешок.

— Я был одним из последних, кто видел его лицо.

— Чье, государь?

— Ананаиса, Золотого Воина. Он стал цирковым бойцом, любимчиком черни. Однажды, когда он стоял, внимая их хвалебным крикам, я выпустил на него своего полулюда. Здоровенный был зверюга, на треть волк, на треть медведь. Ананаис убил его. Подумать только! Столько трудов пошло насмарку. Однако наш Золотой Воин потерял лицо.

— Каким образом, государь? Он испугался?

— Да нет, он потерял лицо в буквальном смысле. Это шутка! — Дарик должным образом посмеялся. — Ненавижу его. Он первый посеял семена сомнения. Он хотел поднять против меня «Дракон», но Барис с Тенакой-ханом остановили его. Благородный Барис! Ты знаешь, он был талантливее тебя.

— Да, государь. Вы мне уже говорили.

— Но не был столь предан. Ты будешь верен мне всегда, правда, Дарик?

— Да, государь.

— Ты ведь не захочешь повторить судьбу Бариса?

— Нет, государь.

— Странно, как в них сохраняются некоторые качества, — задумчиво произнес Цеска.

— Простите?

— Ведь он так и остался вожаком. Другие его слушаются — любопытно, почему?

— Не знаю, государь. Не холодно ли вам? Не принести ли вина?

— Ты не отравишь меня, нет?

— Что вы, государь. Я сперва сам попробую из вашего кубка.

— Вот-вот. Попробуй.

Дарик налил вина в золотой кубок, пригубил и широко раскрыл глаза.

— В чем дело, генерал? — подался к нему Цеска.

— В вине что-то есть, государь. Оно соленое.

— Океаны крови! — хохотнул Цеска.

Тенака-хан проснулся за час до рассвета и потянулся к Рении, но постель была пуста. Тогда он вспомнил и сел, протирая глаза. Ему казалось, что кто-то звал его по имени, но это, наверное, было во сне.

Голос прозвучал опять. Тенака спустил ноги с топчана и оглядел юрту.

— Закрой глаза, мой друг, и успокойся, — сказал голос.

Тенака снова лег. Перед его мысленным взором предстало худощавое аскетическое лицо Декадо.

— Как скоро ты доберешься до нас?

— Через пять дней — если Муха откроет ворота.

— К тому времени мы будем мертвы.

— Я не могу двигаться быстрее.

— Сколько с тобой человек?

— Сорок тысяч.

— В тебе чувствуется какая-то перемена, Тани.

— Я все тот же. Как там Ананаис?

— Он верит в тебя.

— А остальные?

— Басурман и Парсаль убиты. Нас оттеснили за последний рубеж. Мы продержимся от силы три дня — не больше. Полулюды оправдали все наши ожидания.

Тенака рассказал Декадо о потусторонней встрече с Оленом и передал слова старика. Декадо выслушал его молча.

— Стало быть, ты теперь хан, — сказал он наконец.

— Да.

— Прощай, Тенака.

Глаза Декадо, лежавшего в Тарске, открылись. Аквас и те, кто остался из Тридцати, сидели около него кружком, сопрягая свои силы.

Все они слышали слова Тенаки-хана. Более того — все они побывали в его разуме и прочли его мысли.

Декадо сделал глубокий вдох и спросил у Акваса:

— Что скажешь?

— Нас предали.

— Пока еще нет. Он придет.

— Я не это имел в виду.

— Я знаю. Но пусть завтрашний день сам заботится о себе. Наша ближайшая цель — помочь скодийцам, а до последующих событий никто из нас не доживет.

— Но какой в этом смысл? — сказал Балан. — Если бы наша смерть принесла хоть какое-то благо — а так мы всего лишь поможем сменить одного тирана на другого!

— Пусть даже и так, — мягко ответил Декадо. — Истоку лучше знать. Если же мы не веруем в Его мудрость, все наши труды теряют смысл.

— Ты что же, теперь уверовал? — скептически осведомился Балан.

— Да, Балан, уверовал — и мне думается, я веровал всегда. Даже в годину моего отчаяния опирался на Исток и тем самым проявлял свою веру, хотя и не понимал этого. Но нынешняя ночь просветила меня.

— Предательство друга тебя просветило? — изумился Аквас.

— Нет, не предательство. Надежда. Проблеск света, символ любви. Но об этом мы поговорим завтра, когда настанет время прощания.

— Прощания?

— Мы — Тридцать, и наша миссия близится к завершению. Я, как Голос Тридцати, теперь являюсь настоятелем Ордена. Но я умру здесь, а Тридцать должны жить. Мы видели нынче, что назревает новая угроза, и в будущем мы снова понадобимся дренаям. Мы поступим так же, как делалось прежде. Один из нас должен уйти, принять на себя бремя настоятеля и набрать новых воинов Истока. Этим человеком будет Катан, душа Тридцати.

— Я не могу, — покачал головой Катан. — Я противник смерти и насилия.

— Это так, и все же избранник — ты. Мне кажется, Исток всегда заставляет нас идти против собственной натуры. Я не знаю, зачем... но Он знает. Я не гожусь в вожди — но все же почувствовал на себе власть Истока и смирился со своей участью. Да будет все по воле Его. А теперь, Катан, соедини нас напоследок в молитве.

Катан повиновался со слезами на глазах и с великой печалью. Закончив молитву, он обнял каждого из братьев и удалился в ночь. Что делать? Где искать новых Тридцать? Он сел на коня и поехал через горы в Вагрию.

Над лагерем беженцев у тропы сидел мальчик Сеорл. Катан придержал коня и сошел.

— Что ты здесь делаешь, Сеорл?

— Ко мне пришел человек — он велел идти сюда и ждать тебя.

— Что за человек?

— Это было во сне.

Катан сел рядом с мальчиком.

— Он в первый раз приходит к тебе?

— Именно этот человек?

— Да.

— Этот — впервые. Но я часто вижу других, и они говорят со мной.

— А что-нибудь волшебное ты умеешь делать, Сеорл?

— Да.

— Что?

— Иногда, когда я трогаю вещи, я знаю, откуда они взялись. Я вижу разные картины. А иногда, когда люди сердятся на меня, я слышу, что они думают.

— Расскажи мне о человеке, который к тебе приходил.

— Его зовут Абаддон. Он сказал, что он настоятель Мечей.

Катан склонил голову и закрыл лицо руками.

— Почему ты грустишь? — спросил Сеорл.

Катан глубоко вздохнул и улыбнулся.

— Больше уже не грущу. Моя грусть прошла. Ты Первый, Сеорл, но будут и другие. Ты поедешь со мной, и я научу тебя разным вещам.

— И мы станем героями, как тот, черный?

— Да. Мы станем героями.

Войско Цески подошло на рассвете. Оно наступало колоннами по десять рядов, и впереди шел Легион. На равнине армия разделилась надвое, одна половина свернула в долину Магадона. Ананаис с Торном, Лейком и еще дюжиной человек подъехал всего час назад. Теперь он, облокотясь на стену, смотрел, как неприятель разбивает лагерь. Вторая половина армии направилась к Тарску.

В Магадоне осталось двадцать тысяч закаленных в боях ветеранов — но ни императора, ни его полулюдов пока еще не было видно.

Ананаис прищурился, глядя на восходящее солнце.

— Кажется, это Дарик там, в середине. Нам оказывают большую честь!

— Я бы обошелся без подобных почестей, — пробурчал Торн. — Он настоящий мясник!

— Не только, мой друг, — он отменный полководец, а стало быть, мясник высшей категории.

Защитники молча и угрюмо, как завороженные, наблюдали за приготовлениями врага. За войском следовали телеги, груженные наспех сколоченными лестницами, железными крючьями, веревками и провизией.

Час спустя, когда Ананаис спал на траве, на равнине появились полулюды Цески. Молодой воин спешно разбудил генерала — тот протер глаза и сел.

— Звери пришли, — прошептал юноша.

Ананаис, видя его страх, потрепал его по плечу.

— Ты, парень, не бойся, а лучше заткни за пояс палочку.

—Палочку?

— Ну да. Как они подойдут поближе, кинь им палочку и крикни: «Возьми!»

Шутка не помогла, но Ананаис развеселился и взобрался на стену с ухмылкой.

Декадо уже стоял там, опершись о деревянный приклад громадного самострела. Вид у предводителя Тридцати был измученный, и глаза смотрели в пространство.

— Как ты, Дек? Здорово устал, я вижу.

— Старость не радость, Черная Маска.

— Хоть ты-то не начинай. Зови меня по имени.

— Прозвище тебе больше подходит, — усмехнулся Декадо.

Полулюды расположились за лагерем, вокруг одинокого шатра из черного шелка.

— Это Цеска, — сказал Ананаис. — Он себя бережет.

— Похоже, все полулюды достанутся нам, — заметил Декадо. — Я не видел, чтобы они разделялись.

— Стало быть, нам везет. Но с их точки зрения все это имеет смысл. Им все равно, которая стена падет первой, — стоит взять одну, и нам конец.

— Тенака будет здесь через пять дней, — напомнил Декадо.

— Да, только нас здесь уже не будет.

— Ананаис, а что, если...

— Что?

— Так, ничего. Как ты думаешь, когда они атакуют?

— Ненавижу, когда люди так делают. Что ты хотел сказать?

— Ничего. Забудь об этом.

— Какого черта с тобой происходит? Ты унылый, точно больная корова.

Декадо через силу засмеялся.

— Просто с годами я становлюсь серьезнее. Подумаешь, было бы о чем беспокоиться — каких-то двадцать тысяч солдат да кучка зверья.

— И то верно. Бьюсь об заклад, от Тенаки они побегут очень быстро.

— Хотел бы я на это посмотреть.

— Если бы наши желания были водой, мы все были бы рыбами. — Ананаис снова спустился вниз и устроился на траве, чтобы продолжить прерванный сон.

Декадо, сидя на парапете, смотрел на него.

Нужно ли скрывать от Ананаиса, что Тенака теперь стал ханом самого враждебного дренаям народа? И нужно ли ему об этом говорить? Он верит Тенаке, а вера таких людей, как Ананаис, прочнее стали-серебрянки. У Ананаиса в голове не укладывается, что Тенака может его предать.

Это доброе дело — дать ему умереть с незапятнанной верой.

Или нет?

Зачем лишать человека права знать истину?

— *Декадо!* — позвал кто-то у него в голове. Это был Аквас.

Декадо закрыл глаза и сосредоточился.

— *Что?*

— *Враг прибыл к Тарску. Полулюдов не видно.*

— *Они все здесь.*

— Тогда мы перейдем к вам, хорошо?

— Да. — Декадо оставил восемь монахов с собой в Магадоне, а девятерых отправил в Тарск.

— Мы последовали твоему совету и проникли в разум одного из зверей — но не знаю, понравится ли тебе то, что мы обнаружили.

— Говори.

— Они все из «Дракона»! Цеска начал вылавливать их еще пятнадцать лет назад, а некоторые были взяты в плен при недавнем разгроме «Дракона».

— Понятно.

— Это имеет какое-то значение?

— Нет. Только еще горше становится.

— Мне очень жаль. Будем исполнять то, что задумали?

— Да. Ты уверен, что их нужно подпустить поближе?

— Уверен. Чем ближе, тем лучше.

— Что Храмовники?

— Они пробили нашу защиту. Мы едва не лишились Балана.

— Как он теперь?

— Лучше. Ты сказал Ананаису о Тенаке-хане?

— Нет.

— Что ж, тебе виднее.

— Надеюсь. Приходите поскорее.

Ананаис крепко спал на траве. По прошествии часа Валтайя принесла ему жареного мяса с горячим хлебом, и они вдвоем перешли в тень деревьев, где он снял маску и стал есть.

Валтайя не могла выносить этого зрелища. Она отошла, чтобы нарвать цветов, и только потом вернулась к нему.

— Надень маску, — сказала она. — Вдруг кто-нибудь пройдет мимо.

Он впился в нее своими яркими голубыми глазами, отвернулся и надел маску.

— Уже прошел, — с грустью сказал он.

22

Ближе к полудню в неприятельском лагере протрубили трубы, и тысяч десять воинов, собравшись у повозок, принялись сгружать лестницы, привязывать веревки к крючьям и разбирать щиты.

Ананаис взбежал на стену, где Лейк проверял растяжки и приводы самострела.

Враг выстроился в долине, сверкая на солнце мечами и копьями. Забили барабаны, и войско двинулось вперед.

Защитники на стене облизнули сухими языками сухие губы и вытерли потные ладони об одежду.

Медленная барабанная дробь эхом отдавалась в горах.

Ужас нахлынул на защитников словно прибой. Люди с криками прыгали со стены на траву.

— Это Храмовники! — крикнул Декадо. — Это они напускают страх.

Но паника не прекратилась. Ананаис пытался остановить бегущих, но и его голос тоже дрожал от страха. Барабаны приближались, и все больше бойцов прыгало вниз.

Сотни человек бросились бежать — и остановились, увидев перед собой женщину в заржавленной кольчуге.

— Мы скодийцы, — прогремела Райван, — а скодийцы не бегут. Мы — сыны Друсса-Легенды. Мы не бегаем от врага!

Обнажив короткий меч, она двинулась сквозь ряды бегущих к стене. Там осталась лишь горстка воинов, да и те были белы как снег и дрожали. Райван с возрастающим страхом взошла на ступени.

Ананаис, спотыкаясь, бросился к ней и протянул ей руку, которую она с благодарностью приняла.

— Им нас не одолеть! — сквозь зубы процедила она. В расширенных глазах застыл ужас.

Бегущие скодийцы, обернувшись, увидели ее, гордо стоящую посередине стены. Они подобрали мечи и повернули обратно, преодолевая напирающую на них стену страха.

И страх прошел!

Декадо и Тридцать отогнали вражеские чары, оградив щитом Райван.

Скодийские воины, охваченные гневом, устремились обратно на стену. Они выстроились, исполненные решимости, пристыженные тем, что женщина оказалась храбрее их.

Барабаны утихли, и пропела труба.

Десять тысяч воинов с бешеным ревом ринулись на приступ.

Лейк и его помощники отвели назад рычаги обоих самострелов и зарядили их свинцом. На пятидесяти шагах Лейк поднял руку, на сорока опустил ее и дернул за шнур. Первый самострел выстрелил. Еще мгновение — и выстрелил второй.

Передние вражеские ряды полегли как подкошенные, и защитники разразились громкими криками «ура». Скодийские лучники залпами пускали стрелы, но солдаты все были в тяжелых доспехах и прикрывались щитами.

Крючья и лестницы загрохотали о стену.

— Ну, началось! — сказал Ананаис.

Первый солдат, влезший на стену, погиб от меча Черной Маски, пронзившего ему горло. Падая, он увлек за собой другого.

За ним хлынули новые, и битва закипела.

Декадо и Тридцать сражались вместе по правую руку от Ананаиса, и в том месте никому не удавалось ступить на стену.

Зато слева захватчики проделали брешь. Ананаис бросился туда, круша, рубя и убивая. Он расшвыривал врагов словно лев, попавший в стаю волков, и скодийцы с победным кличем валили за ним. Солдат медленно, но верно оттесняли обратно. Райван пронзила своим мечом грудь врага, но он, падая, взмахнул клинком и рассек ей щеку. Она пошатнулась, и на нее бросился другой. Лейк, видя мать в опасности, метнул кинжал и угодил врагу рукояткой пониже уха. Тот споткнулся, выронил меч, и Райван прикончила его, рубанув двумя руками по шее.

— Уйди отсюда, мать! — крикнул Лейк.

Декадо, услышав его, подбежал к Райван и помог ей подняться.

— Лейк прав. Ты слишком большая ценность, чтобы так рисковать тобой.

— Сзади! — завопила она: на стену вскочил солдат с поднятым топором.

Декадо резко обернулся, его меч проткнул врага — и сломался. На стену влезли еще двое. Декадо нырнул вниз, схватил упавший топор и вскочил на ноги. Он отразил высокий удар и отмашкой сбросил врага со стены. Второй ранил Декадо в плечо, но подоспевший Лейк хватил солдата мечом по черепу.

Атака захлебнулась, и солдаты отступили.

— Уберите раненых! — крикнул Ананаис. — Они могут вернуться в любую минуту.

Он прошел вдоль стены, поспешно подсчитывая убитых и раненых.

Из строя выбыло не меньше ста человек. Еще десять таких атак — и защитникам конец.

С левого края подошел Галанд.

— Эх, будь у нас на тысячу ребят побольше да стена повыше, — сокрушенно сказал он.

— Они молодцы. В следующий раз потери будут меньше. Сейчас жертвой пали самые слабые.

— И это все, что ты можешь о них сказать? — обозлился Галанд. — Они для тебя только предметы с мечами — одни лучше, другие хуже?

— Не время говорить об этом, Галанд.

— Мне тошно от тебя!

— Я знаю, смерть Парсаля...

— Оставь меня! — крикнул Галанд и ушел.

— Что это с ним? — спросил Торн, поднимаясь по ступенькам, — ему только что перевязали неглубокую рану на голове.

— Не знаю.

— Я принес тебе поесть. — Торн протянул Ананаису краюху хлеба с мягким сыром. Тот не успел проглотить и куска, ибо барабаны забили вновь.

Скодийцы отразили пять дневных атак и одну ночную, в которой враг понес тяжелые потери.

Ананаис провел на стене почти всю ночь, но за два часа до рассвета Декадо заверил его, что больше атак не предвидится, и генерал, шатаясь, сошел вниз. У Валтайи была комната при лазарете. Ананаис поборол искушение пойти к ней и лег спать в роще, на травянистом пригорке.

Четыреста человек выбыло из боя. Раненые уже не помещались в лазарете, и их укладывали на одеялах у крыльца. Ананаис послал за резервом, где насчитывалось двести пятьдесят человек.

В Тарске, как сообщил Аквас, потери были меньше, но враг предпринял там только три атаки. Турс, молодой воин, командующий обороной Тарска, держался молодцом.

Стало ясно, что главный удар враг намерен нанести по Магадону. Ананаис надеялся, что сегодня полулюдов еще не бросят в бой, но в глубине души знал: надежды его напрасны.

Наискосок от лазарета метался в тревожном сне молодой воин. Внезапно он застыл, и приглушенный крик замер у него в горле. Его глаза открылись, он сел и нащупал нож. Обратив его острием к себе, он медленно погрузил его в грудь между ребрами, прямо в сердце. Потом вынул нож и встал. Из раны не пролилось ни капли крови.

Он медленно приблизился к лазарету и заглянул в открытое окно. Внутри уже сутки напролет трудилась Валтайя, пытаясь спасти самых тяжелых.

Воин отошел от окна в лес, где разбили свои шалаши около двухсот беженцев. У костра сидела Райван — она нянчила ребенка и разговаривала с тремя другими женщинами.

Она хорошо знала подошедшего воина и спросила его:

— Что, не спится, Оранда?

Он не ответил.

Райван увидела нож у него в руке, и глаза ее сузились. Оранда опустился на колени рядом с ней, и она заглянула ему в лицо. Он смотрел на нее пустым, мертвым взором, не видя ее.

Нож сверкнул в воздухе. Райван вильнула в сторону, прикрыв телом спящего младенца, и клинок поранил ей бедро. Выпустив ребенка из рук, она отразила новый удар предплечьем и двинула Оранду в подбородок. Он упал, но тут же встал снова. Райван тоже вскочила на ноги. Женщины подняли крик, ребенок раскричался. Мертвец двинулся вперед, и Райван попятилась. Из ноги у нее сочилась кровь. Подбежал кто-то из мужчин и обрушил кузнечный молот на голову мертвеца. Череп треснул, но Оранда даже глазом не моргнул.

В грудь ему вонзилась стрела — он посмотрел на нее и медленно извлек из тела. Галанд подоспел, когда мертвец уже занес нож над Райван, и взмахом меча отделил руку с ножом от туловища. Труп пошатнулся... и упал.

— Сильно же они хотят твоей смерти, — сказал Галанд.

— Не только моей — нашей.

— Нынче их желание исполнится.

Валтайя зашила девятидюймовую рану на бедре Райван и покрыла шов толстым слоем мази.

— Теперь у тебя не останется уродливого шрама, — пообещала она, завязывая рану.

— Да хоть бы и остался. Кто увидит шрам у меня на ляжке в мои-то годы?

— Чепуха — ты же красивая женщина.

— На мою красоту уже никто не польстится. Ты ведь живешь с Черной Маской, верно?

— Да.

— Давно ты его знаешь?

— Недавно, но он спас мне жизнь.

— Ясно.

— Что тебе ясно?

— Ты славная девушка, но чересчур серьезно относишься к своим долгам.

Валтайя села рядом с койкой и потерла глаза. Она так устала, что даже спать не могла.

— Ты всегда так скоропалительно судишь о людях?

— Нет. — Райван осторожно села и поморщилась от боли. — Но женщина всегда видит по глазам, влюблена другая женщина или нет. Когда я спросила тебя о Черной Маске, на твоем лице отразилась печаль. А когда ты сказала, что он спас тебе жизнь, все стало совсем очевидно.

— Разве это плохо — платить свои долги?

— Напротив, хорошо — особенно теперь. И Черная Маска — прекрасный человек.

— Я сделала ему больно, сама того не желая. Это из-за усталости. Обычно я спокойно смотрю на его лицо, а на этот раз попросила его надеть маску.

— Лейк как-то мельком увидел его без маски. И сказал, что лицо у него обезображено.

— Нет у него лица. Нос и верхняя губа сорваны, а остальное — сплошные рубцы. Один шрам так и не зажил и постоянно гноится. Ужас! Он точно мертвец. Я старалась... но так и не смогла... — И Валтайя залилась слезами.

— Не думай о себе плохо, девочка, — ласково сказала Райван, гладя ее по спине. — Ты старалась — большинство женщин и того бы не сделали.

— Я стыжусь себя. Не я ли говорила ему, что лицо — еще не мужчина. Я пыталась полюбить мужчину, но его лицо не дает мне покоя.

— Ты говорила правду. Все дело в том, что ты только пыталась полюбить его, но не любила. Ты взяла на себя слишком много.

— Но он такой благородный и такой несчастный. Он был Золотым Воином... он был всем.

— Да, а еще он был тщеславен.

— Откуда ты знаешь?

— Догадаться нетрудно. Вдумайся: молодой богатый аристократ становится генералом «Дракона». И что же потом? Он идет на арену и убивает там людей на потеху толпе. Многие его соперники были узники, вынужденные сражаться под страхом смерти. У них выбора не было, но у него был. И никакого благородства в этом нет. Мужчины! Что с них взять? Они никогда не делаются взрослыми.

— Как ты сурова к нему — а ведь он готов умереть за тебя!

— Не за меня. За себя самого. Он мстит.

— Это нечестно.

— Такова уж жизнь. Пойми меня правильно: он мне дорог. Очень дорог. Он замечательный человек. Но нет таких людей, которые были бы сплошь из золота, и нет таких, что сплошь из свинца. В людях перемешано и то, и другое.

— Это и к женщинам относится?

— Ну, мы-то, известно, из чистого золота, — фыркнула Райван. Валтайя улыбнулась. — Вот так-то лучше, девочка.

— Как ты это делаешь? Как остаешься такой сильной?

— Прикидываюсь.

— Неправда. Вчера ты обратила течение в другую сторону — ты была великолепна.

— Все очень просто. Они убили моего мужа и моих сыновей — мне нечего больше бояться. Отец мой говаривал, что человека, уверенного в своей правоте, ничто не остановит. Прежде я считала это вздором. Стрела в зобу остановит кого угодно. Но теперь я поняла смысл его слов. Цеска — явление ненатуральное, все равно что метель в июле. Он не способен победить, если против него восстанет достаточное количество народу. Весть о скодийском мятеже разойдется по всей империи, и следом за нами поднимутся другие. Взбунтуются полки, и все честные люди возьмутся за мечи. Он не может победить.

— Но здесь победа будет за ним.

— Это ненадолго.

— Ананаис верит, что Тенака-хан вернется с надирской армией.

— Я знаю — но в меня это бодрости не вселяет.

В соседней комнате без сна лежал Декадо — раненое плечо не давало ему покоя. Он улыбнулся, услышав слова Райван, и подумал: такую не проведешь.

Он смотрел в бревенчатый потолок. Боль не нарушала мира, в котором он пребывал. Катан рассказал ему о мальчике Сеорле, и Декадо чуть не прослезился. Все встало на место, и смерть больше не страшна.

Декадо привстал и сел на постели. Его доспехи лежали на столе справа. Доспехи Сербитара, вождя Дельнохских Тридцати.

Сербитара, судя по рассказам, мучили сомнения, и Декадо надеялся, что в конце концов они разрешились. Знание — великое благо. Как мог он, Декадо, быть так слеп, когда истина сияла перед ним во всей своей кристальной ясности?

Встреча Ананаиса и Тенаки близ казарм «Дракона». Муха и Басурман. Декадо и Тридцать. Райван.

Все они — звенья таинственной магической паутины. И кто знает, сколько в ней еще других, не менее важных звеньев?

Валтайя, Рения, Галанд, Лейк, Парсаль, Торн, Турс?

Басурман отправился в далекую страну, чтобы спасти неизвестного мальчика. Кого суждено спасти этому мальчику?

Внутри паутины есть еще паутина, а в ней — множество других.

Быть может, и сами события — всего лишь звенья. Легендарное сражение при Дрос-Дельнохе через два поколения породило Тенаку-хана. И Муху. И «Дракон».

Это превышало понимание Декадо.

Боль в плече снова обожгла его, исторгнув из его груди глухой стон, но скоро боли не будет.

Рассвет привел с собой три новых атаки. При последней оборона дрогнула, но Ананаис с двумя мечами в неистовой ярости налетел на врага, и штурм был отбит. Тогда во вражеском лагере пропела труба, и вперед вышли полулюды в числе пяти тысяч.

Легионеры отошли назад сквозь их ряды, очистив им дорогу.

Ананаис, тяжело сглотнув, посмотрел вправо и влево вдоль стены. Минута была жуткая, но на лицах скодийцев не замечалось страха, и Ананаис ощутил прилив гордости за них.

— Нынче каждый добудет себе теплую меховую шкуру! — проревел он.

Угрюмый смех прозвучал в ответ.

Черные Храмовники, внедрившись в гущу зверей, внушали им кровавые видения, разжигавшие животное начало.

Звери подняли вой.

На стене Декадо подозвал к себе Балана. Темноглазый монах склонился перед главой Ордена.

— Кажется, пора, — сказал Декадо.

— Да.

— Ты останешься позади.

— Как? — вскричал Балан. — Почему?

— Ты понадобишься им для связи с Тарском.

— Я не хочу оставаться один, Декадо!

— Ты не останешься один. Мы все будем с тобой.

— Неправда. Ты хочешь наказать меня!

— Нет. Держись поближе к Ананаису и оберегай его по мере своих сил. Его и Райван.

— Пусть это сделает кто-нибудь другой. Я самый худший из вас — самый слабый. Вы нужны мне. Вы не можете бросить меня.

— Будь крепок в вере, Балан. И слушайся меня.

Монах нетвердой походкой сошел со стены и убежал в рощу.

Жуткий вой на равнине становился все громче.

— Пошли! — крикнул Декадо.

Семнадцать воинов-священников соскочили со стены и двинулись навстречу полулюдам, которые находились теперь в сотне шагов от них.

— Что за черт? — оторопел Ананаис и заревел: — Декадо!

Тридцать шли широким веером, с мечами в руках, и их белые плащи трепетали на ветру.

Звери наступали, а Храмовники бежали за ними, подгоняя их мощными мысленными толчками.

Тридцать упали на колени.

Передний полулюд, громадный зверюга почти восьми футов ростом, пошатнулся от вторгшегося в его мозг видения. Камень. Холодный камень. Изваяние.

Кровь, свежая кровь и теплое солоноватое мясо.

Зверь снова устремился вперед.

Камень. Холодный камень. Крылья.

Кровь.

Камень.

Крылья. Каменные крылья.

Тридцать шагов отделяли полулюдов от Тридцати. Ананаис, не в силах смотреть, отвернулся.

Вожак несся на коленопреклоненных воинов в серебряных доспехах.

Камень. Изваяние. Крылья. Марширующие люди. Камень...

Зверь взревел.

Дракон. Каменный Дракон. МОЙ ДРАКОН!

Полулюды замедляли бег, и вой затихал. Образ становился все ярче. Давно погребенные воспоминания всплывали наверх. Боль, страшная боль терзала наводящие ужас тела.

Храмовники усердствовали, подхлестывая зверей бичами своего внушения. Один полулюд обернулся и когтистой лапой сорвал Храмовнику голову с плеч.

Громадный полулюд, шедший во главе остальных, остановился перед Декадо, понурив голову и вывесив язык. Декадо, удерживая образ в мозгу зверя, увидел в его глазах печаль. Зверь понял. Он похлопал себя лапой по груди, и длинный язык заворочался, стараясь что-то выговорить. Декадо с трудом разобрал:

— Барис. Я Барис!

Зверь повернулся и с воем ринулся на Храмовников. Другие полулюды последовали за ним, и Храмовники застыли на месте, не понимая, что происходит. Зверь набросился на них. Но не все полулюды были родом из «Дракона», и сотни их метались в растерянности, пока один не устремился к серебряным воинам.

За ним помчалась дюжина его сотоварищей.

Тридцать, погруженные в транс, были беззащитны. Один Декадо сохранил возможность двигаться... но не воспользовался ею. Звери с ревом накинулись на них, терзая их плоть. Декадо закрыл глаза, и боли не стало.

Храмовники гибли сотнями под натиском рассвирепевших чудовищ. Громадный полулюд, бывший прежде Барисом, командиром «Дракона», наскочил на Маймона, пытавшегося спастись бегством, и отгрыз ему руку от плеча. Маймон завопил, но удар тяжелой лапы снес ему лицо, и вопль захлебнулся в крови.

Барис бросил его и побежал к шатру Цески.

Дарик метнул копье. Оно вонзилось Барису в грудь, но неглубоко — полулюд выдернул его и помчался дальше.

— Ко мне, Легион! — вскричал Дарик.

Лучники изрешетили зверя стрелами, но не остановили.

Полулюды, свирепствующие в лагере, начали падать наземь, корчась в предсмертных судорогах.

Дарик в изумлении смотрел, как гигантский Барис словно тает у него на глазах. Стрела вошла зверю в грудь, и он покачнулся, а Дарик, подскочив, вогнал ему в спину меч. Зверь упал, попытался встать... и умер. Дарик ногой перевернул его на спину. Зверь содрогнулся, и генерал еще раз ударил его мечом — но тут же понял, что это содрогание не имело ничего общего с жизнью: к зверю возвращался человеческий облик. Дарик отвернулся.

Повсюду на равнине умирали полулюды — лишь малая их кучка продолжала терзать серебряных воинов, принесших смертельное поветрие в их ряды.

Дарик с поклоном вошел в шатер к Цеске.

— Звери мертвы, государь.

— Ничего, я сделаю новых. Берите стену!

У ног Мухи лежал труп Храмовника. Двое сатулов побежали ловить лошадь убитого, а Магир выдернул стрелу из его горла и заткнул рану тряпкой, останавливая кровь.

Вдвоем они стащили с мертвеца черный панцирь, и Муха обтер кровь с застежек. Двое воинов стали раздевать мертвеца дальше, а Муха раскрыл кожаную сумку, спрятанную внутри панциря. В ней лежал свиток с печатью, изображающей волка. Муха затолкал его обратно.

— Спрячьте тело, — сказал он и снова нырнул в лес.

Уже три дня они поджидали гонца на пустынной дороге, ведущей сквозь Скултик. Магир сбил его первой же стрелой, проявив недюжинное мастерство.

В лагере Муха внимательно изучил печать. Такого воска, зеленого и с мраморными прожилками, у сатулов не нашлось бы, и Муха отказался от мысли вскрыть письмо.

Сатулийские дозорные принесли вести о Тенакехане. Ему оставалось меньше суток пути до крепости, и план Мухи следовало осуществить немедленно.

Муха примерил панцирь убитого. Великоват. Проткнув кинжалом ременную застежку, Муха затянул пряжку потуже. Теперь лучше.

Шлем сидел хорошо, но Муха чувствовал бы себя спокойнее, если б убитый не был Храмовником. Они, говорят, умеют общаться мысленно. Остается надеяться, что других Храмовников в Дельнохе нет.

— Когда отправишься? — спросил Магир.

— Нынче после полуночи.

— Почему так поздно?

— Авось застану коменданта спящим. Сонный он не станет задавать чересчур много вопросов.

— Это большой риск, князь.

— Не напоминай, сам знаю.

— Жаль, что мы не можем налететь на эту крепость с десятью тысячами сабель.

— Да, это было бы здорово. Ну ничего, сойдет и так.

— Странный ты человек, князь. Все время шутишь.

— Жизнь достаточно печальна, Магир. Смех надо ценить.

— Как и дружбу.

— Да.

— Тяжело это — быть мертвым?

— Не столь тяжело, как жить без надежды.

Магир с серьезным видом кивнул.

— Надеюсь, мы рискуем не напрасно.

— Почему ты опасаешься, что напрасно?

— Не доверяю я надирам.

— Экий ты подозрительный. Я верю Тенакехану. Когда я был ребенком, он спас мне жизнь.

— Значит, он тоже возродился?

— Нет.

— Тогда я не понимаю.

— Я же не взрослым встал из гроба, Магир. Я рос, как и все прочие дети.

— Все равно я многого не понимаю. Однако оставим это на будущее — сегодня надо готовиться.

Муха кивнул, дивясь собственной глупости. Как легко человеку выдать себя.

Магир посмотрел, как Муха облачается в черные доспехи. Чейям был неглуп — он чувствовал смущение князя и догадывался, что дело с ним обстоит не совсем чисто.

Но дух Иоахима признал своего побратима — этого достаточно.

Муха затянул подпругу вороного мерина и сел в седло, нацепив шлем на луку.

— Прощай, мой друг, — сказал он.

— Да пребудет с тобой бог удачи.

Муха ехал около часа, пока впереди не показалась высокая стена, ограждающая перевал, а в ней — южные ворота Дельноха. Давненько он не бывал дома.

Двое часовых отдали ему честь, когда он проехал в ворота и свернул налево, к замку. Подошедший солдат принял поводья, и Муха спешился.

— Проводи меня к гану, — приказал он часовому.

— Ган Палдин спит, сударь.

— Так разбуди его, — холодно и властно бросил Муха.

— Слушаюсь, сударь. Следуйте за мной.

Солдат провел Муху через длинный, освещенный факелами коридор, через Зал Героев, уставленный статуями, и вверх по мраморной лестнице в покои Палдина. Прежде здесь жил дед Мухи. Солдат несколько раз постучал в дверь — наконец сонный голос ответил ему, и дверь отворилась. Перед ними предстал ган Палдин в шерстяном халате — невысокий, средних лет, с большими, выпуклыми темными глазами. Мухе он сразу не понравился.

— Это не могло подождать? — раздраженно осведомился Палдин.

Муха протянул ему свиток — Палдин вскрыл его и быстро прочел.

— Это все, или вы должны еще что-то передать на словах?

— Да, я должен передать вам личный приказ императора. Он ожидает помощи с севера, и вы должны впустить в ворота надирского полководца. Вам ясно?

— Странно. Впустить, говорите вы?

— Точно так.

Палдин, резко повернувшись, схватил кинжал со столика у постели и приставил его к горлу Мухи.

— Тогда не потрудитесь ли разъяснить мне смысл вот этого послания? — сказал он, держа свиток перед глазами Мухи. Письмо гласило:

Следите, не покажется ли надирская армия. Держитесь всеми средствами.

Цеска.

— Я не намерен стоять здесь с ножом у горла, — отрезал Муха. — И мне не хотелось бы убивать генерала. Уберите кинжал немедленно — или вас постигнет гнев Храмовников.

Палдин побелел и убрал клинок. Часовой тем временем обнажил меч и стал позади Мухи.

— Хорошо. Теперь прочтите письмо еще раз. Фраза «Следите, не покажется ли надирская армия» предваряет слова, которые я вам передал. «Держитесь всеми средствами» относится к мятежникам и проклятым сатулам. Император требует от вас повиновения. Он нуждается в помощи надиров — понимаете вы это или нет?

— Мне это недостаточно ясно.

— Зато мне совершенно ясно. Император заключил договор с надирами, и они шлют сюда войско, чтобы помочь ему подавить бунт — и этот, и все последующие.

— Я должен в этом удостовериться.

— Вы что же — противитесь приказу императора?

— Ничего подобного. Я всегда был верным подданным. Но это так неожиданно...

— Стало быть, вы порицаете императора за то, что он не посвятил вас в свои планы заранее?

— Не нужно говорить за меня. Я ничего такого не высказывал.

— Как по-вашему, Палдин, похож я на дурака?

— Нет, что вы...

— Мне сдается, нужно быть полным дураком, чтобы явиться к вам с письмом, изобличающим меня во лжи.

— Да, верно...

— Третьего тут не дано. Либо я дурак, либо...

— Понятно, — пробормотал Палдин.

— Мне тоже понятны ваши опасения, — смягчился Муха. — Я могу оказаться предателем.

— Вот именно.

— Поэтому я разрешаю вам обратиться за подтверждением.

— Благодарю вас.

— Не за что. Славно вы здесь устроились.

— Да.

— Вы внимательно осмотрели свои покои?

— Зачем?

— На предмет тайников, где могут спрятаться шпионы.

— Здесь нет таких мест.

Муха улыбнулся и закрыл глаза.

— Сейчас проверим.

Палдин и часовой молча смотрели на Муху. Он медленно повернулся на каблуках и вытянул указательный палец.

— Там!

Палдин подскочил:

— Где?

Муха открыл глаза.

— Там, за стеной, есть потайной ход. — Муха подошел к резной дубовой панели и нажал на нее. Панель отошла вбок, и за ней открылся узкий проход с короткой лестницей. — Нужно быть поосторожнее. Сейчас я посплю, а завтра отправлюсь в обратный путь с вашим запросом. Или вы предпочитаете послать тотчас же другого гонца?

— Н-нет. — Палдин заглянул в затянутый паутиной ход. — Как вам это удалось?

— Не ставьте под сомнение власть Духа!

23

Ананаис сошел со стены и сел на траву рядом с Торном, Лейком и Галандом. Кувшины с вином и тарелки с мясом были уже приготовлены, и собравшиеся в усталом молчании принялись за еду. Ананаис не видел, как растерзали его друга, зато понаблюдал, как обезумевшие звери расправлялись с Храмовниками.

После этого Легион опять ходил в атаку, но уже без прежнего пыла, и защитники с легкостью отразили его. Дарик объявил передышку, чтобы убрать тела: в эти страшные мгновения погибло пять тысяч полулюдов, триста Храмовников и еще тысяча солдат.

Ананаис увидел, что Балан сидит один у края рощи, и, взяв кувшин вина, присоединился к нему. Балан, воплощенное горе, смотрел в землю. Ананаис сел рядом с ним.

— Рассказывай! — приказал он.

— Что рассказывать? Они отдали за вас свою жизнь.

— Что они сделали с полулюдами?

— Я не могу тебе этого объяснить, Черная Маска. Если попросту — они показали зверям картину, которая пробудила в них дремлющее человеческое начало, и полулюды распались на части.

— А нельзя было это сделать из-за стены?

— Не знаю. Чем ближе, тем сильнее действует сила внушения. Они не хотели рисковать.

— И теперь остался только ты.

— Да. Только Балан.

— Что происходит в Тарске?

— Сейчас посмотрю. — Балан закрыл глаза и вскоре открыл их снова. — Все хорошо. Стена держится.

— Сколько человек они потеряли?

— Триста выбыло из строя, но убито всего сто сорок.

— «Всего», — проворчал Ананаис. — Ладно, спасибо тебе.

— Не благодари меня. Мне ненавистно все, что связано с этой безумной затеей.

Ананаис оставил его и углубился в рощу. Зайдя подальше, он снял маску и подставил пылающее лицо ночной прохладе. Потом дошел до ручья, окунул в него голову и напился. Райван увидела его издали и окликнула, дав ему время надеть маску.

— Как дела? — спросила она.

— Лучше, чем мы ожидали. Но в обеих долинах погибло больше четырехсот человек — и по меньшей мере столько же не вступит уже в бой.

— Сколько же нас осталось?

— Около трехсот тут и пятьсот в Тарске.

— Сможем мы удержаться?

— Черт его знает. День-два, может, и протянем.

— Всего-то одного дня не хватает.

— Да. Досадно, правда?

— У тебя усталый вид. Ступай отдохни.

— Отдохну, не беспокойся. Как твои раны?

— Шрам на щеке меня очень украшает, а вот нога болит.

— Ты держалась молодцом.

— Скажи это мертвым.

— Нет нужды. Они уже отдали жизнь за тебя.

— Что ты будешь делать, если мы победим, Черная Маска?

— Странный вопрос в наших обстоятельствах.

— Ничуть не странный. Так что же?

— Останусь солдатом, я полагаю. Создам заново «Дракон».

— И женишься?

— Кому я нужен? Под этой маской я отнюдь не красавец.

— Покажи! — велела она.

— Почему бы и нет? — И он снял маску.

— Да, — сказала Райван, — зрелище жуткое. Удивляюсь, как ты еще выжил. Он едва не разодрал тебе горло.

— Ничего, если я надену ее опять? А то мне как-то неуютно.

— Надень, конечно. Говорят, когда-то ты был самым красивым мужчиной во всей империи.

— Это верно. В те дни ты бы так и упала, увидев меня.

— Ну, это еще ничего не значит. Мне всегда было трудно сказать «нет»... Даже уродам. Я даже с Торном как-то переспала, хотя он, по-моему, этого не помнит. Это было тридцать лет назад — еще до моего замужества, прошу заметить.

— Ты, наверное, была совсем еще девочкой.

— Экая галантность! Впрочем, это правда. Уж очень мало развлечений у нас в горах, Черная Маска. Скажи мне — ты любишь Валтайю?

— Не твое дело, — отрезал он.

— Не мое, это верно, — но все же ответь.

— Да, люблю.

— Тебе будет больно, Ананаис, но...

— К чему ты, собственно, клонишь?

— Вот к чему: если ты ее любишь, оставь ее.

— Это она попросила тебя поговорить со мной?

— Нет. Но она смущена и растеряна. На любовь это непохоже. По-моему, она просто хочет отблагодарить тебя.

— Что ж, сейчас мне не приходится быть разборчивым, — с горечью сказал он.

— Не думаю, что это правда.

— Оставь меня, Райван. Пожалуйста!

После ее ухода он просидел еще несколько часов, не в силах уснуть. Он вспоминал о годах своего триумфа, но, как ни странно, больше не находил в этом удовлетворения. Восторженные толпы, податливые женщины, завистливые соперники — да полно, неужто все это в самом деле радовало его?

Где сыновья, которых он вырастил?

Где женщина, которой он отдал бы сердце?

Валтайя?

Будь честен с самим собой. Разве Валтайя — та самая? Взглянул бы ты на нее дважды, будучи Золотым Воином? Заря окрасила восточный край неба, и Ананаис рассмеялся вслух.

Какого черта? Он прожил трудную жизнь настоящего мужчины.

Что проку терзать себя раскаянием? Прошлое, каким бы оно ни было, мертво, а его будущее — это кровавый меч в долине Скодии.

«Тебе скоро пятьдесят, — сказал он себе, — а между тем ты еще крепок. Люди слушаются тебя. От тебя зависит судьба дренаев. Пусть у тебя больше нет лица, ты-то знаешь, кто ты.

Ананаис, Золотой Воин.

Черная Маска. Пагуба Цески».

В долине пропела труба. Ананаис поднялся на ноги и пошел к стене.

Рения не спала уже третью ночь, злилась и не знала, как ей быть. Стены маленькой юрты давили ее, и духота казалась невыносимой. Уже два дня надиры готовились к войне, запасались провизией и тщательно отбирали коней. Тенака взял с собой в поход двух полководцев: Ингиса и Мурапи. Рения узнала об этом от Субодая: с Тенакой она после ночи Великого Испытания не сказала ни слова.

Она села, отшвырнув от себя овчину, которой укрывалась. Она устала, но была напряжена, как натянутая тетива. Она знала причину своего состояния — но что толку? Она разрывалась между любовью к мужчине и ненавистью к его замыслам. Он не покидал ее мыслей ни на минуту.

В детстве Рения постоянно чувствовала себя отверженной — ведь она была калекой и не могла играть с другими детьми. Они насмехались над ее хромотой и горбом, и она убегала от них домой... и еще дальше, в себя. Олен сжалился над ней и при помощи страшной машины даровал ей красоту. Но, изменившись внешне, внутри она осталась той же — она боялась привязанности, могущей обернуться против нее, боялась любить, ибо это значило открыть свое сердце и остаться беззащитной. Но любовь настигла ее словно нож убийцы, и она чувствовала себя обманутой. Тенака представлялся ей героем, человеком, которому можно довериться, и она сама шла грудью на нож. Теперь же оказалось, что лезвие было отравлено.

Она не может жить с ним — и без него жить не может.

Убогая юрта угнетала ее, и она вышла на воздух, в ночь. Лагерь растянулся чуть ли не на полмили, и юрта Тенаки стояла в центре. Субодай со стоном повернулся на бок, когда она прошла мимо, и проворчал:

— Спи, женщина!

— Не могу.

Он с ругательством сел и почесал голову.

— Чего тебе неймется?

— Не твое дело.

— Это его жены не дают тебе покоя. Вы все, дренайки, такие — жадные.

— Его жены тут ни при чем, — отрезала Рения.

— Рассказывай! С чего это он выгнал тебя из своей юрты, а?

— Я сама ушла.

— М-м. Должен сказать, ты красивая женщина.

— Вот почему ты спишь около моей юрты? Ждешь, когда тебя позовут?

— Ш-ш! Не смей даже говорить такое! — испугался Субодай. — Этак и головы недолго лишиться, если не хуже. Ты мне и даром не нужна. Чуднбя ты, сумасшедшая какая-то. Я помню, с каким воем ты кинулась на тех Вьючных Крыс. Спать с тобой? Да я глаз не сомкнул бы со страху!

— Зачем же ты тогда караулишь здесь?

— Хан приказал.

— Выходит, ты у него вместо собаки? Сядь, поди сюда, ляг у той юрты?

— Да, я его собака и горжусь этим. Лучше быть собакой царя, чем царем шакалов.

— Почему?

— Как почему? Непонятно разве? Жизнь — сплошная измена. Мы начинали ее юными, полными надежд. Солнце сияет, и весь мир ожидает нас. Но каждый последующий год доказывает нам, как мы малы и ничтожны в сравнении с временем. Потом мы начинаем стареть. Сила уходит от нас, и мир насмехается над нами устами молодых. Мы умираем одинокими, так ничего и не достигнув. Но порой... порой приходит человек, которого никто не назовет ничтожным. Он способен изменить мир и отнять у времени власть. Он — как солнце.

— И Тенака, по-твоему, такой?

— По-моему? При чем тут я? Несколько дней назад он был Пляшущим Клинком. Одиночкой. Потом он взял к себе меня, воина Копья. Потом Гитаси. Потом Ингиса. Потом всех надиров. Понимаешь? Для него нет ничего невозможного. Ничего!

— Но своих друзей он не спасет.

— Ты глупа, женщина. Ты так ничего и не поняла.

Рения, оставив его, направилась в середину лагеря. Субодай тихо следовал за ней, держась шагах в десяти позади. Это позволяло ему всласть разглядывать ее, и он делал это с нескрываемым удовольствием, любуясь длинными ногами и легким покачиванием бедер. Боги, какая женщина! Молодая, сильная и движется со звериной грацией.

Он начал насвистывать, но свист замер у него на губах при виде ханской юрты. Часовых при ней не было.

Он догнал Рению и заставил ее остановиться.

— Не трогай меня, — прошипела она.

— Тихо! Что-то тут неладно.

Она вскинула голову и раздула ноздри, вбирая в себя запахи ночи. Но вокруг разило надирами, и она не могла различить ничего другого.

У юрты показались чьи-то темные тени.

— Убийцы! — заорал Субодай, выхватил меч и бросился вперед.

Тенака-хан появился на пороге, тоже с мечом в руке. Субодай отчаянно рубился с неизвестными. На глазах у Тенаки он пошатнулся и упал под вихрем клинков.

Хан вышел навстречу убийцам.

Жуткий вой прокатился по лагерю, и злоумышленники замерли на месте.

В следующее мгновение на них обрушился демон. Один из убийц отлетел на десять футов в сторону. Другому когтистая рука вскрыла горло. Быстрота, с которой орудовала эта женщина, внушала трепет. Тенака, подоспев, отразил удар одного из врагов и вогнал свой меч ему между ребер.

Прибежал Ингис с сорока воинами. Убийцы сложили оружие и угрюмо замерли перед ханом. Тенака вытер меч и вложил его в ножны.

— Узнай, кто послал их, — сказал он Ингису и нагнулся над Субодаем. Из левой руки воина била кровь, в боку повыше бедра виднелась глубокая рана. Тенака перевязал ему руку и сказал: — Ты будешь жить! Но я удивлен тем, что эти ночные воры тебя одолели.

— Я поскользнулся, — пробурчал Субодай.

Двое воинов внесли раненого в юрту Тенаки. Хан встал, ища глазами Рению, но ее нигде не было. Он расспросил воинов, и двое сказали, что видели, как она убежала в сторону запада. Тенака велел подать коня.

— Это небезопасно — искать ее в одиночку, — сказал ему Ингис.

— Да, и все же я поеду один.

Он галопом вылетел из лагеря. Было слишком темно, чтобы разглядеть следы, но он ехал все дальше в степь. Рении по-прежнему не было видно.

Несколько раз он придерживал коня и звал ее, но не получал ответа. Наконец он остановился и внимательно оглядел местность. Налево стояла небольшая роща, окаймленная густым кустарником. Тенака рысью направился к ней, но конь внезапно уперся и заржал, охваченный страхом. Тенака потрепал скакуна по шее и стал шептать ему на ухо ласковые слова. Бесполезно. И тогда хан спешился и вынул меч.

Рассудок подсказывал ему, что существо, сидящее в кустах, не может быть Ренией: конь ее знал. Но Тенакой руководило нечто сильнее рассудка.

— Рения! — позвал он. В ответ раздался никогда не слыханный им прежде звук — жалобный и скулящий. Тенака убрал меч в ножны и двинулся вперед.

— Рения! Это я, Тенака.

Кусты раздались, и она, с неимоверной силой вырвавшись из них, повалила его на спину. Одной рукой она вцепилась ему в горло, другой, скрючив пальцы, нацелилась в глаза. Он лежал тихо, глядя в ее темно-карие глаза. Зрачки в них превратились в длинные овальные щели. Он медленно поднял руку. Звериный блеск померк, и пальцы на горле ослабли. Она закрыла глаза и без чувств повалилась в его объятия. Он осторожно перевернул ее на спину.

Стук копыт по степи заставил Тенаку выпрямиться. Ингис в сопровождении сорока своих воинов подскакал к нему и спрыгнул с коня.

— Она мертва?

— Нет, просто спит. Какие новости?

— Собаки отказались говорить. Я убил их всех, кроме одного — его сейчас допрашивают.

— Хорошо. Что Субодай?

— Ему повезло — скоро он поправится.

— Вот и замечательно. Помоги доставить мою женщину домой.

— Замечательно? — откликнулся Ингис. — Изменник ходит на свободе, и мы должны найти его.

— Его попытка не удалась, Ингис, и к утру он умрет.

— Почем ты знаешь?

— Подожди и увидишь сам.

Рению благополучно водворили в юрту Тенаки, и он вместе с Ингисом прошел к месту, где допрашивали убийцу. Тот был привязан к дереву, и ему ломали пальцы, один за другим, а под ногами складывали костер. Тенака приказал истязателям остановиться.

— Твой хозяин мертв, — сказал он пленнику, — и в этом больше нет нужды. Как ты желаешь умереть?

— Мне все равно.

— Есть у тебя семья?

— Они ничего об этом не знают, — со страхом в глазах сказал воин.

— Посмотри мне в глаза и поверь мне. Я не причиню вреда твоей семье. Твой хозяин умер, а ты потерпел неудачу. Ты уже достаточно наказан. Я хочу знать только одно: почему?

— Я присягнул на верность.

— Ты присягнул мне.

— Нет — моему господину. Это он присягал тебе, а я никакой клятвы не нарушил. Как он умер?

Тенака пожал плечами.

— Хочешь видеть его труп?

— Я хотел бы умереть рядом с ним. Я последую за ним даже в смерти, ибо он был добр ко мне.

— Хорошо. — Тенака разрезал путы пленника. — Отнести тебя к нему?

— Я пойду сам, будь ты проклят! — Убийца привел Тенаку, Ингиса и сорок их воинов к юрте Мурапи, где у входа стояли двое часовых. — Я хочу видеть покойника, — сказал он. Стража недоуменно воззрилась на него, и внезапное понимание поразило его как громом. — Что ты сделал со мной? — крикнул он Тенаке.

Мурапи, откинув входной полог, вышел на порог. Это был пожилой уже человек мощного сложения. На его губах показалась легкая улыбка.

— Я думал, что уж этого-то сломить невозможно. Жизнь полна неожиданностей.

— Меня обманули, о повелитель, — упав на колени, прорыдал убийца.

— Не важно, Нагати. Поговорим об этом по дороге.

Тенака выступил вперед.

— Ты нарушил присягу, Мурапи. Почему?

— Я рискнул, Тенака. Если ты сказал правду, ворота Дрос-Дельноха откроются перед нами, а с ними и вся Дренайская империя. А ты непонятно зачем собрался спасать своих дренайских друзей. Я рискнул, вот и все.

— Известна ли тебе цена проигрыша?

— О да. Будет ли мне разрешено самому убить себя?

— Да.

— И ты не тронешь мою семью?

— Не трону.

— Ты великодушен.

— Если бы ты остался со мной, то узнал бы, насколько я великодушен.

— Теперь уже поздно?

— Поздно. У тебя есть один час.

Тенака зашагал прочь. Ингис нагнал его.

— И тонкая же ты бестия, Тенака-хан.

— Ты в этом сомневался?

— Нисколько. Могу я поставить своего сына Сембера во главе волков Мурапи?

— Нет. Я сам буду командовать ими.

— Хорошо, мой повелитель.

— Завтра они будут охранять мою юрту.

— Опасность придает вкус твоей жизни?

— Доброй ночи, Ингис.

Тенака вошел в юрту и посмотрел на Субодая. Тот крепко спал, и цвет его лица не внушал опасений. Тенака прошел в заднее отделение юрты, где лежала Рения. Он потрогал ее лоб, и она проснулась. Ее глаза приобрели свой обычный вид.

— Так ты нашел меня? — прошептала она.

— Нашел.

— И все знаешь?

— Знаю.

— Почти всегда я способна справиться с собой. Но сегодня их было слишком много, я испугалась за тебя — и не справилась.

— Ты спасла меня.

— Как там Субодай? Он жив?

— Да.

— Он боготворит тебя.

— Да.

— Как я устала... — Ее глаза закрылись, и он, наклонясь, поцеловал ее в губы. Она открыла глаза. — Ты постараешься спасти Ананаиса, правда? — Ее веки опустились снова. Он укрыл ее одеялом, вернулся в переднюю часть юрты и налил себе найиса.

Правда ли то, что он старается спасти Ананаиса?

Или рад, что решает не он?

Если Ананаис погибнет, что помешает ему завоевать всю дренайскую землю?

Да, Тенака не слишком спешит, но что пользы спешить? Декадо сказал ему, что повстанцы все равно не продержатся. Зачем же гнать своих воинов день и ночь, чтобы они обессиленными пришли на поле битвы?

Зачем?

Тенака представил себе Ананаиса, гордо стоящего перед ордами Цески с мечом в руке и горящими голубыми глазами.

Он тихо выругался и послал за Ингисом.

24

Легион двинулся на приступ, и самострелы Лейка выбросили последний запас свинца. Дробь ударила солдат по ногам — враг стал осмотрительнее, и атакующие держали щиты высоко. Лучники выпустили черную тучу стрел — бесполезно: вскоре лестницы загрохотали о стену.

Скодийцы были уже за гранью усталости. Они двигались, как автоматы. Мечи затупились, руки болели... но они держались.

Лейк обрушил на возникший под стеной шлем топор. Топор застрял в черепе, и упавший увлек его за собой. Следующего солдата Ананаис просто столкнул со стены. Затем он быстро отдал один свой меч Лейку и бросился вправо, где оборона грозила прорваться.

К нему подоспели Балан и Галанд. Угроза миновала. Трое легионеров прорвались слева — они перебрались через стену и помчались к лазарету. Первый упал со стрелой в спине, второму стрела угодила в шлем. Третьему преградила дорогу Райван с мечом в руке.

Воин встретил ее с ухмылкой, но она с поразительной быстротой отразила его удар, навалилась на него всей своей тяжестью, и он упал.

— Ах ты корова! — Он откатился прочь, вскочил и снова кинулся на нее. Стрела, пущенная Торном, вонзилась солдату в бедро. Он вскрикнул и обернулся — это была ошибка: Райван вонзила меч ему в спину.

Галанд дрался рядом с Ананаисом, бросаясь туда, где опаснее всего.

Почуяв близость победы, легионеры стали биться с удвоенной силой. Вновь и вновь они приставляли к стене лестницы, и все больше солдат взбиралось наверх.

На Ананаиса накатила волна холодной ярости. Да, он с самого начала знал, что победа невозможна, ну и что с того? Пусть он мало чего достиг в жизни — но поражений не терпел никогда. Теперь, перед смертью, у него отнимали и это слабое утешение.

Он отразил очередной удар и вогнал под черный шлем клинок. Враг упал, выронив меч. Ананаис подхватил оружие и бросился в гущу боя, орудуя уже двумя мечами. Кровь сочилась у него из множества мелких ран, но силы его не иссякали.

Позади за стеной поднялся рев. Ананаис не мог обернуться, но он увидел испуг в глазах захватчиков. Рядом внезапно возникла Райван с мечом и щитом. Вскоре враг был отбит.

На подмогу прибыли женщины Скодии!

Они плохо владели оружием, но бросались вперед, вовсю размахивая мечами, и оттесняли легионеров одним лишь численным перевесом.

И вот уже последнего солдата сбросили со стены, и лучники осыпали отступающих градом стрел.

— Уберите мертвых со стены! — крикнул Ананаис.

На несколько мгновений всякое движение остановилось: мужчины обнимали жен и дочерей, матерей и сестер. Женщины опускались на колени рядом с убитыми, не скрывая своих слез.

— Не время сейчас для чувств, — сказал Ананаис.

Райван взяла его за руку.

— Для чувств всегда есть время — это и делает нас людьми. Оставь их.

Ананаис опустился на стену, прислонясь ноющей спиной к парапету.

— Ты поражаешь меня, женщина!

— Как легко тебя поразить, — улыбнулась она, садясь рядом с ним.

Он взглянул на нее и усмехнулся:

— Бьюсь об заклад, в юности ты была красоткой!

— Да и ты, я слыхала, был хорош.

Он, осклабясь, прикрыл глаза:

— Почему бы нам с тобой не пожениться?

— Мы не доживем до завтрашнего дня, жених.

— Стало быть, со свадьбой тянуть не станем.

— Староват ты для меня, Черная Маска.

— А сколько тебе?

— Сорок шесть.

— Вот и славно!

— Ишь, приспичило. Пошел бы лучше раны свои перевязал — ты весь в крови.

— Не успел я сделать предложение, как ты уже начинаешь меня пилить.

— С женщинами всегда так. Ступай!

Она посмотрела, как он идет к лазарету, поднялась и взглянула в долину. Легион готовился к новой атаке. Райван обернулась к защитникам.

— Уберите убитых со стены, недоумки! Давайте-ка, шевелитесь. Женщины, запаситесь мечами — и шлемы себе тоже подберите. — Она стащила шлем с лежащего рядом мертвого легионера и скинула труп со стены. Шлем — бронзовый, с черным плюмажем из конского волоса — пришелся ей впору, и она застегнула ремень под подбородком.

— Ты чертовски соблазнительна, Райван, — сказал, подойдя, Торн.

— Тебе нравятся женщины в шлемах, старый бугай?

— Ты мне всегда нравилась, женщина! С того самого дня на северном лугу.

— Ага, помнишь, стало быть? Мне это лестно.

— Нет такого мужика, который забыл бы тебя, — засмеялся Торн.

— Но никто, кроме тебя, не стал бы говорить о таких делах в разгар боя. Эх ты, старый козел! У Ананаиса хоть достало приличия сделать мне предложение.

— Правда, что ли? Не соглашайся — он гулящий.

— За день далеко не отгуляет.

Легион снова пошел на приступ.

Около часа солдаты пытались захватить стену, но скодийцы словно обрели новую силу и мужество. Лейк набрал несколько мешков мелкой гальки и зарядил ею самострелы. Трижды огромные луки давали залп, и наконец один треснул, не выдержав напряжения.

Враг отступил.

Когда закатилось солнце третьего дня осады, стена еще держалась.

Ананаис подозвал к себе Балана.

— Как дела в Тарске?

— Там творится что-то странное. Была одна атака с утра, а потом — ничего. Враг бездействует.

— Хотел бы я, чтобы и у нас было то же самое. Видит небо, как хотел бы!

— Скажи, Черная Маска, ты верующий?

— С чего это ты вдруг?

— Ты сказал «небо».

— Я слишком мало знаю, чтобы верить.

— Декадо обещал мне, что я не останусь один. Но я одинок. Они все ушли. Либо они мертвы, а я дурак, либо Исток взял их к себе, а мне в этом отказано.

— Почему отказано?

— Я имею дар, но веры не имею. Прежде я лишь разделял общую веру. Понимаешь? Другие верили, и их вера передавалась мне. Но они ушли, и я ничего больше не знаю.

— Я не могу помочь тебе, Балан.

— Это верно. Никто не может.

— Верить, пожалуй, все же лучше, чем не верить. Не знаю почему, но мне так кажется.

— Это дает надежду в мире, где правит зло.

— Да, наверное. Скажи мне, на твоих небесах жены соединяются с мужьями?

— Не знаю. Ученые уже много столетий спорят об этом.

— Но вероятность-то хоть есть?

— Наверное.

— Тогда пошли, — велел Ананаис.

Они прошли по траве к шалашам беженцев, где сидела Райван со своими подругами.

Ананаис стал перед ней и поклонился.

— Женщина, я привел священника. Хочешь выйти замуж во второй раз?

— Ты глуп! — усмехнулась она.

— Ничего подобного. Я всегда хотел найти женщину, с которой мог бы провести остаток своих дней, но так и не нашел. По всему выходит, остаток дней мне суждено провести с тобой — так уж сделаю из тебя заодно порядочную женщину.

— Это все прекрасно, Черная Маска, — сказала она, поднимаясь на ноги, — да только я тебя не люблю.

— Да и я тебя тоже. Но если ты оценишь мои великие достоинства, мы с тобой заживем на славу.

— Ладно, — с широкой улыбкой сказала Райван. — Но брак осуществится только на третью ночь. Таков горский обычай.

— Согласен. У меня все равно голова болит.

— Перестаньте! — вскричал Балан. — Я не стану участвовать в этом. Вы глумитесь над священным обрядом.

Ананаис положил руку ему на плечо.

— Нет, священник, ты не прав. Это просто светлый миг в часы мрака. Посмотри — все улыбаются.

— Хорошо, — вздохнул Балан. — Подойдите ко мне оба.

Беженцы, услышав о свадьбе, высыпали из шалашей, а женщины нарвали цветов и сплели венки. Принесли вина. Весть докатилась и до лазарета, где Валтайя как раз закончила работу. Она вышла наружу, охваченная противоречивыми чувствами.

Ананаис и Райван рука об руку направились к стене. Бойцы кричали им «ура», пока не охрипли. Ананаис взвалил жену на плечо и понес вверх по ступенькам.

— Поставь меня, увалень! — завопила она.

— Сейчас, только через порог перенесу.

Смех скодийцев докатился до лагеря легионеров.

— Что у них там происходит? — спросил Цеска Дарика.

— Не знаю, государь.

— Они смеются надо мной! Почему твои люди не взяли стену?

— Они возьмут ее на рассвете, клянусь вам.

— Если этого не случится, ответишь ты, Дарик. Не могу больше видеть этого проклятого места. Хочу домой.

Три кровавых часа продолжалась битва утром четвертого дня, но легионеры так и не взяли стену. Ананаис едва сдерживал радость — несмотря на усталость, он почувствовал перевес в бою. Без полулюдов легионеры сражались механически и жизнью рисковали неохотно. Скодийцы же дрались с обновленной уверенностью. Пьянящее вино победы бурлило в жилах Ананаиса, и он смеялся и шутил, посылая проклятия вслед бегущему врагу.

Но перед самым полуднем на востоке показалась пешая колонна, и смех утих.

В лагерь Цески въехали двадцать офицеров — они привели с собой пятьсот цирковых полулюдов из Дренана, специально созданных боевых зверей восьми футов роста. Помесь северных медведей, больших восточных обезьян, львов, тигров и лесных волков.

Ананаис застыл как вкопанный, обшаривая голубыми глазами горизонт.

— Где же ты, Тани? — прошептал он. — Во имя всего святого, не дай всему закончиться так!

К нему подошла Райван вместе с Баланом, Лейком и Галандом.

— Нет в мире справедливости, — бросила Райван, и защитники вдоль всей стены встретили ее слова гробовым молчанием.

Громадные полулюды, не задерживаясь в лагере, построились в широкую шеренгу, и офицеры заняли места позади них.

Торн потянул Ананаиса за рукав.

— Есть какой-нибудь план, генерал? — Ананаис вовремя сдержал резкий ответ: лицо Торна вдруг сделалось пепельно-серым, и губы сжались в тонкую черту.

— Никакого, приятель.

Звери продвигались вперед не спеша, вооруженные дубинами, зазубренными мечами, булавами и топорами. Глаза их были красны, как кровь, и языки свисали из пастей. Они приближались в тишине — жуткой тишине, разъедающей мужество защитников. Люди на стене заволновались.

— Нужно сказать им что-то, генерал, — произнесла Райван.

Ананаис потряс головой, глядя перед собой пустыми глазами. Он снова стоял на арене, чувствовал непривычный вкус страха... он видел, как медленно поднимается решетка ворот, и слышал, как внезапно затихла толпа. Вчера он встретил бы этих чудищ не дрогнув. Но сегодня победа, казалось, была так близка... он уже чувствовал на лице ее сладкое дыхание...

Какой-то воин соскочил со стены, и Райван обернулась к нему.

— Сейчас не время уходить, Олар. — Воин остановился, понурив голову. — Вернись и стань рядом с нами, парень. Мы все ляжем вместе — это и делает нас теми, кто мы есть. Мы скодийцы. Мы одна семья. Мы любим тебя.

Олар посмотрел на нее со слезами на глазах и вытащил меч.

— Я никуда не бегу, Райван. Я хочу встать рядом с женой и сыном.

— Я знаю, Олар. Но мы должны хотя бы попытаться отстоять нашу стену.

Лейк толкнул локтем Ананаиса:

— Доставай-ка меч! — Но гигант не шелохнулся. Он был не здесь — он снова вел свой давний бой на каменной арене.

Райван поднялась на парапет.

— Держитесь стойко, мальчики! Помните: помощь уже близка. Отгоним этих тварей, и у нас появится шанс!

Ее голос утонул в ужасающем реве полулюдов, перешедших на бег. За ними следовал Легион.

Райван слезла на стену. Зверям не нужны были ни веревки, ни лестницы — они с разбегу прыгали на пятнадцатифутовую преграду и перелезали через парапет.

Сталь вышла навстречу клыкам и когтям, но первых защитников смели в тот же миг. Райван ткнула мечом в зияющую пасть, и зверь попятился, перекусив зубами меч. Ананаис заморгал, приходя в себя. Оба его меча сверкнули на ярком солнце. Зверь, нависший над ним, взмахнул топором, и Ананаис вогнал правый меч ему в брюхо. Полулюд испустил ужасающий вой и обмяк, оросив воина кровью. Ананаис оттолкнул его прочь и выдернул меч — на него, размахивая палицей, уже надвигался другой. Генерал бросил правый меч, перехватил двумя руками левый и рубанул зверя по руке. Когтистая лапа, все еще сжимающая палицу, отлетела в сторону, а полулюд, визжа от боли и злобы, кинулся на Ананаиса. Воин пригнулся и двумя руками погрузил меч ему в живот. Меч, застрявший в громадной туше, вырвался из рук.

Балан спрыгнул со стены и отбежал шагов на двадцать назад. Там он преклонил колени и закрыл глаза. Эти боль и ужас не должны быть бесцельными — правда должна восторжествовать. Вчера объединенная сила Тридцати обратила зверей в людей. Сегодня остался только он, Балан.

Он очистил разум от мыслей, соединившись с безмятежностью Пустоты, и протянул оттуда канал к полулюдам.

Он двинулся им навстречу... и отпрянул, столкнувшись с кровожадной злобой. Он укрепил себя и попытался снова.

Ненависть! Страшная, жгучая, всепожирающая ненависть. Балан заразился ею и возненавидел полулюдов, их хозяев, Ананаиса, Райван и весь мир неоскверненной плоти.

Нет. Он не поддастся. Ненависть прокатилась над ним, оставив его незапятнанным. Он не мог ненавидеть рукотворных чудовищ и даже тех, кто сделал их такими.

Ненависть окружала его стеной, но не касалась его.

Он не знал, какими воспоминаниями можно пронять этих зверей — ведь они прежде не служили в «Драконе», — и прибег к единственному чувству, которое все они непременно испытывали, будучи людьми.

К любви.

Любовь матери в холодную ночь, когда тебе страшно; любовь жены, когда весь мир обманывает тебя; любовь дочери, которая обвивает ручонками твою шею и улыбается тебе из колыбели; любовь друга.

Балан посылал свои чувства, как море, катящее волны на песок.

А на стене продолжалась резня.

Ананаис, весь покрытый кровью от множества ран, с ужасом увидел, как полулюд, напавший на Райван, сбросил ее со стены, и спрыгнул вслед за ними. Райван, падая, сумела извернуться — полулюд грохнулся на спину, а она на него. Ее тяжесть слегка оглушила зверя, и Райван, пользуясь этим, вонзила ему в горло кинжал и откатилась прочь от взмаха его лапы. Зверь, пошатываясь, встал на ноги, и Ананаис вонзил ему меч в спину.

Звери прорвали оборону и проникли за стену. Уцелевшие скодийцы обратились в бегство. Полулюды гнались за ними, рубя их на бегу.

Но вот ближайший к Балану зверь споткнулся, выронил меч и схватился за голову. Поднялся полный отчаяния вой — другие полулюды тоже начали падать, а скодийцы смотрели на это, не веря своим глазам.

— Бей их! — закричал Галанд и обрушил свой меч на чью-то лохматую шею. Скодийцы опомнились и набросились на одурманенных зверей, рубя и круша их.

— Не надо, — прошептал Балан. — Что вы делаете, глупцы?

Два полулюда набросились на коленопреклоненного священника. Палица обрушилась ему на голову, когти разодрали ему грудь, и душа его в муках рассталась с телом.

Звери снова освирепели, их рев заглушил громкий лязг стали. Галанд, Райван и Лейк вместе с двумя десятками воинов бросились к лазарету. Ананаис побежал за ними, но чей-то коготь, вонзившись в спину, разодрал его кожаный камзол и сломал ребро. Ананаис ткнул мечом назад — зверь упал. Руки друзей втащили генерала в лазарет и захлопнули за ним дверь.

Мохнатый кулак пробил насквозь деревянную ставню окна. Галанд вонзил меч зверю в шею, но тот сгреб его когтями за камзол и притиснул к раме. Галанд успел вскрикнуть, прежде чем мощные челюсти сомкнулись на его лице и прокусили череп, как дыню. Безжизненное тело выволокли в окно.

Топор расколол верхнюю часть двери, едва не попав Ананаису в голову. Из глубины дома показалась Валтайя, бледная и испуганная. Звери полезли в открытое окно.

— Ананаис! — завопила она, и он отскочил.

Распахнулась дверь. Громадный полулюд с топором вломился внутрь. Ананаис мощным ударом распорол ему брюхо, и внутренности вывалились на пол. Зверь споткнулся и упал, выпустив топор, тут же подхваченный Ананаисом.

Райван отважно преградила путь полулюдам, подступавшим к Валтайе. Звери легко отшвырнули ее в сторону. Ананаис обезглавил чудище с львиной мордой и бросился на помощь.

Он вогнал топор в шею первого зверя и поскорее выдернул оружие, но второй уже навис над Валтайей.

— Сюда, адово отродье! — взревел Ананаис, и чудовище обернулось к человеку в черной маске.

Зверь отбил топор, ранивший ему руку, и когтями сорвал с Ананаиса маску. Воин, упустив топор, рухнул на пол. Зверь бросился на него, Ананаис ударил его обеими ногами. Хрустнули выбитые клыки, полулюд отлетел к стене. Ананаис подхватил топор и, описав смертельную дугу, вогнал его в бок зверя.

— Сзади! — крикнула Райван, но было поздно.

Копье пробило Ананаису спину и вышло из нижней части груди.

Он зарычал и дернулся всем своим могучим телом, вырвав копье из когтей полулюда. Зверь прыгнул вперед, Ананаис пытался отступить — копье уперлось в стену. Ананаис нагнул голову и обхватил зверя по-медвежьи, вонзив в него торчащее наружу острие.

Клыки разодрали человеку лицо и шею, но он не разжал рук, насаживая противника на копье. Полулюд взвыл от ярости и боли.

Райван казалось, что время остановилось.

Человек против чудовища.

Гибнущий человек против порождения Тьмы. Сердце ее разрывалось при виде того, как напрягаются в страшном усилии мускулы Ананаиса. С трудом поднявшись на ноги, она вонзила кинжал полулюду в спину. Больше она ничем не могла помочь... но этого оказалось достаточно. Ананаис последним отчаянным рывком доконал зверя.

В горах эхом прокатился гром копыт. Легионеры оборачивались к востоку, щуря глаза и силясь разглядеть, кто это скачет в облаке пыли.

Дарик стал перед шатром Цески, заслоняя рукой глаза. Какого черта? Что это — дельнохская кавалерия? Когда из пыли показались первые всадники, у него отвисла челюсть.

Надиры!

Прокричав своим воинам приказ встать кольцом вокруг императора, Дарик выхватил меч. Это невозможно. Как они сумели так быстро взять Дельнох?

Легионеры бросились вперед, заслонившись от всадников щитами. Но солдат было мало, и они не имели при себе копий. Передовые наездники перескочили через щиты, развернулись и напали на легионеров сзади.

Солдаты дрогнули и разбежались. Дарик с копьем в груди пал на пороге императорского шатра.

Тенака-хан соскочил с седла и с мечом вошел в шатер.

Цеска сидел на своем шелковом ложе.

— Ты всегда мне нравился, Тенака, — проговорил он.

Хан подошел к нему, мерцая лиловыми глазами.

— Это ты должен был стать Бронзовым Князем. Известно это тебе? Я мог бы выследить тебя в Вентрии и убить, но не сделал этого. — Цеска втащил свое жирное тело на кровать и, ломая руки, стал перед Тенакой на колени. — Не убивай меня, отпусти! Я больше никогда тебя не побеспокою.

Меч вошел Цеске между ребер, и император упал.

— Вот видишь? — сказал он. — Ты не можешь убить меня. Во мне живет Дух Хаоса, и я не могу умереть. — Он залился тонким, пронзительным смехом. — Я не могу умереть. Я бессмертен. Я бог. — И Цеска поднялся на ноги. — Видишь? — Он моргнул и рухнул на колени. — Нет! — завопил он и повалился ничком.

Одним ударом Тенака срубил ему голову, поднял за волосы, вышел и сел в седло. Он поскакал к стене, где стояли легионеры. Всех солдат на равнине перебили, и надиры, едущие за ханом, ждали его приказа, чтобы двинуться на приступ.

Тенака высоко поднял окровавленную голову.

— Вот ваш император! Сложите оружие и останетесь живы.

Плечистый офицер оперся на парапет:

— Почему мы должны верить твоему слову, надир?

— Потому что это слово Тенаки-хана. Если там, за стеной, есть полулюды, убейте их. Сделайте это немедленно, если хотите жить.

В лазарете Райван, Лейк и Валтайя пытались извлечь копье, пришпилившее Ананаиса к мертвому полулюду. Подошел, хромая, Торн — из его бока текла кровь.

— Отойдите-ка, — велел он и топором обрубил древко. — Теперь тащите!

Ананаиса с величайшей осторожностью сняли с копья и перенесли на кровать. Валтайя зажала полотном раны в его груди и спине.

— Живи, Ананаис, — проговорила Райван. — Пожалуйста, живи!

Лейк переглянулся с Торном.

Валтайя села рядом и взяла Ананаиса за руку. Он открыл глаза и что-то прошептал, но никто не разобрал его слов. Глаза его наполнились слезами — казалось, он смотрит куда-то за спины присутствующих. Он попытался сесть, но повалился обратно.

Райван обернулась — на пороге стоял Тенака-хан.

Он подошел, склонился над раненым и осторожно покрыл маской его лицо. Райван оставила их вдвоем.

— Я знал... что ты... придешь, — выговорил Ананаис.

— Да, брат. Я пришел.

— Все... кончено.

— Цеска мертв. Страна свободна. Вы победили, Ани! Вы продержались. Я знал, что вы продержитесь. Весной я увезу тебя в степь, покажу тебе гробницу Ульрика и Долину Ангелов — все что захочешь.

— Нет. Не надо... лгать.

— Ладно, — беспомощно сказал Тенака. — Не буду. Ну, почему, Ани? Почему ты вздумал умирать?

— Так... лучше. Нет боли. Нет гнева. Хватит... походил в героях.

Горло Тенаки сжалось, и слезы хлынули на порванную кожаную маску. Ананаис закрыл глаза.

— Ани!!!

Валтайя взяла Ананаиса за руку, стараясь нащупать пульс, и покачала головой. Тенака встал. Лицо его исказил гнев.

— Вы! — крикнул он, указывая пальцем на Райван и остальных. — Жалкое отродье! Он стоил тысячи таких.

— Может, и стоил, генерал, — согласилась Райван. — Какое же место в таком случае ты отводишь себе?

— Первое, — бросил он, выходя.

Снаружи ждали Гитаси, Субодай и Ингис с тысячью надирских воинов. Легион сложил оружие.

Внезапно на западе протрубила труба, и все обернулись в ту сторону. Турс и еще пятьсот скодийцев вступали в долину, а за ними в боевом строю шли десять тысяч одетых в доспехи легионеров. Райван, оттолкнув хана, бросилась к Турсу.

— Что происходит?

Турс усмехнулся.

— Легион взбунтовался и перешел на нашу сторону. Мы пришли так быстро, как сумели. — Молодой воин посмотрел на тела, усеивающие стену. — Я вижу, Тенака сдержал слово.

— Надеюсь.

Райван, выпрямившись, вернулась к Тенаке.

— Благодарю за помощь, генерал, — торжественно произнесла она. — Я говорю это от лица всех дренаев. Предлагаю тебе пока что расположиться в Дрос-Дельнохе. Я тем временем отправлюсь в Дренан, чтобы известить всех о нашей победе. Сколько человек ты привел с собой?

— Сорок тысяч, Райван, — с сумрачной улыбкой ответил он.

— Согласитесь ли вы принять по десять золотых рогов на каждого в знак благодарности?

— Еще бы!

— Пройдемся немного, — сказала она и увела Тенаку в рощу позади стены. — Могу ли я по-прежнему доверять тебе, Тенака?

Он посмотрел вокруг.

— А кто помешает мне захватить все это?

— Ананаис, — просто ответила она.

Он торжественно кивнул.

— Ты права — сейчас это было бы предательством. Пришли золото в Дельнох, и я вернусь на север. Но я еще приду сюда, Райван. У надиров своя судьба, и она тоже должна осуществиться. — Он повернулся, чтобы уйти.

— Тенака!

— Что?

— Спасибо тебе за все. Я говорю это искренне.

Он улыбнулся, и на миг она увидела перед собой прежнего Тенаку.

— Возвращайся к себе домой, Райван, и радуйся жизни — ты это заслужила.

— Ты полагаешь, что правителя из меня не выйдет?

— Очень даже выйдет — я просто не хочу иметь тебя своим врагом.

— Время покажет.

Он вернулся к своим.

Райван проводила его взглядом. Оставшись одна, она склонила голову и заплакала по убитым.

ЭПИЛОГ

Райван правила мудро, народ любил ее, и дренаи скоро забыли об ужасах Цески. Машины, найденные в Гравенском лесу, уничтожили. Лейк заново создал «Дракон», показав себя одаренным полководцем. Муха женился на Равенне, дочери Райван, и сделался князем Дрос-Дельноха, Хранителем Севера.

Тенака-хан выиграл множество междоусобных войн, принимая побежденные племена под свое знамя. Рения родила ему троих сыновей.

Ровно через десять лет после победы над Цеской Рения умерла в родах. Тенака-хан собрал свое войско и двинулся на юг, в Дрос-Дельнох.

Муха, Лейк и Райван ждали его — и ворота были заперты.

Литературно-художественное издание

Геммел Дэвид

Царь Каменных Врат

Редакторы Е.А. Барзова, Г.Г. Мурадян
Художественный редактор О.Н. Адаскина
Компьютерный дизайн: А.С. Сергеев
Технический редактор О.В. Панкрашина

Подписано в печать 19.04.99.
Формат $84 \times 108^1/_{32}$. Усл. печ. л. 25,2.
Тираж 11 000 экз. Заказ № 969.

Налоговая льгота – общероссийский классификатор продукции
ОК-00-93, том 2; 953000 – книги, брошюры

Гигиенический сертификат
№ 77.ЦС.01.952.П.01659.Т.98. от 01.09.98 г.

ООО “Фирма ‘‘Издательство АСТ”
ЛР № 066236 от 22.12.98.
366720, РФ, Республика Ингушетия,
г.Назрань, ул.Московская, 13а
Наши электронные адреса:
WWW.AST.RU
E-mail: astpub@aha.ru

Отпечатано с готовых диапозитивов
в типографии издательства “Самарский Дом печати”.
443086, г. Самара, пр. К. Маркса, 201.